Improvisação para o Teatro

Coleção Estudos
Dirigida por J. Guinsburg

Equipe de realização – Tradução e revisão: Ingrid Dormien Koudela e Eduardo José de Almeida Amos; Produção: Ricardo W. Neves e Sérgio Kon.

Viola Spolin

IMPROVISAÇÃO PARA O TEATRO

Título do original
Improvisation for the Theater

Dados Internacionais de Catalogação na Publicação (CIP)
(Câmara Brasileira do Livro, SP, Brasil)

Spolin, Viola.
Improvisação para o teatro / Viola Spolin ; [tradução e revisão Ingrid Dormien Koudela e Eduardo José de Almeida Amos]. – São Paulo : Perspectiva, 2015. – (Estudos ; 62 / dirigida por J. Guinsburg)

Título original: Improvisation for the theater
6ª edição
Bibliografia.
ISBN 978-85-273-0139-8

1. Arte dramática 2. Crianças como atores 3. Improvisação (Representação teatral) 4. Jogos infantis 5. Teatro amador I. Guinsburg, J. II. Título. III. Série.

05-0106 CDD-792.028

Índices para catálogo sistemático:
1. Improvisação : Artes da representação 792.028

6ª edição – 1ª reimpressão

EDITORA PERSPECTIVA LTDA.
Alameda Santos, 1909, cj. 22
01419-100 São Paulo SP Brasil
Tel.: (011) 3885-8388
www.editoraperspectiva.com.br

2023

Para Neva L. Boyd.
Ed e todos os alunos do YAC
e meus filhos Paul e Bill

Sumário

Lista Alfabética dos Exercícios

Lista das Ilustrações

Nota da Tradução

A presente tradução do livro *Improvisação para o Teatro* de Viola Spolin surge como resultado de estudo de um grupo de trabalho de alunos do curso de pós-graduação em Teatro/Educação da Escola de Comunicações e Artes, A conclusão do texto só ocorreu, na forma aqui apresentada, após a experimentação prática do sistema.

Acentuado pelo fato de o livro se constituir num manual para trabalho prático de teatro, na medida em que a tradução ia se desenvolvendo, foram encontrados basicamente dois problemas: o da linguagem utilizada pela autora e o da adaptação a uma realidade cultural brasileira.

Viola Spolin surpreende inicialmente por sua linguagem quase coloquial, direta, objetiva e por isso mesmo carregada de sabor e nuanças idiomáticas. O tom coloquial é intencional, fazendo parte de um sistema e de uma filosofia de trabalho. A grande maioria das palavras instrumentais empregadas pela autora são emprestadas da terminologia esportiva sendo desaconselhado por ela a sua transposição para o vocabulário do teatro. O próprio termo *player* em inglês refere-se tanto ao ator como ao jogador. Embora exista o termo *actor* que se refere exclusivamente a ator, a autora prefere o uso de *player* neste livro. Paralelamente à tradução foi mantida uma correspondência direta com a autora no sentido de obter informações sobre o seu trabalho e consultas sobre a tradução. Em sua atual fase de trabalho, Viola Spolin abole totalmente a palavra *actor*, substituindo-a por *player*; além disso o termo Ponto de Concentração foi substituído por Foco. Essas modificações foram solicitadas por ela para a edição brasileira, que entretanto não puderam ser integradas visto que, quando do recebimento da correspondência, o livro já se encontrava em fase adiantada de editoração. Elas serão, portanto, incluídas numa segunda edição.

Com relação à adequação do livro à realidade cultural do leitor brasileiro, as substituições de jogos tradicionais americanos por jogos tradicionais brasileiros foram realizadas livremente. Contudo, apesar de o conteúdo do jogo diferir de uma cultura para outra, existem elementos estruturais subjacentes que são comuns.

Finalmente, a partir do trabalho de pesquisa com o sistema dos jogos teatrais, a tradução do livro foi mais um passo no sentido de divulgar a proposta de Viola Spolin.

Introdução à Edição Brasileira

Os anos setenta parecem caracterizar-se como um momento de retomada das propostas que se sucederam, com velocidade vertiginosa, na década que os antecedeu. Aconteceu sem dúvida naquele momento uma síntese do teatro moderno. Hoje no entanto perdeu-se o processo, a perspectiva da procura. Quando um dos resultados mais positivos desta verdadeira revolução pela qual passou o teatro foi justamente a reflexão em torno do seu processo de criação. Os espetáculos da década de sessenta revelavam a descoberta através da nova linguagem. Muitas vezes hoje vemos apenas aquele código sendo utilizado para servir a objetivos meramente formais.

A partir do movimento Off-Off-Broadway surgiram nos E.U.A. novas formas de teatro que se tornaram independentes e que não seriam viáveis dentro do teatro ditado pelo *show business.* Muitos destes grupos "reinventaram" o teatro. E a técnica era aprendida durante os *workshops*, cujo desenvolvimento se dedicava a descoberta de novas formas de comunicação. Assim como os textos que surgiram desta experimentação teatral (Jean Claude van Itallie, Megan Terry etc.) são consequência dos *workshops* e possuem características singulares, decorrentes do processo de criação coletiva do qual se originaram, também o sistema de Viola Spolin é o resultado de pesquisas realizadas durante anos, junto a grupos de teatro improvisacional.

Vinculada ao movimento de renovação que se deu no teatro norte-americano na década de sessenta, é como se a autora tivesse distilado desse trabalho intenso de experimentação aqueles elementos essenciais ao desenvolvimento do processo expressivo do ator. Comprometida desde o início com a proposta educacional – seu trabalho foi iniciado com crianças e em comunidades de bairro em Chicago – Viola Spolin cria um sistema de atuação que é estrutural ao isolar em segmentos técnicas teatrais complexas. Retoma a trilha do "romance pedagógico", iniciada por Stanislavski, o primeiro a levantar interrogações fundamentais sobre o processo de educação no teatro. A partir do objetivo da procura de autenticidade e verdade, o teatro torna-se a possibilidade de restauração da verdadeira produção humana. O jogo de improvisação passa a ter o significado de descoberta prática dos limites do indivíduo, dando ao mesmo tempo as possibilidades para a superação destes limites. Longe de estar submisso a teorias, sistemas, técnicas ou leis, o ator passa a ser o artesão de sua própria educação, aquele que se produz livremente a si mesmo.

Ao mesmo tempo em que a autora estabelece um sistema que pretende regularizar e abranger a atividade teatral, ele existe para ser superado e negado enquanto conjunto de regras. O valor mais enfatizado no livro é a experiência viva do teatro, onde o encontro com a plateia deve ser redescoberto a cada momento. Concebido desta forma, o teatro deixa de ser uma técnica ou o domínio de especialistas. O fazer artístico é concebido como uma relação de trabalho. A partir daí pode haver a substituição do tão mitificado conceito de "talento" pela consciência do processo de criação. Nesta medida o sistema se destina a todas as pessoas: profissionais, amadores ou crianças.

Não encontramos mais no livro de Viola Spolin a dualidade entre o espontâneo infantil inatingível para o adulto e a expressão artística como forma inalcançável para a criança. A superação desta dicotomia gera uma nova concepção da atuação no palco. Talvez o maior segredo deste sistema esteja no princípio de que o palco tem uma linguagem própria, que não deve ser violentada. A demonstração desta verdade é apresentada pela autora através de um Ovo de Colombo, que é o jogo de regras. O objetivo da livre expressão da imaginação criativa é aqui substituído pelo parâmetro da linguagem artística do teatro – fornecido pela regra do jogo teatral. Abre-se assim a possibilidade para a realização de um verdadeiro trabalho de educação.

O livro propõe o sistema de ensino de Viola Spolin e sua visão de teatro. Além de indicar um caminho seguro para a realização de um teatro autêntico e significativo, revela uma reflexão em torno do fenômeno do teatro e abre perspectivas para novos caminhos de pesquisa. É uma reflexão sobre a prática, proposta em forma de problemas, a serem devolvidos ao palco e solucionados durante a atuação.

INGRID DORMIEN KOUDELA

Agradecimentos

Desejo agradecer a Neva L. Boyd pela inspiração dada no campo da criação de peça em grupo. Uma pioneira em seu campo, ela fundou o Recreational Training School em Hull House, Chicago; e de 1927 até o seu afastamento das atividades acadêmicas em 1941, foi socióloga na Universidade de Northwestern. De 1924 a 1927 como sua aluna, recebi um extraordinário treinamento sobre o uso de jogos, *story-telling* e *folk dance* como instrumentos para estimular a expressão criativa tanto em crianças como em adultos, através da autodescoberta e experimentação pessoal. Os efeitos de sua inspiração nunca me deixaram um único instante.

Subsequentemente, três anos como professora e supervisora de *creative dramatics* no WPA Recreational Project em Chicago – onde a maioria dos alunos tinha pouca ou nenhuma formação em teatro ou ensino – propiciaram a oportunidade para a minha primeira experiência direta no ensino de teatro, da qual foi desenvolvida uma abordagem não verbal e não psicológica. Este período de crescimento foi deveras desafiante, na medida em que lutei para equipar os indivíduos participantes com conhecimento e técnica adequados para mantê-los como professores-diretores no seu trabalho em comunidades de bairros.

Também sou grata aos *insights* que tive das obras de Constantin Stanislavsky, que aconteceram esporadicamente durante toda a minha vida.

Ao meu filho Paul Sills – que, com David Shepherd, fundou o primeiro teatro improvisacional profissional dos Estados Unidos, o Compass (1956-1958) – devo a primeira utilização do meu material, e sou grata pela sua assistência quando da formulação do primeiro manuscrito há mais ou menos doze anos atrás e seu uso experimental na Universidade de Bristol como bolsista da Fundação Fulbright. De 1959 a 1964 ele aplicou aspectos deste sistema com atores no Second City em Chicago. A revisão final deste livro só pôde acontecer após ter vindo para Chicago, observado o trabalho de sua companhia e ter sentido a visão que ele teve de seu alcance.

Desejo agradecer a todos os meus alunos da Califórnia que por doze anos me desafiaram; a meu assistente Robert Martin, que esteve comigo durante os onze anos da Young Actors Company em Hollywood, onde a maior parte do sistema foi desenvolvido; a Edward Spolin, cujo gênio na cenografia glorificou a Young Actors Company.

A Helena Koon, de Los Angeles, que ajudou-me durante a segunda reformulação do manuscrito, e a todos meus caros amigos e alunos de Chicago que me auxiliaram de todas as formas na árdua tarefa de completar a forma final do material aqui apresentado.

Prefácio

O estímulo para escrever este livro deve ser encontrado anteriormente ao trabalho inicial da autora como supervisora de teatro do WPA Recreational Project em Chicago; isto é, remonta às encantadoras "*operas*" espontâneas que eram apresentadas em encontros familiares. Aí, seus tios e tias "vestiam-se" e através de canções e diálogo divertiam os membros da família. Mais tarde, durante seus estudos com Neva Boyd, seus irmãos, irmãs e amigos reuniam-se para brincar de charadas (que aparecem neste livro como Jogo de Palavras), destruindo literalmente a casa, uma vez que as tampas de panelas serviam como parte do vestuário de Cleópatra e os panos de prato e cortinas serviam como capa para Satã.

Usando a estrutura do jogo como base para o treinamento de teatro, como meio para libertar a criança e o assim chamado amador de comportamentos de palco mecânicos e rígidos, ela escreveu um artigo sobre suas observações. Trabalhando primeiramente com crianças e adultos da vizinhança num pequeno teatro, ela foi também estimulada pela resposta de plateias escolares que assistiam a sua *troupe* de improvisações infantis. Num esforço para mostrar como funcionava o jogo de improvisações, os atores pediam sugestões para a plateia, as quais eram imediatamente transformadas em cenas improvisadas. Um amigo escritor, ao avaliar o artigo sobre essas atividades, exclamou: "Isto não é um artigo – isto é o esboço de um livro!"

A ideia do livro foi posta de lado até 1945, quando após ter se mudado para a Califórnia e montado a Young Actors Company em Hollywood, a autora começou novamente a experimentar técnicas teatrais com meninos e meninas. O trabalho em grupo criativo e os princípios do jogo aprendidos com Neva Boyd continuaram a ser aplicados na situação teatral tanto em oficinas de trabalho como em ensaios de peças. Gradualmente, a palavra "jogador" foi introduzida para substituir "ator" e "fisi-calizar" para substituir "sentir". Nesta época, a abordagem da Solução de Problemas e o Ponto de Concentração foram acrescentados à estrutura do jogo.

Embora o principal objetivo permanecesse o mesmo, isto é, treinar atores leigos e crianças no teatro formal, o treinamento continuou a desenvolver a forma que tinha aparecido anteriormente no Chicago Experimental Theater – improvisação de cena. Os próprios jogadores criavam suas cenas sem o benefício de um dramaturgo ou de exemplos dados pelo professor-diretor, enquanto eram libertados para receber as convenções do palco. Usando a simples estrutura de orientação denominada ONDE, QUEM e O QUÊ, eles podiam colocar toda a espontaneidade para trabalhar ao criar cenas após cenas de material novo. Envolvidos com a estrutura e concentrados na solução de um problema diferente em cada exercício, eles abandonavam gradualmente seus comportamentos mecânicos, emoções etc., e entravam na realidade do palco, livre e naturalmente, especializados em técnicas improvisacionais e preparados para assumir quaisquer papéis em peças escritas.

Embora o material para a publicação tenha sido reunido há muitos anos, sua forma final só foi atingida depois que a autora observou como a improvisação funciona profissionalmente no Second City em Chicago, o teatro improvisacional de seu filho, o diretor Paul Sills. O desenvolvimento deste sistema para o uso profissional trouxe novas descobertas e a introdução de muitos exercícios recém-inventados em suas oficinas de trabalho em Chicago. O manuscrito foi submetido a uma revisão total para incluir o material novo e para apresentar mais claramente o uso do sistema por profissionais, bem como pelo teatro amador e infantil.

O manual está dividido em três partes. A primeira preocupa-se com a teoria e os fundamentos para ensinar e dirigir teatro, a segunda é um esquema sequencial de exercícios para oficina de trabalho, e a terceira parte consiste de comentários sobre a criança no teatro e a direção de peça formal em teatro amador.

O manual é igualmente útil para atores profissionais, atores leigos e crianças. Para a escola e os centros comunitários ele oferece um detalhado programa de oficina de trabalho. Para os diretores de teatro amador e profissional ele propicia uma compreensão maior dos problemas dos atores e das técnicas para solucioná-los. Para o diretor e ator iniciantes ele traz uma consciência dos problemas inerentes que irão enfrentar.

TEORIA E FUNDAMENTAÇÃO

1. A Experiência Criativa

Todas as pessoas são capazes de atuar no palco. Todas as pessoas são capazes de improvisar. As pessoas que desejarem são capazes de jogar e aprender a ter valor no palco.

Aprendemos através da experiência, e ninguém ensina nada a ninguém. Isto é válido tanto para a criança que se movimenta inicialmente chutando o ar, engatinhando e depois andando, como para o cientista com suas equações.

Se o ambiente permitir, pode-se aprender qualquer coisa, e se o indivíduo permitir, o ambiente lhe ensinará tudo o que ele tem para ensinar. "Talento" ou "falta de talento" tem muito pouco a ver com isso.

Devemos reconsiderar o que significa "talento". É muito possível que o que é chamado comportamento talentoso seja simplesmente uma maior capacidade individual para experienciar. Deste ponto de vista, é no aumento da capacidade individual para experienciar que a infinita potencialidade de uma personalidade pode ser evocada.

Experienciar é penetrar no ambiente, é envolver-se total e, organicamente com ele. Isto significa envolvimento em todos os níveis: intelectual, físico e intuitivo. Dos três, o intuitivo, que é o mais vital para a situação de aprendizagem, é negligenciado.

A intuição é sempre tida como sendo uma dotação ou uma força mística possuída pelos privilegiados somente. No entanto, todos nós tivemos momentos em que a resposta certa "simplesmente surgiu do nada" ou "fizemos a coisa certa sem pensar". Às vezes em momentos como este, precipitados por uma crise, perigo ou choque, a pessoa "normal" transcende os limites daquilo que é familiar, corajosamente entra na área do desconhecido e libera por alguns minutos o gênio que tem dentro de si. Quando a resposta a uma experiência se realiza no nível do intuitivo, quando a pessoa trabalha além de um plano intelectual constrito, ela está realmente aberta para aprender.

O intuitivo só pode responder no imediato – no aqui e agora. Ele gera suas dádivas no momento de espontaneidade, no momento quando estamos livres para atuar e inter-relacionar, envolvendo-nos com o mundo à nossa volta que está em constante transformação.

Através da espontaneidade somos reformamos em nós mesmos. A espontaneidade cria uma explosão que por um momento nos liberta de quadros de referência estáticos, da memória sufocada por velhos fatos e informações, de teorias não digeridas e técnicas que são na realidade descobertas de outros. A espontaneidade é um momento de liberdade pessoal quando estamos frente a frente com a realidade e a vemos, a exploramos e agimos em conformidade com ela. Nessa realidade, as nossas mínimas partes funcionam como um todo orgânico. É o momento de descoberta, de experiência, de expressão criativa.

Tanto a "pessoa média" quanto a "talentosa" podem ser ensinadas a atuar no palco quando o processo de ensino é orientado no sentido de tornar as técnicas teatrais tão intuitivas que sejam apropriadas pelo aluno. É necessário um caminho para adquirir o conhecimento intuitivo. Ele requer um ambiente no qual a experiência se realize, uma pessoa livre para experienciar e uma atividade que faça a espontaneidade acontecer.

Este texto é um curso planejado para tais atividades. O presente capítulo tenta auxiliar tanto o professor como o aluno a encontrar a liberdade pessoal no que concerne ao teatro. O Cap. 2 tenciona mostrar ao professor como estabelecer um ambiente no qual o intuitivo possa emergir e a experiência se realizar: para que então o professor e o aluno possam iniciar juntos uma experiência criativa e inspiradora.

SETE ASPECTOS DA ESPONTANEIDADE

JOGOS

O jogo é uma forma natural de grupo que propicia o envolvimento e a liberdade pessoal necessários para a experiência. Os jogos desenvolvem as técnicas e habilidades pessoais necessárias para o jogo em si, através do próprio ato de jogar. As habilidades são desenvolvidas no próprio momento em que a pessoa está jogando, divertindo-se ao máximo e recebendo toda a estimulação que o jogo tem para oferecer – é este o exato momento em que ela está verdadeiramente aberta para recebê-las.

A ingenuidade e a inventividade aparecem para solucionar quaisquer crises que o jogo apresente, pois está subentendido que durante o jogo o jogador é livre para alcançar seu objetivo da maneira que escolher. Desde que obedeça às regras do jogo, ele pode balançar, ficar de ponta-cabeça, ou até voar. De fato, toda maneira nova ou extraordinária de jogar é aceita e aplaudida por seus companheiros de jogo.

Isto torna a forma útil não só para o teatro formal, como especialmente para os atores interessados em aprender improvisação, e é igualmente útil para expor o iniciante à experiência teatral, seja ele adulto ou criança. Todas as técnicas, convenções etc., que os alunos-atores vieram descobrir lhes são dadas através de sua participação nos jogos teatrais (exercícios de atuação):

> O jogo é psicologicamente diferente em grau, mas não em categoria, da atuação dramática. A capacidade de criar uma situação imaginativamente e de fazer um papel é uma experiência maravilhosa, é como uma espécie de descanso do cotidiano que damos ao nosso eu, ou as férias da rotina de todo o dia. Observamos que essa liberdade psicológica cria uma condição na qual tensão e conflito são dissolvidos, e as potencialidades são liberadas no esforço espontâneo de satisfazer as demandas da situação[1].

Qualquer jogo digno de ser jogado é altamente social e propõe intrinsecamente um problema a ser solucionado – um ponto objetivo com o qual cada indivíduo deve se envolver, seja para atingir o gol ou para acertar uma moeda num copo. Deve haver acordo de grupo sobre as regras do jogo e interação que se dirige em direção ao objetivo para que o jogo possa acontecer.

Os jogadores tornam-se ágeis, alerta, prontos e desejosos de novos lances ao responderem aos diversos acontecimentos acidentais simultaneamente. A capacidade pessoal para se envolver com os problemas do jogo e o esforço dispendido para lidar com os múltiplos estímulos que ele o provoca, determinam a extensão desse crescimento.

O crescimento ocorrerá sem dificuldade no aluno-autor porque o próprio jogo o ajudará. O objetivo no qual o jogador deve constantemente concentrar e para o qual toda ação deve ser dirigida provoca espontaneidade. Nessa espontaneidade, a liberdade pessoal é liberada, e a pessoa como um todo é física, intelectual e intuitivamente despertada. Isto causa estimulação suficiente para que o aluno transcenda a si mesmo – ele é libertado para penetrar no ambiente, explorar, aventurar e enfrentar sem medo todos os perigos.

A energia liberada para resolver o problema, sendo restringida pelas regras do jogo e estabelecida pela decisão grupal, cria uma explosão – ou espontaneidade – e, como é comum nas explosões, tudo é destruído, rearranjado, desbloqueado. O ouvido alerta os pés, e o olho atira a bola.

Todas as partes do indivíduo funcionam juntas como uma unidade de trabalho, como um pequeno todo orgânico dentro de um todo orgânico maior que é a estrutura do jogo. Dessa experiência integrada, surge o indivíduo total dentro do ambiente total, e aparece o apoio e a

1. NEVA L. BOYD, Play, *a Unique Discipline*.

confiança que permite ao indivíduo abrir-se e desenvolver qualquer habilidade necessária para a comunicação dentro do jogo. Além disso, a aceitação de todas as limitações impostas possibilita o aparecimento do jogo ou da cena, no caso do teatro.

Sem uma autoridade de fora impondo-se aos jogadores, dizendo-lhes o que fazer, quando e como, cada um livremente escolhe a autodisciplina ao aceitar as *regras do jogo* ("desse jeito é mais gostoso") e acata as decisões de grupo com entusiasmo e confiança. Sem alguém para agradar ou dar concessões, o jogador pode, então, concentrar toda sua energia no problema e aprender aquilo que veio aprender.

APROVAÇÃO/DESAPROVAÇÃO

O primeiro passo para jogar é sentir liberdade pessoal. Antes de jogar, devemos estar livres. É necessário ser parte do mundo que nos circunda e torná-lo real tocando, vendo, sentindo o seu sabor, e o seu aroma – o que procuramos é o contato direto com o ambiente. Ele deve ser investigado, questionado, aceito ou rejeitado. A liberdade pessoal para fazer isso leva-nos a experimentar e adquirir autoconsciência (auto identidade) e autoexpressão. A sede de auto identidade e autoexpressão, enquanto básica para todos nós, é também necessária para a expressão teatral.

Muito poucos de nós são capazes de estabelecer esse contato direto com a realidade. Nosso mais simples movimento em relação ao ambiente é interrompido pela necessidade de comentário ou interpretação favorável por uma autoridade estabelecida. Tememos não ser aprovados, ou então aceitamos comentário e interpretação de fora inquestionavelmente. Numa cultura onde a aprovação/desaprovação tornou-se o regulador predominante dos esforços e da posição, e frequentemente o substituto do amor, nossas liberdades pessoais são dissipadas.

Abandonados aos julgamentos arbitrários dos outros, oscilamos diariamente entre o desejo de ser amado e o medo da rejeição para produzir. Qualificados como "bons" ou "maus" desde o nascimento (um bebê "bom" não chora) nos tornamos tão dependentes da tênue *base de julgamento* de aprovação/desaprovação que ficamos criativamente paralisados. Vemos com os olhos dos outros e sentimos o cheiro com o nariz dos outros.

Assim, o fato de depender de outros que digam onde estamos, quem somos e o que está acontecendo resulta numa séria (quase total) perda de experiência pessoal. Perdemos a capacidade de estar organicamente envolvidos num problema, e de uma maneira desconectada funcionamos somente com partes do nosso todo. Não conhecemos nossa própria substância, e na tentativa de viver (ou de evitar viver) pelos olhos de outros, a auto identidade é obscurecida, nosso corpo e a graça natural desaparece, e a aprendizagem é afetada. Tanto o indivíduo como a forma de arte são distorcidos e depravados, e a compreensão se perde para nós.

Ao tentarmos nos salvaguardar de ataques, construímos uma fortaleza poderosa e nos tornamos tímidos, ou então lutamos cada vez que nos aventuramos sair de nós mesmos. Alguns, nesta luta com a aprovação/desaprovação, desenvolvem egocentrismo e exibicionismo; outros desistem e simplesmente seguem vivendo. Outros ainda, como Elsa no conto de fada, estão eternamente batendo nas janelas, tocando campainhas e lamentando "Quem sou eu?" O contato com o ambiente é distorcido. Autodescoberta e outros traços exploratórios tendem a ser atrofiados. Ser "bom" ou ser "mau" torna-se um modo de vida para aqueles que precisam da aprovação/desaprovação de uma autoridade – a investigação, assim como a solução dos problemas, tornam-se de importância secundária.

Aprovação/desaprovação cresce do autoritarismo que, com o decorrer dos anos, passou dos pais para o professor e, finalmente, para o de toda a estrutura social (o companheiro, o patrão, a família, os vizinhos, etc.).

A linguagem e as atitudes do autoritarismo devem ser constantemente combatidas quando desejamos que a personalidade total emerja como unidade de trabalho. Todas palavras que fecham portas, que têm implicações ou conteúdo emocional, atacam a personalidade do aluno-ator ou mantêm o aluno totalmente dependente do julgamento do professor, devem ser evitadas. Uma vez que muitos de nós fomos educados pelo método da aprovação/desaprovação, é necessário uma constante auto-observação por parte do professor-diretor para erradicar de si mesmo qualquer manifestação desse tipo, de maneira que não entre na relação professor-aluno.

A expectativa de julgamento impede um relacionamento livre nos trabalhos de atuação. Além disso, o professor não pode julgar o bom ou o mau pois que não existe uma maneira absolutamente certa ou errada para solucionar um problema: o professor, com um passado rico em experiências, pode conhecer uma centena de maneiras diferentes para solucionar um determinado problema, e o aluno pode aparecer com a forma cento e um, que o professor até então não tinha pensado[2]. Isto é particularmente válido nas artes.

O julgamento por parte do professor-diretor limita tanto a sua própria experiência como a dos alunos, pois ao julgar, ele se mantém distante do momento da experiência e raramente vai além do que já sabe. Isto o limita aos ensinamentos de rotina, às fórmulas e outros conceitos padronizados, que prescrevem o comportamento do aluno

E mais difícil reconhecer o autoritarismo na aprovação do que na desaprovação – particularmente quando um aluno solicita aprovação.

2. Veja Avaliação, p. 265.

Isto lhe dá autoconhecimento, pois uma aprovação do professor indica que foi feito algum progresso, mas um progresso em termos do professor, não em termos do aluno. Portanto, ao desejar evitar a aprovação, devemos nos precaver para não nos distanciarmos a tal ponto que o aluno se sinta perdido, ou que ele julgue que não está aprendendo nada.

A verdadeira liberdade pessoal e a autoexpressão só podem florescer numa atmosfera onde as atitudes permitam igualdade entre o aluno e o professor, e as dependências do aluno pelo professor e do professor pelo aluno sejam eliminadas. Os problemas propostos no livro ensinarão ambas as coisas.

Aceitar simultaneamente o direito do aluno à igualdade na abordagem de um problema e sua falta de experiência coloca uma carga sobre o professor. Esta maneira de ensinar parece a princípio mais difícil, pois o professor deve sempre se colocar fora das descobertas dos alunos sem interpretar ou forçar conclusões. Contudo, isto pode ser mais recompensador para o professor, porque uma vez que os alunos-atores tenham realmente aprendido através da atuação, a qualidade da *performance* será de fato muito alta.

Os jogos e exercícios para solução de problemas contidos neste manual ajudarão a diminuir o autoritarismo e, na medida em que o treinamento continua, ele desaparecerá. Com o despertar do sentido do eu, o autoritarismo é eliminado. Não há necessidade do *status* dado pela aprovação/desaprovação na medida em que todos (professor e aluno) lutam pelo *insight* pessoal - com a consciência intuitiva vem um sentimento de certeza.

A mudança do professor como autoridade absoluta não ocorre imediatamente. Levam-se anos para construir atitudes, e todos temos medo de abandoná-las, uma vez incorporadas. O professor encontrará seu caminho se nunca perder de vista o fato de que *as necessidades do teatro são o verdadeiro mestre*, pois o professor também deve aceitar as *regras do jogo*. Então ele facilmente encontrará sua função de guia, pois afinal o professor-diretor conhece o teatro técnico e artisticamente, e suas experiências são necessárias para liderar o grupo.

EXPRESSÃO DE GRUPO

Um relacionamento de grupo saudável exige um número de indivíduos trabalhando interdependentemente para completar um projeto, com total participação individual e contribuição pessoal. Se uma pessoa domina, os outros membros têm pouco crescimento ou prazer na atividade, não existe um verdadeiro relacionamento de grupo.

O teatro é uma atividade artística que exige o talento e a energia de muitas pessoas – desde a primeira ideia de uma peça ou cena até o último eco de aplauso. Sem esta interação não há lugar para o ator individualmente, pois sem o funcionamento do grupo, para quem iria ele representar, que materiais usaria e que efeitos poderia produzir? O aluno-ator deve aprender que "como atuar", assim como no jogo, está intrinsecamente ligado a todas as outras pessoas na complexidade da forma de arte. O teatro improvisacional requer relacionamento de grupo muito intenso, pois é a partir do acordo e da atuação em grupo que emerge o material para as cenas e peças.

Para o aluno que está iniciando a experiência teatral, trabalhar com um grupo dá segurança, por um lado e, por outro lado, representa uma ameaça. Uma vez que a participação numa atividade teatral é confundida por muitos com exibicionismo (e portanto com o medo de se expor), o indivíduo se julga isolado contra muitos. Ele luta contra um grande número de "pessoas de olhos malevolentes", sentadas, julgando seu trabalho. O aluno se sente constantemente observado, julgando a si mesmo e não progride.

No entanto, quando atua com o grupo, experienciando coisas junto, o aluno-ator se integra e se descobre dentro da atividade. Tanto as diferenças como as similaridades dentro do grupo são aceitas. Um grupo nunca deveria ser usado para induzir conformidade, mas, como num jogo, deveria ser o elemento propulsor da ação.

O procedimento para o professor-diretor é basicamente simples: ele deve certificar-se de que todo aluno está participando livremente a todo momento. O desafio para o professor ou líder é ativar cada aluno no grupo respeitando a capacidade imediata de participação de cada um. Embora o aluno bem dotado pareça ter sempre mais para dar, mesmo se um aluno estiver participando do limite de sua força e usando o máximo de suas habilidades, ele deve ser respeitado, ainda que sua contribuição seja mínima. Nem sempre o aluno pode fazer o que o professor acha que ele deveria fazer, mas na medida em que ele progride, suas capacidades aumentarão. Trabalhe com o aluno onde ele está, não onde você pensa que ele deveria estar.

A participação e o acordo de grupo eliminam todas as tensões e exaustões da competição e abrem caminho para a harmonia. Uma atmosfera altamente competitiva cria tensão artificial, e quando a competição substitui a participação, o resultado é a ação compulsiva. Mesmo para os mais jovens, a competição acirrada conota a ideia de que ele deve ser melhor do que qualquer outro. Quando um jogador sente isso, sua energia é dispendida somente para isto, ele se torna ansioso e impelido, e seus companheiros de jogo tornam-se uma ameaça para ele. Se a competição for tomada erroneamente como um instrumento de ensino, todo o significado do jogo será distorcido. A atuação permite que uma pessoa responda com seu "organismo total dentro de um ambiente total". A competição imposta torna essa harmonia impossível, pois ela destrói a natureza básica da atuação no palco ocultando a auto identidade e separando um jogador do outro.

Quando a competição e as comparações aparecem dentro de uma atividade, há um efeito imediato sobre o aluno que é patente em seu comportamento. Ele luta por um *status* agredindo outra pessoa, desenvolve atitudes defensivas (dando "explicações" detalhadas para as ações mais simples, vangloriando-se ou culpando outros pelas coisas que ele faz) assumindo o controle agressivamente ou demonstrando sinais de inquietude. Aqueles que acham impossível levar a cabo com uma tensão imposta, se tornarão apáticos e mostrarão sinais de fastio para se aliviarem. Quase todos mostrarão sinais de fadiga.

A competição natural, por outro lado, é parte orgânica de toda atividade de grupo e propicia tensão e relaxamento de forma a manter o indivíduo intacto enquanto joga. É a estimulação crescente que aparece na medida em que os problemas são resolvidos e que outros mais desafiantes lhe são colocados. Os companheiros de jogo são necessários e bem recebidos. Essa competição natural pode se tornar um processo para maior penetração no ambiente.

Com a dominação de cada problema caminhamos para uma compreensão mais ampla, pois uma vez solucionado o problema, ele se dissolve como algodão doce. Quando já dominamos o engatinhar, nos pomos em pé, e quando nos levantamos começamos a andar. Esse aparecimento e dissolvição infinitos de fenômenos desenvolve uma visão (percepção) cada vez maior com cada novo conjunto de circunstâncias. (Veja todos os exercícios de transformação.)

Se quisermos continuar o jogo, a competição natural deve existir onde cada indivíduo tiver que empregar maior energia para solucionar consecutivamente problemas cada vez mais complicados. Estes podem ser solucionados, então, não às custas de uma outra pessoa, com a terrível perda emocional pessoal que o comportamento compulsivo ocasiona, mas trabalhando harmoniosamente com outros para aumentar o esforço ou trabalho de grupo. B só quando a escala de valores toma a competição como grito de guerra que decorre o perigo: o resultado final – sucesso – torna-se mais importante do que o processo.

A utilização de energia em excesso para solucionar um problema é muito evidente hoje. Embora seja verdadeiro que algumas pessoas que trabalham com energias compulsivas façam sucesso, na maioria dos casos já perderam de vista o prazer na atividade e se tornam insatisfeitas com suas realizações. Assim acontece porque se dirigirmos todos os nossos esforços para a obtenção de um objetivo, corremos um grave perigo de perder tudo aquilo no qual baseamos nossas atividades cotidianas. Pois quando um objetivo é superimposto numa atividade ao invés de emergir a partir dela, sempre nos sentimos enganados quando o alcançamos.

Quando um objetivo aparece fácil e naturalmente e vem de um crescimento e não de uma força compulsiva o resultado final, seja ele um espetáculo ou o que quer que seja, não será diferente do processo que levou a esse resultado. Se somos treinados somente para o sucesso, devemos usar tudo e todas as pessoas para esse fim, podemos então trapacear, mentir, trair e abandonar toda vida social para alcançar sucesso.

O conhecimento teria uma exatidão maior se viesse da estimulação do próprio aprendizado. Se procurarmos somente o sucesso, quantos valores humanos não serão perdidos? E quanto não estaremos privando a nossa forma de arte?

Portanto, ao desviar a competição para o esforço de grupo, lembrando que o processo vem antes do resultado final, libertamos o aluno-ator para confiar no esquema e o ajudamos a solucionar os problemas da atividade. Tanto o aluno bem dotado, que teria sucesso mesmo sob altas tensões, como o aluno que tem poucas chances de ser bem sucedido sob pressão, mostram uma grande liberação criativa e os padrões artísticos nas sessões de trabalho, se elevam quando a energia livre e saudável entra sem restrições na atividade teatral. Uma vez que os problemas de atuação são cumulativos, todos são aprofundados e enriquecidos por cada experiência sucessiva.

PLATEIA*

O papel da plateia deve se tornar uma parte concreta do treinamento teatral. Na maioria das vezes, ele é tristemente ignorado. Tempo e ideias são gastos com o lugar do ator, do cenógrafo, do diretor, do técnico, do administrador etc., mas ao grupo maior para o qual seus esforços estão voltados, raramente é dada a mínima consideração. A plateia é considerada como um bando de xeretas a ser tolerado pelos atores e diretores, ou como um monstro de muitas cabeças que está sentado fazendo julgamentos.

A frase "esqueça a plateia" é um mecanismo usado por muitos diretores como meio de ajudar o aluno-ator a relaxar no palco. Mas essa atitude provavelmente criou a quarta parede. O ator não deve esquecer sua plateia, da mesma forma como não esquece suas linhas, seus adereços de cena ou seus colegas atores!

A plateia é o membro mais reverenciado do teatro. Sem plateia não há teatro. Cada técnica aprendida pelo ator, cada cortina e plataforma no palco, cada análise feita cuidadosamente pelo diretor, cada cena coordenada é para o deleite da plateia. Eles são nossos convidados, nossos avaliadores e o último elemento na roda que pode então começar a girar. Ela dá significado ao espetáculo.

Quando se compreende o papel da plateia, o ator adquire liberdade e relaxamento completo. O exibicionismo desaparece quando o aluno-ator começa a ver os membros da plateia não como juízes ou censores ou mesmo como amigos encantados, mas como um grupo com o qual ele está compartilhando uma experiência. Quando a plateia

* O termo "plateia" foi assim traduzido na tentativa de expressar tanto a dualidade palco-plateia, como o caráter ativo dos elementos que a formam. É, portanto, deliberado o uso de plateia para expressar aquele grupo de indivíduos que, como num jogo de futebol ou basquete, mesmo estando fora do campo, Influi ativamente no seu resultado. Plateia, dessa forma, deve ser considerado diferente de público, principalmente se se pensar em público televisivo, público leitor, ou mesmo em termos de público do teatro formal. (N. da T.)

é entendida como sendo uma parte orgânica da experiência teatral, o aluno-ator ganha um sentido de responsabilidade para com ela que não tem nenhuma tensão nervosa. A quarta parede desaparece, e o observador solitário torna-se parte do jogo, parte da experiência, e é bem recebido! Este relacionamento não pode ser instilado no ensaio final ou numa conversa no último minuto mas deve, como todos os outros problemas, ser tratado a partir da primeira sessão de trabalho.

Quando existe um consenso de que todos aqueles que estão envolvidos no teatro devem ter liberdade pessoal para experienciar, isto inclui a plateia – cada membro da plateia deve ter uma experiência pessoal, não uma estimulação artificial, enquanto assiste à peça. Quando a plateia toma parte neste acordo de grupo, ela não pode ser pensada como uma massa uniforme a ser empurrada ou atrelada pelo nariz, nem deve viver a vida de outros (mesmo que seja por uma hora), nem se identificar com os atores e representar através deles emoções cansadas e gratuitas. A plateia é composta de indivíduos diferenciados que estão assistindo à arte dos atores (e dramaturgos), e é para todos eles que os atores (e dramaturgos) devem utilizar suas habilidades para criar o mundo mágico da realidade teatral. Este deveria ser um mundo onde todo problema humano, enigma ou visão, possa ser explorado, um mundo mágico onde os coelhos possam ser tirados da cartola, e o próprio diabo possa ser invocado.

Somente agora os problemas do teatro atual estão sendo formulados em questões. Quando nosso treinamento de teatro puder capacitar os futuros dramaturgos, diretores e atores a pensar no papel da plateia como indivíduos e como parte do processo chamado teatro, cada um com direito a uma experiência significativa e pessoal, não será possível que uma forma de teatro totalmente nova emerja? Bons teatros improvisacionais profissionais já apareceram diretamente desta forma de trabalho, encantando plateias noite após noite com experiências teatrais originais.

TÉCNICAS TEATRAIS

As técnicas teatrais estão longe de ser sagradas. Os estilos em teatro mudam radicalmente com o passar dos anos, pois as técnicas do teatro são técnicas da comunicação. A existência da comunicação é muito mais importante do que o método usado. Os métodos se alteram para atender às necessidade de tempo e espaço.

Quando uma técnica teatral ou convenção de palco é vista como um ritual e a razão para sua inclusão na lista das habilidades do ator é perdida, então ela se torna inútil. Uma barreira artificial é estabelecida quando as técnicas estão separadas da experiência direta. Ninguém separa o arremesso de uma bola do jogo em si.

As técnicas não são artifícios mecânicos – um saco de truques bem rotulados para serem retirados pelo ator quando necessário. Quando a forma de uma arte se torna estática, essas "técnicas" isoladas, que se presume constituam a forma, estão sendo ensinadas e incorporadas rigidamente. O crescimento tanto do indivíduo como da forma sofre, consequentemente, pois a menos que o aluno seja extraordinariamente intuitivo, tal rigidez no ensino, pelo fato de negligenciar o desenvolvimento interior, é invariavelmente refletida em seu desempenho.

Quando o ator realmente sabe que há muitas maneiras de fazer e dizer uma coisa, as técnicas aparecerão (como deve ser) a partir do seu total. Pois é através da consciência direta e dinâmica de uma experiência de atuação que a experimentação e as técnicas são espontaneamente unidas, libertando o aluno para o padrão de comportamento fluente no palco. Os jogos teatrais fazem isto.

A TRANSPOSIÇÃO DO PROCESSO DE APRENDIZAGEM PARA A VIDA DIÁRIA

Quando o artista cria a realidade no palco, sabe onde está, percebe e abre-se para receber o mundo fenomenal. O treinamento teatral não se pratica em casa (é fortemente recomendado que nenhum texto seja levado para casa para ser decorado mesmo quando se ensaia uma peça formal). As propostas devem ser colocadas para o aluno-ator dentro das próprias sessões de trabalho[3]. Isto deve ser feito de maneira que ele as absorva e carregue dentro de si para sua vida diária.

Por causa da natureza dos problemas de atuação, é imperativo preparar todo o equipamento sensorial, livrar-se de todos os preconceitos, interpretações e suposições, para que se possa estabelecer um contato puro e direto com o meio criado e com os objetos e pessoas dentro dele. Quando isto é aprendido dentro do mundo do teatro, produz simultaneamente o reconhecimento e contato puro e direto com o mundo exterior. Isto amplia a habilidade do aluno-ator para envolver-se com seu próprio mundo fenomenal e experimentá-lo mais pessoalmente. Assim, a experimentação é a única tarefa de casa e, uma vez começada, como as ondas circulares na água é infinita e penetrante em suas variações.

Quando o aluno vê as pessoas e as maneiras como elas se comportam quando juntas, quando vê a cor do céu, ouve os sons no ar, sente o chão sob seus pés e o vento em sua face, ele adquire uma visão mais ampla de seu mundo pessoal e seu desenvolvimento como ator é acelerado. O mundo fornece o material para o teatro, e o crescimento artístico desenvolve-se par e passo com o nosso reconhecimento e percepção do mundo e de nós mesmos dentro dele.

FISICALIZAÇÃO

O termo "fisicalização" usado neste livro descreve a maneira pela qual o material é apresentado ao aluno num nível físico e não verbal,

3. Veja p. 303.

em oposição a uma abordagem intelectual e psicológica. A "fisicalização" propicia ao aluno uma experiência pessoal concreta, da qual seu desenvolvimento posterior depende, e dá ao professor e ao aluno um vocabulário de trabalho necessário para um relacionamento objetivo.

Nossa primeira preocupação é encorajar a liberdade de expressão física, porque o relacionamento físico e sensorial com a forma de arte abre as portas para o *insight*. É difícil dizer por que isso é assim, mas é certo que ocorre. Esse relacionamento mantém o ator no› mundo da percepção – um ser aberto em relação ao mundo à sua volta.

A realidade só pode ser física. Nesse meio físico ela é concebida e comunicada através do equipamento sensorial. A vida nasce de relacionamentos físicos. A faísca de fogo numa pedra, o barulho das ondas ao quebrarem na praia. A criança gerada pelo homem e pela mulher. O físico é o conhecido, e através dele encontramos o caminho para o desconhecido, o intuitivo. Talvez para além do próprio espírito do homem.

Em qualquer forma de arte procuramos a experiência de ir além do conhecido. Muitos de nós ouvimos os movimentos do novo que está para nascer, mas é o artista que deve executar o parto da nova realidade que nós (plateia) impacientemente esperamos. É a visão desta realidade que nos inspira e regenera. O papel do artista é dar a visão. Sua crença deve ser preocupação nossa, pois que é de natureza íntima e privada do ator. Não devemos nos preocupar com os sentimentos que o ator utiliza no palco.

Estamos interessados somente na comunicação física direta; os sentimentos são um assunto pessoal. Quando a energia é absorvida num objeto físico não há tempo para "sentimentos". Se isto parece rude, esteja certo de que insistir no relacionamento objetivo (físico) com a forma de arte traz uma visão mais clara e uma maior vitalidade, pois a energia retida nó medo de se expor é liberada na medida em que o aluno reconhece que ninguém está interessado em saber onde ele escondeu o cadáver.

O ator pode dissecar, analisar e desenvolver até mesmo um caso em torno de seu papel se ele for incapaz de assimilar e comunicá-lo fisicamente, terá sido inútil para a forma teatral. Não liberta seus pés nem traz o fogo da inspiração aos olhos da plateia. O teatro não é uma clínica. Não deveria ser um lugar para se juntar estatísticas.

O artista capta e expressa um mundo que é físico. Transcende o objeto – mais do que informação e observação acuradas, mais do que o objeto físico em si. Mais do que seus olhos podem ver. A "fisicalização" é um desses instrumentos.

Quando o ator aprende a comunicar-se diretamente[4] com a plateia através da linguagem física do palco, seu organismo como um todo

4. "Comunicação direta" da maneira como é usada neste texto refere-se a um momento de percepção mútua.

é alertado. Empresta-se ao trabalho e deixa sua expressão física levá-lo para onde quiser. No teatro de improvisação, por exemplo, onde pouco ou quase nenhum material de cena, figurino ou cenário são usados, o ator aprende que a realidade do palco deve ter *espaço*, *textura*, *profundidade* e *substância* – isto é, realidade física. É a criação dessa realidade a partir do nada, por assim dizer, que torna possível dar o primeiro passo, em direção àquilo que está mais além.

O ator cria a realidade teatral tornando-a física.

2. Procedimentos nas Oficinas de Trabalho

Um sistema de trabalho sugere que, seguindo um esquema de procedimento, podemos juntar informações e experiência suficientes para emergir com uma nova compreensão do meio com o qual trabalhamos. Aqueles que trabalham no teatro com sucesso têm seus modos de produzir resultados; consciente ou inconscientemente, eles têm um sistema. Em muitos professores-diretores altamente habilitados, isto é tão intuitivo que eles não têm fórmula. Quantas vezes assistindo a uma demonstração ou a unia conferência sobre teatro pensamos: "As palavras – estão corretas, o princípio está correto, os resultados maravilhosos, mas como poderemos fazer isto?"

Os problemas de atuação neste manual são passos planejados de um sistema de ensino, que é um procedimento cumulativo que começa tão fácil e simples como dar o primeiro passo numa estrada, ou saber que um mais um são dois. Um procedimento de "como fazer" tornar-se-á aparente com o uso do material. Todavia, nenhum sistema deve ser um sistema. Devemos caminhar com cuidado se não quisermos derrubar nossos objetivos. Como um modo de ação "planejado" pode ser ao mesmo tempo "livre"?

A resposta é clara. São as exigências da própria forma de arte que devem nos apontar o caminho, moldando e regulando nosso trabalho, e remodelando a nós mesmos para enfrentar o impacto dessa grande força. Nossa preocupação é manter uma realidade viva e em transformação para nós mesmos, e não trabalhar compulsivamente por um resultado final. Sempre que nos encontrarmos, seja nas sessões de trabalho ou nos espetáculos, deve haver o momento do processo, o momento do teatro vivo. Se deixarmos isto acontecer, as técnicas de ensino, direção, atuação, de desenvolvimento de material para improvisação de cena, ou o modo de trabalhar uma peça formal surgirá do interior de cada um e aparecerá como que por acidente[1]. É a partir da vontade de compreender o processo orgânico que o nosso trabalho se torna vivo. Os exercícios usados e desenvolvidos neste manual cresceram a partir deste foco. Para aqueles de nós que servem ao teatro e não a um sistema de trabalho, o que procuramos aparecerá como resultado do que fizermos para encontrá-lo.

Isto é verdadeiro especialmente no desenvolvimento da nova e estimulante improvisação de cena. A improvisação só pode nascer do encontro e atuação no presente, que está em constante transformação. O material e substância da improvisação de cena não são trabalhos de uma única pessoa ou escritor, mas surgem da coesão de um ator atuando com outro. A qualidade, amplitude, vitalidade e vida deste material está em proporção direta ao processo que os alunos estão atravessando e realmente experienciando em termos de espontaneidade, crescimento orgânico e resposta intuitiva.

Este capítulo tenta esclarecer para o professor-diretor como organizar o material para o treinamento das convenções do teatro e como podemos todos permanecer fora da rotina e encontrar-nos no campo do ainda desconhecido. Embora muitos rejeitem, temerosos de abandonar a gaiola familiar, alguns se encontrarão e, juntos, preservarão o espírito vital do teatro.

Para chegar a esta compreensão, o professor-diretor deve manter um duplo ponto de vista em relação a si mesmo e aos alunos: 1) observação na manipulação do material apresentado em seu uso óbvio e em seu uso externo como treinamento para o palco; 2) um exame constante e cuidadoso para verificar se o material está ou não penetrando e atingindo um nível de resposta mais profundo – o intuitivo.

Para evitar que a palavra "intuitivo" torne-se vazia ou que a usemos para conceitos ultrapassados, utilize-a para denotar aquela área do conhecimento que está além das restrições de cultura, raça, educação, psicologia e idade; mais profundo do que as roupagens de maneirismo, preconceitos, intelectualismos e adoções de ideias alheias que a maioria de nós usa para viver o cotidiano. Ao invés disso abracemo-nos uns aos outros em nossa pura humanidade e nos esforcemos durante as sessões de trabalho para liberar essa humanidade dentro de nós e de nossos alunos. Então, as paredes de nossa jaula de preconceitos, quadros de referência e o certo-errado predeterminado se dissolvem.

1. Veja Atuação Natural, p. 255.

Então, olhamos com um "olho interno". Deste modo, não haverá o perigo de que o sistema se transforme em um sistema.

A SOLUÇÃO DE PROBLEMAS

A técnica de solução de problemas usada nas oficinas de trabalho dá um foco objetivo mútuo ao professor e ao aluno. Em palavras simples, isto significa dar problemas para solucionar problemas. Ela elimina a necessidade de o professor analisar, intelectualizar, dissecar o trabalho de um aluno com critérios pessoais. Isto elimina a necessidade de o aluno ter que passar pelo professor, e o professor ter que passar pelo aluno para aprender. Ela proporciona a ambos o contato direto com o material, desse modo desenvolvendo o relacionamento ao invés da dependência entre os dois. Ela torna a experiência possível e suaviza o caminho para que pessoas de formação diferente trabalhem juntas.

Quando um elemento tem de passar pelo outro para aprender alguma coisa, o seu aprendizado é marcado tanto pelas suas próprias necessidades subjetivas como pelas do professor, criando sempre dificuldades de personalidade e toda a experiência (visão) é alterada de tal maneira que o contato direto não é mais possível. A crítica do professor em termos de aprovação/desaprovação torna-se mais importante que o aprendizado, e o aluno-ator é mantido em velhos quadros de referência (seus próprios ou do professor), os comportamentos e as atitudes permanecem imutáveis. A técnica da solução de problemas evita isto.

A solução de problemas exerce a mesma função que o jogo ao criar unidade orgânica e liberdade de ação, e gera grande estimulação provocando constantemente o questionamento dos procedimentos no momento de crise, mantendo assim todos os membros participantes abertos para a experimentação.

Uma vez que não há um modo certo ou errado de solucionar o problema, e uma vez que a resposta para cada problema está prefigurada no próprio problema (e deve estar para um problema ser verdadeiro), o trabalho contínuo e a solução dos problemas abre cada um para sua própria fonte e força. A maneira como o aluno-ator soluciona o problema é uma questão pessoal; como no jogo ele pode correr, gritar, subir dar saltos, desde que permaneça com o problema. Todas as distorções de caráter e personalidade dissipam-se vagarosamente, pois a verdadeira auto identidade é muito mais excitante do que a falsidade da rejeição, do egocentrismo, do exibicionismo e a necessidade de aprovação social.

Isto inclui o professor-diretor como o líder do grupo. Ele deve estar sempre alerta para trazer novos problemas de atuação para solucionar quaisquer dificuldades que possam aparecer. Ele se torna o diagnosticador, por assim dizer, desenvolvendo suas habilidades pessoais, em primeiro lugar para descobrir aquilo de que o aluno necessita ou o que está faltando para o seu trabalho, e em segundo lugar para descobrir aquele problema que funcionará o mais exatamente para o aluno. Por exemplo, se seus jogadores não conseguem trabalhar em mais de quatro no palco, e todos falam ao mesmo tempo criando uma confusão geral, a apresentação do exercício chamado Duas Cenas esclarecerá esse ponto para todos. Uma vez que o problema colocado por Duas Cenas estiver solucionado, o resultado será a compreensão orgânica de alguns problemas de marcação pelo aluno. A partir daí, tudo que o professor-diretor tem a fazer é instruir: "Duas Cenas!" para que os jogadores entendam e ajam de acordo[2].

E assim com todos os exercícios. Problemas para solucionar problemas, projeção da voz, caracterização, ação no palco, desenvolvimento de material para improvisação de cenas – tudo isso pode ser trabalhado deste modo. O dogmatismo é evitado pelo fato de não se dar palestras sobre como atuar; a versalização é usada com o propósito de esclarecer o problema. Pode ser considerado como um sistema de aprendizado não verbal, já que o aluno reúne suas próprias informações e dados a partir de uma experiência direta. Esse envolvimento mútuo com o problema e não com aquilo que é pessoal, juízos de valor, recriminação, bajulações etc., restabelece a confiança e o relacionamento, tornando possível o desprendimento artístico.

Este é o desafio para todos o membros das oficinas de trabalho. Cada um a partir de seu próprio ponto de vista focaliza mutuamente os problemas imediatos. Os últimos vestígios de autoritarismo desaparecem na medida em que todos trabalham para solucionar os problemas do teatro. Quando se diz aos jogadores mais jovens que nunca lhes serão feitas perguntas que não possam responder, ou que nunca lhes apresentarão problemas que não possam solucionar, eles podem acreditar realmente.

O PONTO DE CONCENTRAÇÃO

O Ponto de Concentração libera a força grupal e o gênio individual. Através do Ponto de Concentração, o teatro, uma forma de arte complexa, pode ser ensinado ao jovem, ao iniciante, aos velhos, aos encanadores, professores, médicos e donas-de-casa. Ele os libera para entrar numa excitante aventura criativa, e assim dá significado para o teatro na comunidade, na vizinhança, no lar.

O Ponto de Concentração é o ponto focal para o sistema coberto neste manual, e realiza o trabalho para o aluno. Ele é a "bola" com a qual todos participam do jogo. Embora seu uso possa ser variado, os quatro pontos que seguem auxiliam a esclarecê-lo para ser utilizado nas oficinas de trabalho. (1) Ele ajuda a isolar segmentos de técnicas teatrais complexas (necessárias para o espetáculo) para que sejam completamente exploradas. (2) Ele dá o controle, a disciplina artística em improvisação, onde a criatividade não canalizada poderia ser uma força mais destrutiva do

2. Veja Duas Cenas, p. 144.

que estabilizadora. (3) Ele propicia ao aluno o foco num ponto único ("Olhe para a bola") dentro do problema de atuação, e isto desenvolve sua capacidade de envolvimento com o problema e relacionamento com seus companheiros na solução do problema. Ambos são necessários para a improvisação de cena. O Ponto de Concentração atua como catalisador entre um jogador e outro, e entre o jogador e o problema. (4) Esta singularidade de foco num ponto, usado na solução de um problema – seja na primeira sessão onde o aluno conta as tábuas do chão ou cadeiras (Exposição) ou mais tarde com problemas mais complicados – libera o aluno para a ação espontânea e é veículo para uma experiência orgânica e não cerebral. O Ponto de Concentração torna possível a percepção, ao invés do preconceito; e atua como um trampolim para o intuitivo.

(1) A apresentação do material de uma maneira segmentada liberta o jogador para agir em cada estágio de seu desenvolvimento. Essa forma de apresentação divide a experiência teatral em unidades tão mínimas (simples e familiares) que cada detalhe é facilmente reconhecido e não confunde ou assusta ninguém. No início, o POC (Ponto de Concentração) pode ser a simples manipulação de um copo, uma corda ou uma porta. Ele se torna mais complexo na medida em que os problemas de atuação progridem, e com isto o aluno-ator será eventualmente levado a explorar o personagem, a emoção, e eventos complexos. Esta focalização do detalhe dentro da complexidade da forma artística, como num jogo, dá a todos alguma coisa para fazer no palco, cria a verdadeira atuação através da total absorção dos jogadores e através da eliminação do medo da aprovação/desaprovação. A partir deste algo para fazer (atuação) aparecem as técnicas de ensino, direção, representação e improvisação de cena. Na medida em que cada detalhe é desdobrado, torna-se um passo em direção a um novo todo integrado tanto para a estrutura total do indivíduo como para a estrutura do teatro. Trabalhando intensamente com partes, o grupo também estará trabalhando com o todo, o qual naturalmente é formado de partes.

Como cada problema de atuação é intrinsecamente inter-relacionado com o outro, o professor mantém dois, três e às vezes mais pontos de orientação em mente simultaneamente. Embora seja essencial que o professor esteja consciente da parte da experiência teatral explorada em cada problema de atuação, e Onde ela se encaixa na estrutura toda, o aluno não precisa estar tão informado. Muitas técnicas de palco podem nunca ser trazidas como exercícios separados mas se desenvolverão junto com outras. Desta forma, a interpretação de um personagem, por exemplo, que é cuidadosa e deliberadamente evitada no início do treinamento, torna-se cada vez mais consistente com cada exercício realizado, mesmo que o foco principal esteja em outro aspecto[3]. Isto evita a atividade cerebral em volta de um problema de atuação e o torna orgânico (unificado).

3. Veja Cap. 12.

(2) O Ponto de Concentração age como fronteira adicional (regras do jogo) dentro da qual o ator deve trabalhar e dentro da qual uma série constante de crises deve ser enfrentada. Assim como o músico de jazz cria uma disciplina pessoal permanecendo com o ritmo enquanto toca com outros músicos, assim também o controle no foco propicia o tema e desbloqueia o aluno para trabalhar com cada crise, na medida em que elas aparecem. Como o aluno trabalha somente com o seu POC, ele dirige todo seu equipamento sensorial para um único problema e não se sente confuso com mais de uma coisa por vez, quando na verdade está fazendo muitas. Ocupado com o POC, o aluno-ator enfrenta, sem hesitar, aquilo que se lhe apresenta. Ele é pego desprevenido, por assim dizer e trabalha sem medo ou resistência. Pelo fato de cada problema ser solucionável e constituir um foco exterior ao aluno, que ele pode ver e agarrar, cada POC sucessivo age como uma força estabilizadora e logo liberta todos para "confiar no esquema", entregando-se para a forma artística.

(3) Ao mesmo tempo em que cada jogador está trabalhando individualmente com o POC, todos devem agrupar-se em torno do objeto (bola) e juntos solucionar o problema, trabalhando com o POC e inter-relacionando-se. Isto estabelece uma linha direta do jogador com o problema (similar àquela do professor e aluno com o problema). Esse total envolvimento individual com o objeto torna o relacionamento com os outros possível. Sem esse envolvimento com o objeto, seria necessário envolver-se com seu próprio eu ou com outros indivíduos. Há um grave perigo em manipular a si mesmo ou a outro jogador como objeto (bola), pois pode ocorrer reflexão e absorção. Corremos o risco de empurrar uns aos outros pelo campo (o palco) e nos exibir, ao invés de jogar bola. O relacionamento mantém a individualidade intacta, permite que haja um arejamento (espaço para o jogo) entre todos, e evita que utilizemos a nós próprios e aos outros para nossas necessidades subjetivas. O envolvimento com o POC absorve as necessidades subjetivas e liberta para o relacionamento. Isto torna possível a ação e elimina do palco dramaturgia, emoção e psicodrama. Em tempo, quando o desprendimento artístico for um fato, podemos fazer de nós próprios ou de outros o objeto, sem correr o risco de uso indevido.

(4) O Ponto de Concentração é o foco mágico que preocupa e clareia a mente (o conhecido), limpa o quadro, e age como um propulsor em direção aos nossos próprios centros (o intuitivo), quebrando as paredes que nos separam do desconhecido, de nós mesmos e dos outros. Com a singularidade de foco, todos observam a solução do problema, e não há divisão de personalidade. Tanto para os jogadores como para a plateia, a diferença entre observar e participar diminui na medida em que a subjetividade dá passagem para a comunicação e torna-se objetividade. A espontaneidade não pode vir a partir da dualidade, do ser "observado", quer seja o jogador observando a si próprio ou temeroso de um observador de fora.

Esta combinação de indivíduos focalizando-se mutuamente e envolvidos mutuamente cria o relacionamento verdadeiro, o compartilhar de uma nova experiência. Aqui, os velhos quadros de referência caem por terra na medida em que a nova estrutura (crescimento) emerge permitindo liberdade de resposta e contribuição individual. A energia individual é liberada, a confiança é gerada, a inspiração e a criatividade aparecem quando todos jogam e solucionam o problema juntos. Surgem "faíscas" entre as pessoas quando isso acontece.

Infelizmente, a compreensão do Ponto de Concentração como uma ideia não é o mesmo que permitir que ele trabalhe para nós (aceitá-lo totalmente). É necessário tempo para que o princípio do POC se torne parte da integração de nós mesmos e de nosso trabalho. Embora muitas pessoas reconheçam o valor da utilização do POC, não é fácil se reestruturar e desistir do que é familiar. Alguns resistem de todas as maneiras possíveis. Qualquer que seja a razão psicológica para isso, ela aparecerá na recusa em aceitar responsabilidades grupais, nas brincadeiras, nas tentativas de criar histórias, piadas, avaliação imatura, falta de espontaneidade, interpretação do trabalho de outros de maneira a atender ao quadro de referência pessoal etc. Uma pessoa com forte resistência tentará manipular os que estão à sua volta para que trabalhem para si e suas ideias, ao invés de entrar no acordo grupal. Ela sempre se mostra ressentida daquilo que é considerado uma limitação imposta pelo professor ou refere-se aos exercícios como "coisa de criança". O exibicionismo e o egocentrismo persistem enquanto o aluno-ator fizer coisas fora de hora, "representar", assumir "personagens", e "emocionar-se" ao invés de envolver-se com o problema imediato.

É axiomático que o aluno que resiste em trabalhar com o POC nunca será capaz de improvisar e será um eterno problema disciplinar. Isto acontece porque improvisação é abertura para entrar em contato com o ambiente e o outro, e é vontade de jogar. Improvisar é atuar sobre o ambiente e permitir que os outros atuem sobre a realidade presente, como num jogo.

Às vezes, a resistência é escondida e se mostra através de verbalização excessiva, erudição, discussão e questionamento do "como fazer" dentro das oficinas de trabalho. Com jogadores habilidosos e inteligentes muitas vezes é difícil apontar e revelar isso. Falta de disciplina e resistência ao POC caminham juntas, pois a disciplina só pode crescer a partir do envolvimento total com o evento, objeto, ou projeto[4].

Entretanto, em tempo algum o aluno-ator deverá fazer uso indevido do palco, não importando qual seja sua resistência subjetiva. Pulso firme deve ser usado, não para atacar ou impor uma vontade, mas para manter a integridade da forma artística. Se os alunos treinarem o suficiente, eles reconhecerão que este modo de trabalho não é uma ameaça para eles, que não destruirá sua "individualidade"; assim que o poder do Ponto de Con-

4. Veja Disciplina é Envolvimento, pp. 257 e s.

centração for sentido por todos e resultar em maiores habilidades teatrais e num autoconhecimento mais profundo, a resistência será superada.

AVALIAÇÃO

A avaliação se realiza depois que cada time terminou de trabalhar com um problema de atuação. É o momento para estabelecer um vocabulário objetivo e comunicação direta, tornada possível através de atitudes de não julgamento, auxílio grupal na solução de um problema e esclarecimento do Ponto de Concentração. Todos os membros, assim como o professor-diretor, participam. Esta ajuda do grupo em solucionar os problemas remove a carga de ansiedade e culpa dos jogadores. O medo do julgamento (próprio e dos outros) lentamente abandona os jogadores na medida em que bom/mau, certo/errado revelam ser as correntes que nos prendem, e logo desaparecem do vocabulário de todos. Nesta perda do medo reside o alívio, neste alívio reside o abandono dos autocontroles restritivos (autoproteção). Quando o aluno se entrega a uma nova experiência, ele confia no esquema e dá um passo ao encontro do ambiente.

O professor-diretor deve avaliar objetivamente. A concentração foi completa ou incompleta? Eles solucionaram o problema? Comunicaram ou interpretaram? Mostraram ou contaram? Agiram ou reagiram? Deixaram acontecer?

A avaliação quando se limita a um preconceito pessoal não leva a parte alguma. "Um policial não come aipo", ou "As pessoas não ficam de ponta cabeça numa situação daquelas", ou "Ele estava bom/mau, certo/errado" – essas são as paredes que cercam o nosso jardim. Seria melhor perguntar: "Ele nos mostrou quem ele era? Por que não? Ele permaneceu com o problema? O bom/mau, certo/errado de quem? Meu, do João ou seu? Ele manteve o Ponto de Concentração?[5]"

A confiança mútua torna possível para o aluno empenhar-se na realização uma boa avaliação. Ele é capaz de manter um único propósito em mente, pois já não precisa se observar interessando-se em saber aonde o problema poderia ter levado. Quando ele está na plateia, avalia seus companheiros jogadores; quando ele é o jogador, ouve e permite que os colegas na plateia o avaliem, pois está entre amigos.

O tipo de avaliação feita pelo aluno da plateia depende da sua compreensão do Ponto de Concentração e do problema a ser solucionado. Se quisermos que o aluno tenha uma maior compreensão do seu trabalho no palco, é essencial que o professor-diretor não assuma sozinho a avaliação mas que faça perguntas que todos respondam – inclusive ele próprio. "Ele criou uma história? Ele fez-de-conta ou tornou real? Ele moveu o objeto ou permitiu que o objeto o movimentasse? Ele gritou

5. Veja pp. 274 e ss.

com seus pés? Ele estabeleceu contato ou fez suposições? Ele solucionou o problema?"

O aluno da plateia não esta ali sentado para ser entretido, ou para atacar ou proteger os jogadores. Para haver ajuda mútua, a Avaliação deve versar sobre o que realmente foi comunicado, não sobre o que foi "preenchido" (tanto pelo jogador como pela plateia), não é uma interpretação pessoal sobre o que deveria ser feito. Isto acelera o processo, pois mantém a plateia ocupada assistindo não a uma peça ou a uma história, mas à solução de um problema. Quando o aluno da plateia compreende seu papel, as linhas de comunicação entre a plateia e o jogador, e entre o jogador e a plateia, são intensificadas. Aqueles que estão na plateia passam de observadores passivos a participantes ativos no problema.

"Não suponha nada. Avalie somente o que você realmente viu!" Isso joga a bola de volta para os jogadores e torna perspicaz os olhos e as mãos para uma seletividade mais apurada ao tentar tornar mais clara a realidade do palco. O aluno da plateia não compara, compete ou faz brincadeiras; ele deve avaliar o problema de atuação apresentado e não o desempenho de uma cena. Assim, a responsabilidade da plateia para com os jogadores torna-se parte do crescimento orgânico do aluno. Quando uma cena emerge, ela realmente proporciona prazer a todos[6].

Aceitar uma comunicação direta, sem interpretação e suposição, é difícil para os alunos no início do trabalho. Pode ser necessário trabalhar arduamente para se atingir isto. Perguntar a cada membro da plateia, "O que o jogador comunicou para você?", pode ajudar a esclarecer. É nesse momento que aquilo que a plateia "pensou" ou "supôs" ter sido feito pelo jogador pode ser identificado como uma interpretação e não como uma comunicação direta. O jogador no palco comunica ou não. A plateia vê o livro em sua mão ou não vê. Isto é tudo que pedimos. A própria simplicidade disto é o que confunde a maioria dos alunos. Se o jogador não estabeleceu uma comunicação direta com a plateia, fará todo esforço possível para consegui-lo da próxima vez. Se a plateia não recebeu uma comunicação direta, ela simplesmente não recebeu – isto é tudo.

Às vezes os membros da plateia se detêm na Avaliação pelas seguintes razões: primeira, eles não compreendem o Ponto de Concentração e portanto não sabem o que observar; segunda, muitos alunos confundem Avaliação com "crítica" e ficam relutantes em "atacar" seus companheiros. Uma vez compreendida, entretanto, a Avaliação é uma parte importante do processo e é vital para a compreensão do problema tanto para o. jogador como para a plateia. A reticência que alguns alunos possam sentir para expressar seus comentários desaparecerá. Terceira, o professor-diretor pode não "confiar no esquema" e assim estar inconscientemente impondo silêncio na Avaliação dos alunos, assumindo-a para si. O professor-diretor deve fazer parte da plateia junto com os

6. Veja Pontos de Observação, n. 4 no exercício Começo-e-fim, p. 73.

alunos-atores no sentido mais profundo da palavra, para que a Avaliação tenha significado.

A INSTRUÇÃO*

A instrução dá a auto identidade e age como um guia enquanto se está trabalhando com um problema dentro de um grupo. Como num jogo de bola, ela é aceita pelo aluno-ator, uma vez compreendida. Ela é usada enquanto os jogadores estão trabalhando no palco.

É o método usado para que o aluno-ator mantenha o Ponto de Concentração sempre que ele parece estar se desviando. (Olhe para a bola!) Isto dá ao aluno-ator auto identidade dentro da atividade e o força a trabalhar com o momento novo da experiência e, além disso, dá ao professor-diretor seu lugar no grupo e o torna parte integrante do mesmo.

A instrução mantém a realidade do palco viva para o aluno-ator. É a voz do diretor que vê as necessidades da apresentação como um todo, e ao mesmo tempo é a voz do professor que vê o jogador e suas necessidades individuais dentro do grupo e no palco. É o professor-diretor trabalhando com o problema junto com o aluno, tomando parte no esforço grupal.

A instrução atinge o organismo total, pois desperta a espontaneidade a partir do que está acontecendo no palco. Ela é dada no momento em que o jogador está em ação. Pelo fato de ser mais um método para manter o aluno e o professor em relacionamento, deve ser objetivo. Deve-se tomar muito cuidado para que não se desintegre num envolvimento do tipo aprovação/desaprovação. É um comando a ser obedecido!

Uma chamada simples e direta é melhor. "Compartilhe o quadro de cena! Veja os botões do casaco de João! Compartilhe sua voz com a plateia! Escreva com uma caneta, não com seus dedos!" (Quando tentam escrever no início do treinamento, a maioria dos atores finge escrever usando os dedos.) "Você andou através de uma mesa! Estabeleça contato! Veja com seus pés! Não invente história!" Tais comentários valem muito mais do que uma dúzia de palestras sobre marcação de cena, projeção, realidade dos objetos do palco etc. Pois são dados como parte do processo, e o aluno-ator facilmente dá realidade à mesa e vê seu colega-ator. Nossa voz atinge seu eu total e ele se movimenta de acordo.

O aluno que olha inquirindo quando ouve a instrução pela primeira vez só precisa ser orientado: "Ouça minha voz mas não preste atenção a ela", ou "Ouça minha voz mas continue trabalhando. Permaneça com o problema!"

A instrução dá ao aluno-ator a auto identidade dentro da atividade porque evita que ele se desvie para o isolamento do subjetivo: a instrução

* O termo *side-coaching* traduzido aqui por "instrução" é emprestado da terminologia esportiva, sendo utilizado pelo técnico (*coach*) de um time quando deseja interferir no jogo sem, contudo, interrompê-lo. O termo *side-coaching* está muito próximo do termo "consígnia" do psicodrama, com a diferença de que este não tem o seu uso vinculado ao jogo. Veja Definição de Termos. (N. da T.)

mantém o aluno no momento presente, no momento do processo. Ela o mantém consciente do grupo e de si mesmo dentro dele[7].

Todos os exercícios neste manual sugerem instruções úteis.

A instrução também é usada para terminar um exercício quando necessário. Quando se diz "Um minuto!", os jogadores devem solucionar o problema com o qual estão trabalhando naquele tempo ou num tempo aproximado.

OS TIMES E A APRESENTAÇÃO DO PROBLEMA

Todos os exercícios são feitos com times escolhidos aleatoriamente. Os alunos devem aprender a se relacionar com todos. As dependências nas menores áreas devem ser constantemente observadas e quebradas. Isto está relacionado com a própria atuação, pois muitos atores tornam-se dependentes de maneirismos, de outras pessoas ou coisas. Retirar as muletas quando aparecem, ajuda os alunos a evitar esse tipo de problema. Esta é a razão pela qual a mudança de salas, o uso de palcos circulares e do proscênio, e a improvisação diante de "câmeras" e "microfones" são altamente recomendáveis.

Um meio simples e aceito por grupos de todas as idades para a formação de grupos é "contagem". Se os times caírem juntos várias vezes, mude de método de seleção (varie o número da contagem), para que os alunos nunca saibam exatamente onde se sentar para caírem com seus amigos. Esse método de contagem elimina a negativa exposição que os membros mais lentos do grupo sofrem se os times forem escolhidos pelos próprios alunos. É muito doloroso para um aluno ficar sentado e esperar ser convidado para participar de um grupo, e procedimentos como este devem ser evitados já nas primeiras sessões de trabalho. Isto é válido tanto para o aluno-ator de cinquenta anos como para o de oito.

Entretanto, se houver muito desnível de desenvolvimento no grupo nas sessões iniciais, pode ser necessário remanejar os atores para que todos fiquem com parceiros os mais desafiantes possível. Deve-se encontrar alguma maneira de fazer isto sem apontar um aluno ou outro.

APRESENTAÇÃO DO PROBLEMA

O professor-diretor é aconselhado a apresentar o problema de atuação rápida e simplesmente. Às vezes, o mero ato de escrever o problema do dia no quadro-negro é suficiente. Se forem necessárias explicações, não tente dar uma descrição longa e detalhada. Simplesmente esclareça o Ponto de Concentração e cubra o material necessário rapidamente como se explicasse um jogo qualquer. Sempre que possível, dê uma demonstração com alguns jogadores guiados por você. Não faça isso muito

7. Veja "Desprendimento", p. 338.

frequentemente contudo, pois pode se tornar uma maneira de mostrar o como e evitar a autodescoberta dos alunos. Não fique demasiado preocupado se nem todos parecem "pegar" imediatamente. Trabalhar com o problema em si e a preparação do grupo (com o professor-diretor orientando quando necessário), antes de fazer o exercício, trará esclarecimento para muitos alunos. Se ainda houver confusão, a Avaliação tornará inteiramente claro para aqueles que são mais lentos para compreender.

Do mesmo modo, não diga aos alunos por que eles recebem um determinado problema. Isto é particularmente importante com jogadores jovens e amadores. Tais predeterminações verbalizadas colocam o aluno numa posição de defensa. Poderão adotar como Ponto de Concentração dar ao professor o que ele (professor) quer, ao invés de trabalhar com o problema. De fato, não deve haver verbalização sobre "o que estamos tentando fazer" para o aluno. Toda linguagem deve ser dirigida para clarificar o problema somente. Deixe o aluno-ator ficar com o que parece ser o simples aspecto superficial do problema. Com o tempo ele saberá por si mesmo o que Neva L. Boyd chamou de "a estimulação e liberação que acontece em seu ser".

A COMPOSIÇÃO FÍSICA DAS OFICINAS DE TRABALHO

O AMBIENTE NO TREINAMENTO

O termo "ambiente" durante o treinamento refere-se tanto à composição física como à atmosfera existente dentro desta composição. Fisicamente, sempre que possível, as oficinas de trabalho deveriam ser realizadas num teatro bem equipado. "Bem equipado" não significa um palco sofisticado, mas a área de trabalho deveria ter pelo menos uma resistência para refletor e um sistema de som simples (amplificador, alto-falante e talvez um microfone). Se tal composição física é propiciada, os alunos-atores têm oportunidade para desenvolver habilidades que somam a experiência total do teatro: atuar, desenvolver material de cena e criar efeitos técnicos.

Os exercícios neste manual permitem adaptar objetos, vestimentas, efeitos sonoros e iluminação para serem utilizados espontaneamente durante a solução de um problema. Os elementos necessários para realizar esses efeitos deveriam estar prontamente disponíveis para os alunos-atores quando eles preparam suas situações. Grandes blocos de madeira são extremamente úteis, uma vez que podem ser rapidamente transformados em balcões, tronos, altares, sofás, ou o que quer que seja. Um guarda-roupa com peças especialmente selecionadas deveria estar à mão com todos os tipos de chapéus (cozinheiro, policial, medieval, palhaço etc.), mantos, capas, lenços de pescoço, e uma ou duas barbas. A área para o som deveria estar equipada com algumas engenhocas para criar manualmente efeitos sonoros (sinos de boi, pedaços de madeira compridos e quadrados, latas, correntes, baldes etc.) e também algumas gravações de efeitos sonoros, como partidas de automóveis, trens, sirenes, vento, tempestade etc. Cada time deveria escolher um membro para atuar como técnico e produzir quaisquer efeitos sonoros e de luz necessários durante a improvisação (veja Cap. 8).

Se, por um lado, é verdade que o teatro improvisacional, na sua maior parte, utiliza pouco ou quase nenhum objeto real ou elementos de cenário, por outro lado o jogador que estiver sendo treinado especificamente para esta forma deve manipular objetos reais como é sugerido por alguns exercícios no texto. Aprender a usar cenários, roupas, luzes etc., sem maior tempo para planejamento, exceto aquele necessário para estruturar suas cenas é simplesmente um modo de transferir a ação para uma outra área do teatro – um outro caminho para o intuitivo.

A atmosfera durante as oficinas de trabalho deve sempre ser de prazer e relaxamento. Espera-se que os alunos-atores absorvam não somente as técnicas obtidas na experiência de trabalho, mas também os climas que as acompanham.

PREPARAÇÃO PARA O PROBLEMA DE ATUAÇÃO

Os alunos-atores devem tomar suas próprias decisões e compor seu próprio mundo físico sobre o problema que lhes é dado. Esta é uma das chaves para este trabalho. Os jogadores criam sua própria realidade teatral e tornam-se donos de seus "destinos", por assim dizer (pelo menos por cinco minutos).

Uma vez que o professor-diretor ou líder do grupo tenha apresentado o problema de atuação, ele se retira e torna-se parte do grupo. Ele deve ir de grupo em grupo durante as primeiras sessões, esclarecendo o problema e o procedimento sempre que necessário, ajudando cada membro individualmente a atingir o acordo grupal.

Na Orientação, por exemplo, mesmo as decisões grupais mais simples como ouvir em grupo (p. 50) são difíceis para serem tomadas. Os indivíduos no time lançarão ideias uns para os outros. Alguns tentarão dizer a todos "como fazer". Indo de um time para outro o professor--diretor será capaz de auxiliá-los a chegar ao acordo grupal.

Esse momento pode também ser usado para esclarecer quaisquer incompreensões acerca do problema. Na primeira sessão, por exemplo, muitos perguntarão: "Como eu mostro estar ouvindo?" O professor não deve permitir que ninguém lhes mostre, e ele próprio permanece neutro, pois cada um fisicaliza o "ouvir" através de sua própria estrutura individual, e não deve haver chance para imitação. Encoraje-os a simplesmente "ouvir". Eles logo descobrirão que já sabem como "ouvir" (ou "ver" ou "sentir o gosto").

O simples acordo grupal do primeiro exercício abrirá o caminho para situações mais complicadas nos exercícios mais adiantados. Se a base for cuidadosamente colocada, o acordo sobre problemas posteriores – tais como lugar (Onde), personagem (Quem) e atividade (O Quê) – virá mais facilmente com cada exercício.

Para aqueles interessados no desenvolvimento de improvisação de cena, este é o único modo de trabalhar. Devido à natureza dessa forma de arte, a descoberta e o uso do material para cenas deve emergir a partir do próprio grupo, durante o processo de solução de um problema, junto com todas as técnicas que os alunos-atores estiverem desenvolvendo.

SENTIDO DE TEMPO

O problema de atuação deve ser interrompido quando não houver mais ação e os jogadores estiverem simplesmente falando desnecessariamente, fazendo piada etc. Isto é resultado de não estarem mais trabalhando com o problema e não estarem trabalhando juntos. A instrução "Um minuto!" deixará claro para os alunos que eles devem terminar sua cena ou seu problema. Isto, às vezes, acelera a ação, e a cena pode continuar por mais alguns instantes. Quando isto não acontece, é necessário então chamar, "Meio minuto!", e algumas vezes ainda pode ser necessário interromper a improvisação imediatamente.

Nos primeiros trabalhos informe aos alunos que quando se diz "Um minuto!", eles devem tentar solucionar o problema com o qual estão trabalhando dentro daquele tempo. Isto reaviva o POC para eles e geralmente acelera a cena simultaneamente, o que constitui um excelente ponto a ser levantado na Avaliação. Quando os atores estão trabalhando com o POC, "Um minuto!" raramente necessita ser dito. O interesse sobre o que está acontecendo no palco permanece intenso, como num jogo.

Chamar "Um minuto!" desenvolve um sentido intuitivo de ritmo e tempo nos jogadores. Por esta razão, algumas vezes é útil permitir que o aluno da plateia controle o tempo. Quando isto é feito, deve ser realizada uma avaliação grupal sobre esse ponto. Na medida em que o grupo desenvolve esse sentido de tempo, "Um minuto!" raramente precisa ser chamado, pois os jogadores conduzem as cenas aos seus finais necessários.

Sentido de tempo é percepção (sensação); é uma resposta orgânica que não pode ser ensinada por palestras. É a habilidade de manipular os múltiplos estímulos que ocorrem na cena. É o anfitrião em harmonia com as necessidades individuais de seus vários convidados. É o cozinheiro colocando um pouquinho disto e uma pitada daquilo no guisado. É a criança durante o jogo, alerta uma para a outra e para o ambiente à sua volta. É conhecer a realidade objetiva e estar livre para responder a ela.

RÓTULOS

A oficina de atuação visa o desenvolvimento de relacionamentos, não de informações. De forma que o professor-diretor deve evitar utilizar rótulos durante as primeiras sessões. Mantenha-se longe de termos técnicos como "marcação", "projeção" etc. Ao invés disto, substitua por frases como "deixe-nos ver o que está acontecendo", "deixe-nos ouvir sua voz" etc. Longe de eliminar o pensamento analítico, evitar rótulos os libertará, pois permite ao ator "compartilhar" de seu modo original; impor um rótulo antes que seu significado orgânico esteja completamente compreendido evita a experimentação direta e não há dados para analisar. Por exemplo, só quando "deixe-nos ouvir sua voz" for compreendido pelo ator orgânica e dinamicamente, após meses de uso, como sendo sua responsabilidade para com a plateia é que o termo "projeção" deve ser apresentado a ele. O rótulo é estático e impede o processo.

Em alguns casos, o trabalho contará com alunos-atores com experiência teatral anterior que inicialmente utilizarão a terminologia teatral convencional. Contudo, esses termos desaparecerão gradualmente na medida em que o professor-diretor estabelecer o vocabulário comum a ser usado durante o treinamento. Pelo fato de todo o sistema de trabalho estar baseado na autodescoberta, deve estar muito claro na mente do professor-diretor desde o início que a utilização de rótulos é indesejável.

EVITAR O COMO

Desde a primeira oficina de trabalho deve estar claro para todos que Como um problema é solucionado deve surgir das relações no palco, como num jogo. Deve acontecer no palco. (Aqui e agora!) e não através de qualquer planejamento anterior. Planejar anteriormente como fazer alguma coisa lança o ator na "representação» e/ou dramaturgia, tornando o desenvolvimento daqueles que improvisam impossível e impedindo um comportamento de palco espontâneo.

Quase sempre, um aluno novo na oficina de trabalho de teatro pensa que se espera dele que "desempenhe". Às vezes, o próprio líder do grupo está confuso sobre esse ponto e toma erroneamente "desempenho" por crescimento (embora em alguns casos isto possa ser verdadeiro). Com alunos novos, planejar anteriormente resulta em falta de jeito e temor; com os talentosos, resulta na continuação de seus velhos padrões de trabalho. Em ambos os casos, muito pouco é aprendido, pois no melhor dos casos o aluno continua debatendo-se contra velhos quadros de referência e atitudes preestabelecidas.

Desempenho é confundido com aprendizagem, e resultado final com processo. Mesmo que a necessidade de espontaneidade e o tabu do Como planejado sejam enfatizados, este ponto é difícil de ser incorporado e irá requerer constante esclarecimento para todos. Entretanto, quando todos entenderem que o Como mata a espontaneidade e impede experiências novas e não experimentadas, eles evitarão a repetição consciente de velhas ações, diálogos e lugares-comuns, seja de programas de televisão ou de peças em que eles tenham trabalhado anteriormente.

A comunicação direta evita o Como. Eis por que na Avaliação cada membro da plateia, individualmente, é convidado a se abrir para essa comunicação. O jogador estabelece a comunicação ou não estabelece, a plateia vê ou não vê. Isto esclarece o problema do Como, pois o membro da plateia não pode decidir nos seus termos (interpretação) Como o ator deveria ter estabelecido a comunicação.

Pré-planejar constitui uso de material velho, mesmo que esse material tenha sido criado há cinco minutos atrás. Trabalho de palco pré-planejado é resultado de ensaio, mesmo que esse ensaio tenha consistido de alguns segundos de visualização mental. Qualquer grupo de alunos-atores desiste de se apegar ao Como quando reconhece que se quiserem ensaiar e representar, eles deveriam estar com um grupo fazendo um *show* e não um treinamento deste tipo. Os não talentosos, cujo "ensaio" poderia, no melhor dos casos, causar somente um "desempenho" ansioso, evidenciam um grande sentido de alívio quando reconhecem que tudo o que têm a fazer é jogar o jogo.

O verdadeiro desempenho, abre os jogadores para experiências mais profundas. Quando chega esse momento, é aparente para todos. É o momento em que o organismo total trabalha com sua capacidade máxima aqui e agora! Como um raio, o verdadeiro desempenho consome tudo, queimando todas as necessidades subjetivas do ator e criando um momento de grande estimulação por todo o teatro. Quando isto ocorre, o aplauso espontâneo virá de todos os membros do grupo.

O pré-planejamento é necessário até o ponto em que os problemas devem ter uma estrutura. A estrutura é o Onde, Quem e O Quê, mais o POC. É o campo sobre o qual o jogo se realiza. Como o jogo será encaminhado só pode ser conhecido depois que os jogadores estiverem em campo.

SUGESTÕES E LEMBRETES

A seguinte lista de sugestões e lembretes tanto para o professor (ou líder do grupo) como para o aluno, deve ser corretamente considerada depois que os exercícios tenham sido realizados. Uma rápida olhada agora alertará a todos, e a lista deve ser revista enquanto um grupo está trabalhando com os exercícios.

1. Não apresse os alunos-atores. Alguns alunos necessitam sentir-se à vontade, sem pressa. Dê as instruções calmamente, quando necessário. "Não se apresse." "Nós temos muito tempo." "Estamos com você."

2. A interpretação e a suposição impedem o aluno de manter uma comunicação direta. Esta é a razão pela qual dizemos *mostre*, não *conte*. Contar é verbal e uma forma indireta de indicar o que está sendo feito. Isto coloca o trabalho acima do público ou do companheiro de palco, e o aluno não aprende nada. Mostrar significa contato e comunicação direta. Não significa apontar passivamente para alguma coisa.

1. Note que vários exercícios têm variações sutis. Isto é importante, e elas devem ser compreendidas, pois cada variação soluciona um problema muito diferente para o aluno. Cada professor-diretor irá fazer muitas complementações próprias na medida em que ele prossegue com seu trabalho.

2. Repita os problemas em diferentes momentos do trabalho, para ver como os alunos-atores trataram o trabalho inicial diferentemente. Isso também é importante quando as relações com o ambiente tornam-se confusas e se perdem os detalhes.

3. Como fazemos alguma coisa é o *processo de fazer* (aqui e agora!). Planejar o Como torna o processo impossível e constitui uma resistência ao Ponto de Concentração, e nenhuma "explosão" ou espontaneidade pode acontecer, tornando impossível qualquer mudança ou alteração no aluno-ator. A verdadeira improvisação reforma e altera o aluno-ator pelo próprio ato de improvisar. A penetração no POC, o contato direto e o relacionamento com outros atores resultam numa mudança, alteração ou nova compreensão para um, para o outro ou para ambos. Durante a solução de um problema de atuação, o aluno se conscientiza de que ele atua e estão atuando sobre ele, criando desse modo processo e mudança em sua vida de palco. Essa compreensão adquirida permanece com ele no seu dia-a-dia, pois quando um circuito é aberto, por assim dizer, pode ser utilizado a qualquer momento.

4. Sem exceção, todos os exercícios estão terminados no momento em que o problema está solucionado. Isto pode acontecer em um minuto ou em vinte, dependendo do desenvolvimento das habilidades dos alunos que estiverem atuando. A solução do problema é a força vital da cena. Continuar uma cena depois que o problema tenha sido solucionado torna-se *história* ao invés de processo.

5. Procure manter sempre um ambiente de trabalho onde cada um possa encontrar sua própria natureza (incluindo o professor ou o líder do grupo) sem imposição. O crescimento é natural para cada um. Certifique-se de que ninguém esteja bloqueado por um método de tratamento inflexível.

6. Um grupo de indivíduos que atua, entra em acordo e compartilha, cria uma força e liberação de conhecimento que ultrapassa a contribuição de um único membro. Isto inclui o professor e líder do grupo.

9. É a energia liberada na solução do problema que forma a cena.

10. Se durante as oficinas de trabalho os alunos se tornarem impacientes e estáticos, isto é sinal de perigo. São necessários descanso e um novo foco. Termine o problema imediatamente e utilize algum exercício simples de aquecimento (com objeto) ou jogo. Esqueça o manual e use qualquer coisa que mantenha o nível de vitalidade do grupo. Seja cuidadoso para não usar algum exercício avançado até que o grupo esteja pronto para ele. Certifique-se de que os exercícios de Orientação e de Onde sejam dados no início do trabalho. Isto é válido tanto para a companhia profissional como para o leigo ou iniciante em teatro.

11. Familiarize-se com os muitos livros de jogos úteis nesse trabalho.

12. Lembre-se que uma preleção nunca realizará o que uma experiência faz pelos alunos-atores.

13. Seja flexível. Altere seus planos no momento em que achar aconselhável, pois quando o fundamento em que está baseado este trabalho for compreendido e o professor conhece seu papel, ele poderá inventar muitos exercícios e jogos para enfrentar um problema imediato.

14. Assim como professor-diretor observa seus alunos quanto à inquietação e fadiga, ele deve também observar a si próprio. Se após uma oficina de trabalho ele encontrar-se esgotado e cansado, deve rever cuidadosamente seu trabalho e ver o que ele está fazendo para criar esse problema. Uma experiência sadia e revigorante só pode gerar ânimo.

15. Enquanto um grupo estiver trabalhando no palco, o professor-diretor deve observar tanto a reação da plateia, quanto o trabalho dos jogadores. Os níveis de interesse da plateia (incluindo o próprio professor) devem ser verificados, os jogadores devem relacionar-se, comunicar-se fisicamente, e ser vistos e ouvidos ao solucionarem o problema de atuação. Quando a plateia está inquieta, desinteressada, os jogadores são responsáveis por isso.

16. A essência da improvisação é transformação.

17. Evite dar exemplos. Se, por um lado, eles são algumas vezes úteis, o contrário é mais frequentemente verdadeiro, pois o aluno está inclinado a devolver como resposta o que já foi experienciado.

18. Se o ambiente de trabalho for alegre e livre de autoritarismo, todos "entrarão no jogo" e se tornarão abertos como as crianças.

19. O professor-diretor deve tomar o cuidado de permanecer sempre com o POC. A tendência para discutir crítica e psicologicamente um personagem, cena etc., é difícil de conter. O POC evita que tanto o professor como o aluno entrem em divagações.

– "Ele solucionou o problema?"

– "Ele estava bom."

– "Mas ele solucionou o problema?"

20. Nenhum artifício exterior deve ser utilizado durante a improvisação. Toda ação de palco deve vir do que, está real mente acontecendo no palco. Se os jogadores inventam um artifício exterior para criar uma mudança, isto significa fuga do relacionamento e do problema em si.

21. Aja, não reaja. Isto inclui o professor e o líder do grupo também. Reagir é um ato de proteção e constitui um afastamento do ambiente. Uma vez que procuramos penetração no ambiente, o ator deve atuar sobre o ambiente, que por sua vez age sobre aquele, numa ação catalítica que cria a interação que torna possíveis o processo e a mudança (construção de uma cena). Este é um ponto muito importante para os membros participantes do trabalho.

22. Os atores no teatro improvisacional, como os dançarinos, músicos ou atletas, necessitam de treinamento constante para se manterem alerta e ágeis e para encontrarem material novo.

23. Se se espera que os alunos-atores desenvolvam seu próprio material para as improvisações de cena, então a seleção e o acordo grupal sobre os objetos mais simples, no início do trabalho, são essenciais para desenvolver essa habilidade grupal.

24. A reação da plateia é espontânea (mesmo quando essa reação for de aborrecimento) e, com raras exceções (como quando um grande número de parentes e amigos estão presentes), pode ser considerada justa. Se os atores reconhecem que não encaram uma reação "fingida", podem atuar para a plateia como atuariam para outro time do grupo. Pode-se assegurar para um ator: "Se eles forem uma plateia ruim, então, naturalmente, merecem ser punidos."

25. Atente para não haver atividade excessiva durante as primeiras sessões, desencoraje toda representação e qualquer demonstração de inteligência. Os alunos com treinamento anterior, espírito de liderança natural ou talento especial irão frequentemente ignorar o POC, da mesma forma como os alunos temerosos irão resistir. Mantenha o tempo todo a atenção de todos focalizada no problema. Essa disciplina levará os mais tímidos a uma maior consciência e canalizará os mais livres para um maior desenvolvimento pessoal.

26. Deixe todos se desenvolverem a partir do ambiente do palco estabelecido. Os jogadores devem se ajudar mutuamente a trabalhar com o que estiver à mão para que improvisem verdadeiramente. Como nos jogos, os alunos-atores só podem atuar se derem atenção completa ao ambiente.

27. A disciplina imposta de fora e não desenvolvida a partir do envolvimento com o problema, produz ação inibida ou rebelde. Por outro lado, a disciplina escolhida livremente graças à atividade, torna-se ação responsável e criativa. É necessário imaginação e dedicação para ser autodisciplinado. Quando as dinâmicas são incorporadas e não impostas, as regras são respeitadas e é mais divertido.

28. Mantenha a fina linha entre "emoção" e "percepção" sempre clara nas oficinas de trabalho, insistindo na expressão física concisa (fisicalização) e não em "sentimento" vago e desgastado.

29. O equipamento sensorial dos alunos é desenvolvido com todos os instrumentos a nosso comando, não para treinar uma exatidão mecânica de observação, mas para fortalecer a percepção do seu mundo em expansão.

30. A menos que sejam necessárias para solucionar um problema específico numa peça, as experiências passadas devem ser evitadas uma vez que o grupo trabalha em experiências espontâneas imediatas. Todo indivíduo tem memória muscular e experiências armazenadas suficientes, que podem ser usadas numa situação atual sem abstraí-lo deliberadamente do organismo total.

31. Se o aluno e o professor estiverem livres do ritual e do autoritarismo, e lhes for permitido compartilhar desse libertar de sua criatividade, ninguém precisará dissecar e examinar suas emoções. Eles saberão que há muitas maneiras de expressar alguma coisa – que as xícaras, por exemplo, são seguradas diferentemente por diferentes pessoas e diferentes grupos.

32. Ajudando a libertar o aluno-ator para o processo de aprendizagem e inspirando-o a comunicar no teatro com dedicação e paixão, descobrir-se-á que a pessoa comum não falhará em responder à forma artística.

33. Os aquecimentos devem ser usados antes, durante e após as oficinas de trabalho quando necessário. Eles são breves exercícios de atuação que revigoram o aluno e vêm de encontro às suas necessidades particulares percebidas pelo professor-diretor durante cada sessão.

34. A vida do palco chega para o jogador na medida em que ele dá vida ao objeto. Dar vida ao objeto evita que ele se veja.

35. Invenção não é o mesmo que espontaneidade. Uma pessoa pode ser muito inventiva sem, contudo, ser espontânea. A explosão não acontece quando a invenção é meramente cerebral e, portanto, somente uma parte ou abstração do nosso ser total.

36. O professor-diretor deve aprender a saber quando o aluno-ator está realmente experienciando, caso contrário pouco será obtido do problema de atuação. Pergunte-lhe!

37. Nunca use os exercícios avançados como suborno. Espere até que os alunos estejam prontos para recebê-los.

38. Permita que os alunos encontrem seu próprio material.

39. A autodescoberta é o fundamento deste modo de trabalho.

40. Não seja impaciente. Não se apodere. Nunca force uma qualidade nascente para chegar a uma falsa maturidade, por meio de imitação ou intelectualização. Cada passo é essencial para o crescimento. Um professor só pode estimar o crescimento, pois cada indivíduo é o seu próprio "centro de desenvolvimento".

41. Quanto mais bloqueado e obstinado o aluno, mais longo o processo. Quanto mais bloqueado e obstinado o professor ou líder do grupo, mais longo o processo.

42. Caminhe calmamente. Mantenha todas as portas abertas para o crescimento futuro. Isto inclui tanto o professor como o líder do grupo.

43. Não se preocupe se um aluno aparenta estar fugindo da ideia que o professor tem sobre o que deveria estar acontecendo com ele. Quando ele confiar no esquema e tiver prazer no que faz, ele abandonará os laços que o impedem de se libertar e de ter uma resposta completa.

44. Todo indivíduo que se envolve e responde com seu todo orgânico a uma forma artística, geralmente devolve o que é comumente chamado de comportamento criativo e talentoso. Quando o aluno-ator

responder com alegria e vitalidade, o professor-diretor saberá que o teatro está, então, em sua pele.

45. Trabalhe sempre no sentido de alcançar a seleção universal, a essência compreendida por todos que a veem.

46. A improvisação inconsequente e a verbalização em demasia, durante a solução de um problema, constituem um afastamento do problema, do ambiente e do companheiro. A verbalização torna-se uma abstração da resposta orgânica total e é usada no lugar do contato para obscurecer o eu e, quando feita inteligentemente, é difícil de perceber. Por outro lado, o diálogo é simplesmente uma expressão além de uma comunicação humana total no palco.

47. Treine os atores a manipular a realidade teatral, não a ilusão.

48. Não ensine. *Exponha* os alunos ao ambiente teatral e eles encontrarão seu próprio caminho.

49. Nada está separado. O crescimento e o conhecimento residem na unidade das coisas. Os aspectos técnicos do teatro estão à disposição de todos em muitos livros. Nós procuramos muito mais do que informação acerca do teatro.

50. Na semente reside a árvore que irá florescer. Assim devem os problemas de atuação conter a previsão de seus resultados, a partir dos quais "o indivíduo na arte e a arte no indivíduo" podem florescer.

51. Emergir problemas para solucionar problemas requer uma pessoa com um rico conhecimento de seu campo.

52. Criatividade não é rearranjo, é transformação.

53. O sentimento e o choro são armas culturais. No nosso palco, vamos chorar e rir não a partir de velhos quadros de referência, mas a partir da alegria entusiasmante de ver seres humanos explorar um mundo maior.

54. A imaginação pertence ao intelecto. Quando pedimos a alguém para que imagine alguma coisa, estamos lhe pedindo que penetre em seu próprio quadro de referência, que pode ser limitado. Quando pedimos que *veja*, estamos colocando-o em uma situação objetiva, onde pode ocorrer a penetração no ambiente e na qual a consciência maior é possível.

55. A tensão, assim como a competição, deve ser uma parte natural da atividade entre os jogadores, sem que todas as cenas terminem num conflito para fazer algo acontecer (o alívio pode vir do acordo grupal). Isto não é facilmente compreendido. Uma corda entre os atores pode estabelecer objetivos opostos (conflito) num jogo de cabo-de--guerra; por outro lado, uma corda entre os atores puxando-os montanha acima pode ter uma tensão similar com todos puxando para um mesmo objetivo. Tensão e relaxamento estão implícitos na solução do problema.

56. Para o teatro improvisacional, um jogador deve sempre ver e dirigir toda ação para seu companheiro e não para a personagem que

ele estiver interpretando. Desta maneira, cada jogador saberá sempre para quem jogar a bola, e o grupo poderá se ajudar mutuamente. Sabendo disto, durante um espetáculo ou uma oficina de trabalho, quando um se desviar, o outro pode puxá-lo de volta para a cena (jogo).

57. Alguns alunos acham difícil evitar "escrever uma peça". Eles ficam separados do grupo e nunca inter-relacionam. Esse afastamento bloqueia o progresso durante as sessões de planejamento grupal, e enquanto trabalham no palco. Eles não entram no relacionamento, mas manipulam seus companheiros e o ambiente para seus próprios propósitos. Essa "dramaturgia" dentro do grupo transgride o acordo grupal, impede o processo com outros jogadores e evita que o indivíduo alcance uma experiência criativa expansiva própria. Dramaturgia, não improvisação de cena. A improvisação de cena só pode emergir a partir do acordo e atuação grupal. Se a dramaturgia continua na medida em que as sessões se desenvolvem, os jogadores não compreenderam o POC. Algumas vezes, um grupo todo não entende esse ponto e estará fazendo dramaturgia.

58. O jogador deve estar consciente de si mesmo no ambiente igualmente com outros jogadores. Isto lhe dá auto identidade sem a necessidade de exibicionismo. Isto é igualmente válido para o professor ou líder do grupo.

59. Trabalhe pela igualdade nas sessões e evite a imposição de autoridade do professor. Deixe que os exercícios de atuação façam o trabalho. Quando os alunos sentirem que "fizeram por si mesmos", o professor terá sido bem sucedido em seu papel.

60. Cuidado: se os alunos fracassarem frequentemente em solucionar um problema e retornarem à verbalização excessiva, à dramaturgia, às piadas, e estiverem trabalhando separadamente com movimentos corporais disformes e distorcidos, toda sua fundamentação está ameaçada. Eles foram apressados, ou a função do acordo grupal e do Foco nunca foi bem compreendida. Eles devem voltar aos primeiros exercícios e trabalhar nos mais simples envolvimentos com objetos até que estejam seguros do material inicial o suficiente para prosseguir com sucesso.

61. Ninguém pode participar de um jogo a menos que esteja firmemente concentrado tanto no objeto como no seu companheiro.

62. A improvisação em si não é um sistema de treinamento. Ela é um dos resultados do treinamento. A fala natural não ensaiada e a resposta a uma situação dramática são apenas uma parte de todo o treinamento. Quando a improvisação torna-se um fim em si mesma, ela pode matar a espontaneidade. O crescimento cessa na medida em que os intérpretes assumem o poder. Quanto mais espertos e talentosos os jogadores, mais difícil a descoberta desse fato. Todos improvisam a todo momento e respondem ao mundo através de seus sentidos. É o enriquecimento, a reestruturação e a integração de todas essas respostas

do cotidiano para uso na forma artística, que faz o treinamento do ator para a improvisação de cenas e para o teatro formal.

63. Um momento de grandiosidade chega para todos quando atuam a partir de sua essência sem a necessidade de aceitação, exibicionismo ou aplauso. Uma plateia sabe disso e responde de acordo.

64. É preciso olho penetrante para ver o ambiente, o outro nesse ambiente e fazer contato com ele.

65. Todos devemos constantemente escavar ao redor, acima e abaixo, abrindo caminho pela selva para encontrar a trilha.

66. Nas improvisações de cena, por bem ou por mal nos atiramos na mesma piscina.

67. Uma plateia não se sente nem relaxada nem entretida quando não incluída como parte do jogo.

68. Uma atitude fixa é uma porta fechada.

69. Quando a urgência (ansiedade) aparece, encontre o POC e fique nele. Ele é o rabo do cometa.

70. A liberdade individual (autoexpressão) respeitando a responsabilidade comunitária (acordo grupal) é o nosso objetivo.

71. Os exercícios treinam também para o teatro formal. Mantenha os alunos trabalhando tanto com o teatro formal como com o teatro improvisacional, para uma experiência completa.

72. A resposta mecânica ao que está acontecendo é uma coisa cansativa e monótona.

73. Os alunos-atores agarram-se a si mesmos por puro desespero, temerosos de poderem "cair do penhasco".

74. Atuar é fazer.

75. O direito de escolha individual é parte do acordo grupal.

76. Nenhum jogador pode decidir sozinho que uma cena (jogo) está terminada, mesmo se seu sentido teatral estiver correto. Se, por qualquer razão, um jogador desejar sair de cena, ele poderá fazê-lo incitando uma ação dentro do grupo que termine a cena pela solução do problema, ou encontrando uma razão para sair dentro da estrutura da cena.

77. O acordo grupal não é permissividade, ele simplesmente mantém todos no mesmo jogo.

78. Deixemos que o objeto nos ponha em movimento.

79. É difícil compreender a necessidade de uma mente «branca», livre de preconceitos, quando se trabalha em um problema de atuação. Por outro lado, todos sabem que não se pode encher um cesto se não estiver vazio.

80. O contato sai do nosso equipamento sensorial. A autoproteção (suposição, preconceitos etc.) impede-nos de contatar.

81. É necessário coragem para penetrar no novo, no desconhecido.

82. Os jogos e exercícios são cumulativos. Se os alunos não mostram alguma integração de exercícios anteriores quando trabalham em

novos exercícios, as sessões podem estar empurrando 6 trabalho demasiadamente rápido.

83. Quando os jogadores estão sempre alerta e desejosos de auxiliar o outro, um sentido de segurança é dado a cada elemento do elenco. Esse apoio mútuo traz um sentimento de bem-estar à plateia.

84. Qualquer ator que "rouba" uma cena é um ladrão.

85. Um grupo que trabalha unido no teatro improvisacional, sempre comunica num nível não verbal com inexplicável habilidade e rapidez.

86. Improvisação não é troca de informação entre os jogadores, é comunhão.

87. Qualquer jogador que se sente pressionado acerca do jogo e participa sozinho, não confia em seus companheiros.

88. Muitos só querem reafirmar seu próprio quadro de referência e resistirão à nova experiência.

89. Os jogadores devem aprender a usar todos os intervalos feitos durante a solução dos problemas para a própria cena. Os intervalos, na sua maioria, são retiradas momentâneas do palco e das relações. Se isto acontecer através de risos, por exemplo, o professor-diretor simplesmente orienta, "Use seu riso". Isso é facilmente entendido pelo ator e ele utiliza a energia e o "legaliza" dentro da cena. Um aluno-ator logo aprende que não há intervalos no palco, pois qualquer coisa que aconteça é energia que pode ser canalizada para a cena.

90. No palco, o ato de *tomar* por parte de um, é o ato de *dar* por parte do outro.

91. Todos, incluindo o professor-diretor, são fortalecidos e se movem para a ação e liderança quando as "razões" para não se fazer alguma coisa (ou para se fazer) não são aceitáveis. A simples declaração, "Sempre há uma razão", evita que os alunos verbalizem outras "razões". É importante saber que toda razão é válida, seja ela socialmente aceitável ou não, seja ela, na verdade "uma avó doente" ou simples perda de tempo, pois em todos os casos a "razão" criou o problema atual; seja ele um atraso para o ensaio ou uma discussão entre atores. Quando o ator mais jovem sabe que a única coisa que importa é manter o jogo andando, e que uma "razão" não é senão um estágio anterior que impede o jogo de prosseguir, ele está livre da necessidade de ser submisso. As razões têm valor para nós somente quando são uma parte integral de uma situação presente e ajudam-nos a compreendê-la. Qualquer outra razão é imposta. É um assunto particular e, portanto, inútil, exceto por possíveis razões subjetivas.

92. Um objeto só pode ser colocado em movimento através da sua própria natureza e não responde à manipulação. Transformar ou alterar um objeto requer absorção total sem interferência. Deixe acontecer! Fique de fora!

93. A questão sempre levantada é: "A criança é mais imaginativa do que o adulto?" Na verdade, quando o adulto é libertado para a

experiência, sua contribuição para a improvisação de cenas é muito maior porque sua experiência de vida é maior e mais variada.

94. Ninguém conhece o resultado de um jogo até que se jogue.

95. Sem o outro jogador não há jogo, Não poderemos brincar de pegador se não houver ninguém para pegar.

96. A improvisação de cena nunca crescerá a partir da separação artificial de atores pelo sistema de "estrelas". Atores com habilidades incomuns serão reconhecidos e aplaudidos sem serem separados de seus companheiros. A harmonia grupal agrada a plateia e traz uma nova dimensão para o teatro.

EXERCÍCIOS

As sessões de trabalho neste capítulo podem ser usadas numa sequência progressiva.

3. Orientação

As sessões de orientação devem ser dadas a todos os alunos novos, particularmente no caso de atores amadores. O primeiro exercício de Exposição e os exercícios subsequentes de Envolvimento propiciam os fundamentos sobre os quais se assentam os problemas seguintes.

Este capítulo contém um esboço para cinco sessões de Orientação. Deve-se salientar que o material de cada sessão pode ser coberto completamente em dois ou três encontros ou pode-se precisar de mais alguns encontros, dependendo do tamanho do grupo e de sua resposta. O professor-diretor deve tomar o tempo que for necessário para cobrir este material.

PROPÓSITOS DA ORIENTAÇÃO

A Orientação não deve ser vista como um mero processo introdutório ou de "ficar acostumado". É, por outro lado, o primeiro passo para a criação da realidade colocada diante do aluno-ator e, como tal, tem um valor significante para o iniciante. De fato, os alunos-atores que não recebem uma orientação adequada são geralmente mais lentos em apreender os problemas de atuação subsequentes. Isto é particularmente válido quando eles perdem a Exposição. Mesmo os atores altamente treinados se beneficiam da comunicação clara e das definições de termos que a experiência de Orientação lhes traz.

1. Ela estabelece um método de solução de problema sem interpretação, trazendo a [primeira consciência orgânica do eu, do objeto, e trazendo também o ambiente para o aluno. É o primeiro passo para a remoção da resposta subjetiva do tipo fingimento/ilusão.

2. Leva o aluno a dar o primeiro passo para o envolvimento e para o relacionamento com o Objeto.

3. Estabelece a realidade do Objeto entre os alunos.

4. Propõe o sistema dos jogos teatrais, trazendo divertimento e espontaneidade para os exercícios de atuação.

5. Encoraja o acordo grupal e a participação individual nas tomadas de decisão.

6 Estabelece o acordo de grupo e a necessidade de ação interdependente para solucionar o problema.

7. É o primeiro passo para a quebra da dependência do aluno para com o professor, colocando o professor como parte do grupo.

8. Apresenta as responsabilidades dos jogadores para com a plateia e mostra-lhes como incluir a plateia como parte do jogo.

9. Apresenta as responsabilidades da plateia com relação aos jogadores e à plateia (alunos e professor-diretor) como um avaliador, não como um juiz, eliminando da avaliação as palavras de julgamento. Mostra como evitar problemas de personalidade tanto dos atores como da plateia. Cria um foco mútuo no problema imediato.

10. Introduz o aluno-ator no Foco e na necessidade de energia dirigida (focalizada) enquanto está no palco. "Olhe para a bola!"

11 . Estabelece o vocabulário de trabalho entre o professor-diretor e o aluno.

12. O aluno faz a primeira análise física de seus "sentimentos" (ao determinar tensões) reduzindo seus temores para com o professor-diretor.

13. Dá a cada aluno o direito a suas próprias observações e lhe permite selecionar seu próprio material.

14. Estabelece o tom do trabalho – aventurar e não forçar o despertar do intuitivo.

PRIMEIRA SESSÃO DE ORIENTAÇÃO

Se o seguinte esboço for completamente compreendido e absorvido quando da leitura deste manual, não haverá problema em incorporar as regras do jogo. Aqui estão os componentes que temos em mente quando passamos por cada exercício:

1. Introdução do exercício;
2. Ponto de Concentração;
3. Instrução;
4. Exemplo;
5. Avaliação;

6. Pontos de Observação.

EXPOSIÇÃO

Divida o grupo em dois. Mande uma parte para o palco para que fiquem enfileirados de canto a canto, enquanto os outros permanecem na plateia. Cada grupo deve observar o outro. Oriente: "Vocês olham para nós". "Nós olhamos para vocês". Os que estiverem no palco logo se sentirão desconfortáveis. Uns irão rir e trocarão o pé de apoio, outros ficarão imóveis e tentarão aparentar indiferença. Se a plateia começar a rir, pare-os imediatamente. Continue orientando: "Vocês olham para nós. Nós olhamos para vocês."

Quando cada pessoa do palco tiver mostrado um certo grau de desconforto, dê ao grupo uma tarefa para realizar. Contar é uma atividade útil, uma vez que requer foco: diga-lhes para contar os tacos do chão ou as cadeiras da plateia. Eles devem continuar contando até que você lhes diga para parar, mesmo que tiverem de contar as mesmas coisas várias vezes. Mantenha-os contando até que mostrem relaxamento físico. Então seus corpos terão uma aparência natural, muito embora no início continuem a mostrar sinal de anos de tensão muscular.

Quando o desconforto inicial tiver desaparecido e eles estiverem absortos com o que estão fazendo, troque os grupos: o grupo da plateia vai para o palco, e os jogadores tornam-se plateia agora. Trabalhe com o segundo grupo da mesma forma como com o primeiro. Não lhes conte que você dará algo para eles fazerem. A ordem para contar (ou o que quer que seja) só deverá ser dada após se sentirem desconfortáveis.

Avaliação Grupal da Exposição.

Quando ambos os grupos já tiverem passado pelo palco, instrua todos os alunos para voltarem para a plateia. Agora questione o grupo todo sobre a experiência que acabaram de ter. *Cuidado para não colocar palavras em suas bocas.* Deixe-os descobrir por si mesmos como se sentiram. Discuta cada parte do exercício separadamente.

Como vocês se sentiram logo que subiram no palco?

No início haverá poucas respostas. Alguns poderão dizer: "Eu me senti autoconsciente" ou "Eu gostaria de saber por que você nos fez subir lá." Tais respostas são generalidades que indicam a resistência do aluno à exposição que ele acabou de experimentar. Tente quebrar a resistência. Por exemplo, pergunte à plateia:

Como os atores pareciam nos primeiros momentos em que estavam no palco?

Os membros da plateia logo responderão, pois esquecerão que também foram jogadores. Embora muitos possam usar generalidades, eles falarão mais livremente quando ao falarem dos outros.

Encoraje os jogadores a descreverem suas respostas físicas da primeira experiência de palco. É mais fácil para eles dizerem "Minhas pernas estavam duras", ou "Minhas mãos pareciam inchadas", ou "Eu senti falta de ar", ou "Eu fiquei cansado", do que admitir "Eu estava com medo". Mas talvez nem assim você consiga uma descrição física, até que pergunte diretamente:

Como você sentiu seu estômago?

Quando essas descrições físicas estiverem fluindo livremente, permita que todos os alunos falem o mais detalhado que queiram. Você descobrirá que o aluno que anteriormente se ocultou e insistiu que estava tranquilo e confortável no palco, de repente se lembrará que seus lábios estavam secos e que as palmas das mãos estavam úmidas. De fato, na medida em que a preocupação com a auto exposição se abranda, eles falarão sobre suas tensões musculares quase com alívio. Sempre haverá alguns que permanecerão resistentes, mas estes serão influenciados pela liberdade do grupo com o tempo e não devem ser distinguidos no início.

Mantenha a discussão breve e num nível grupal. Desvie-os de respostas emocionais e generalidades. Se um aluno disser, "Eu me senti autoconsciente", simplesmente replique: "Eu não sei o que você quer dizer – como você sentiu seus ombros?"

Quando a primeira parte do exercício tiver sido completamente discutida, então passe para a segunda parte.

Como você se sentiu quando estava contando os tacos do chão?

Cuidado para não se referir a isto como "quando você estava fazendo alguma coisa". Deixe que cada aluno chegue a esse reconhecimento do seu próprio modo, particularmente quando estiver trabalhando com atores amadores e crianças. (Provavelmente, todos os atores profissionais já sabiam que "alguma coisa para fazer" no palco é o que procuramos. Essa "alguma coisa para fazer" permite ao ator receber o ambiente.)

E o tremor no estômago? O que aconteceu com seus olhos cheios de lágrimas? Você sentiu relaxamento da tensão no pescoço?

A resposta será, "Ela foi embora", e por que ela foi embora logo ficará evidente: "Porque eu tinha alguma coisa para fazer."

E é essa "alguma coisa para fazer" (energia focalizada) que chamamos de Ponto de Concentração do ator. Explique rapidamente que contar os tacos ("alguma coisa para fazer") será substituído por um problema de atuação cada vez que fazemos um exercício, e que este problema de atuação, essa alguma-coisa-para-fazer, será chamado de Ponto de Concentração.

CONSCIÊNCIA SENSORIAL[1]

Neste ponto, o grupo deve estar bastante solto e receptivo – pronto para uma curta discussão sobre os sentidos e seu valor como instrumentos. Quando for apontado que, no palco, purê de batatas é sempre servido como sorvete e que paredes de pedra são, na verdade, feitas de madeira e tela (de fato, no *teatro improvisacional*, os objetos de cena e cenários são raramente usados), os alunos começarão a compreender como um ator através de seu equipamento sensorial (físico) deve tornar real para a plateia o que não é real.

Esse envolvimento físico ou sensorial com objetos deve ser firmemente estabelecido no aluno-ator nas sessões iniciais. É o primeiro passo para a construção de outras e mais complexas relações no palco. O objeto estabelecido é a única realidade entre os atores, ao redor da qual eles se juntam. Este é o primeiro passo para o acordo grupal. Os exercícios seguintes fornecem uma base para o desenvolvimento dessa consciência sensorial.

O *que estou vendo? ou Vendo um esporte*

Dois times. Jogadores divididos pela contagem de dois (um para cada time). Este é o primeiro time formado aleatoriamente e é muito importante.

Pelo *acordo grupal*, o time decide que esporte irá assistir. Quando chegar ao acordo, o time vai para o palco. Os próprios jogadores devem avisar: "pronto!" quando estiverem prontos.

PONTO DE CONCENTRAÇÃO: em ver.

INSTRUÇÃO: *Veja com os pés! Veja com o pescoço! Veja com o corpo todo! Veja como se fosse 100 vezes maior! Mostre, não conte! Veja com os ouvidos! Use o corpo todo para mostrar o que você está vendo!*

PONTO DE OBSERVAÇÃO

1. Diga aos alunos de antemão que o evento que eles irão assistir vai se realizar a alguma distância deles (favorece a concentração). Este é o primeiro passo para colocá-los no ambiente. Se a distância não for enfatizada, eles olharão para baixo, nunca se aventurando fora de seu ambiente imediato.
2. Quando o grupo estiver vendo, oriente frequentemente. Se um aluno olhar para você curioso quando você der a instrução pela primeira vez diga-lhe para ouvir sua voz mas para manter sua concentração em ver. Se o POC (ver) for sustentado (como na contagem dos tacos durante a Exposição), a tensão será aliviada e o medo estará a caminho do desaparecimento.

1. CAMINHADA AO ACASO usada com exercícios de consciência sensorial ó especialmente útil para atores infantis Cap. 9).

3. Os indivíduos num time não devem ter qualquer interação durante o "ver", mas devem individualmente assistir o evento. Essa é uma maneira simples de obter um trabalho individual enquanto estão dentro da segurança do grupo.

Vendo um esporte, relembrar

O grupo todo.

Todos sentam-se silenciosamente e pensam em um esporte que assistiram, seja há dez anos atrás ou na semana passada.

PONTO DE CONCENTRAÇÃO: em toda a cena – ver as cores, ouvir os sons, observar as pessoas, seguir os movimentos etc.

INSTRUÇÃO: *Focalize as cores! Ouça os sons! Concentre-se nos aromas! Agora coloque-os todos juntos! Veja o movimento! Focalize o que está acima, abaixo, à sua volta!*

PONTOS DE OBSERVAÇÃO

1. As lembranças devem ser evitadas, pois são mais úteis clinicamente do que para a forma artística. Os exercícios sensoriais são dados para propiciar aos alunos-atores um rápido exemplo da amplitude e disponibilidade de experiências passadas. A experiência presente é o objetivo do nosso trabalho, mas as recordações surgirão e serão selecionadas espontaneamente quando necessárias. (Veja Lembretes e Sugestões, n. 30, p. 36, e Definição de Termos.)
2. Tarefa para casa: Diga a seus alunos para tomar alguns minutos de cada dia para concentrar em ver as coisas à sua volta, notar as cores, ouvir os sons, observar o ambiente.

Ouvindo os sons do ambiente

Todos devem sentar silenciosamente por um minuto e ouvir os sons do ambiente imediato. Comparam, então, os sons que ouviram: pássaros, tráfego, cadeiras sendo arrastadas etc.

PONTO DE CONCENTRAÇÃO: em ouvir os sons a sua volta.

PONTO DE OBSERVAÇÃO

Dê este exercício como tarefa para casa, para ser feito alguns minutos por dia.

O que estou ouvindo?

Dois times.

Cada time decide (pelo acordo grupal) o que irão ouvir. Eles devem escolher ou uma conferência ou um programa musical e devem decidir especificamente que tipo de conferência ou concerto deve ser (por exemplo, música clássica, psicologia, jazz).

PONTO DE CONCENTRAÇÃO: em ouvir.

Veja o exercício VENDO UM ESPORTE, p. 49, para as instruções e os pontos de observação.

Tarefa para casa: Diga aos alunos para tomarem alguns minutos de cada dia para concentrar em ouvir os sons à sua volta.

Sentindo o eu com o eu

O grupo todo permanece na plateia.

Começando com as solas dos pés, eles devem sentir o que está em contato com os seus corpos em cada ponto. Os pés sentem as meias, os sapatos o chão, as pernas sentem as calças ou os vestidos; os quadris sentem a cinta; o dedo sente o anel; os dentes sentem a língua etc.

PONTO DE CONCENTRAÇÃO: em sentir o eu com o eu.

INSTRUÇÃO: *Sinta tudo o que está em contato com o corpo! Sinta seus pés dentro dos sapatos, suas pernas dentro das calças! Sinta a atmosfera à sua volta! Sinta o espaço!*

Quando os jogadores já tiverem sentido todas as partes do corpo, peça para levantarem-se e andarem pela sala. (Veja o exercício A SUBSTÂNCIA DO ESPAÇO, p. 73.)

INSTRUÇÃO: *Penetre a atmosfera! Faça o ar ficar mais pesado! O ar está cada vez mais leve!*

PONTOS DE OBSERVAÇÃO

1. Avise aos alunos para não tocarem as partes com suas mãos, mas para sentirem com as várias partes do corpo.
2. Dê instruções continuamente durante todo o exercício.
3. Tarefa para casa: Diga aos alunos para tomarem alguns minutos por dia para sentir a penetração na atmosfera enquanto andam. Diga-lhes para sentirem a atmosfera na superfície do corpo. Sugira que eles se sintam como se fossem "gordos".

Jogo de identificação dos objetos

Os jogadores ficam num círculo. Um deles é chamado para o centro, onde fica com as mãos para trás. O professor-diretor, então, dá-lhe um objeto. Usando seu sentido de tato, ele deve adivinhar que objeto é aquele.

Pergunte ao jogador: *De que cor é o objeto? Qual é a sua forma? Qual é o seu tamanho? Para que serve?*

PONTO DE OBSERVAÇÃO

É melhor escolher objetos que são razoavelmente reconhecíveis, embora nem sempre muito conhecidos ou utilizados diariamente.

Jogo do Tato

Sentados, silenciosamente, os jogadores se concentram no tato de um único objeto que eles todos tenham usado centenas de vezes, como um sabonete por exemplo.

Pergunte aos jogadores: *Vocês acham que suas mãos se lembram de um sabonete?* A resposta será unânime: "Sim!"

Troque os objetos após algum tempo, mas mantendo-os familiares (fichas de pôquer, carta de baralho, grampos de papel, apontador de lápis, caixa de pente, carimbo de borracha, maçã).

PONTO DE CONCENTRAÇÃO: no objeto.

INSTRUÇÃO: *Deixe que sua mão lembre!*

PONTO DE OBSERVAÇÃO

Vá diretamente para o exercício seguinte após os atores terem resolvido este problema.

O que estou pegando

Dois times.

Cada time deve selecionar um objeto ou substância conhecidos (areia, barro etc.) através do acordo grupal. Quando o time tiver chegado a um acordo, ele vai para o palco. Todos os membros do time usam o mesmo objeto ou substância simultaneamente.

PONTO DE CONCENTRAÇÃO: focalizar toda a energia em um objeto – seu tamanho, forma, textura, temperatura etc.

INSTRUÇÃO: *Sinta a textura! Sinta sua temperatura! Sinta seu peso! Sinta sua forma!*

PONTO DE OBSERVAÇÃO

Tarefa para casa: Peça aos alunos para tomarem alguns minutos de cada dia para pegar e manipular objetos, depois colocar o objeto sobre a mesa e tentar lembrar como ele era.

O que estou comendo?

Dois times.

Cada time escolhe alguma coisa muito simples para comer. Quando tiverem chegado ao acordo grupal, o primeiro grupo vai para o palco e começa a comer, sentindo o sabor e o aroma da comida.

PONTO DE CONCENTRAÇÃO: sentir o sabor e o aroma da comida.

INSTRUÇÃO: *Mastigue a comida! Sinta sua textura na boca! Sinta ô sabor! Deixe o alimento descer pela sua garganta!*

PONTO DE OBSERVAÇÃO

Tarefa para casa: Enquanto estiverem comendo em casa, os alunos devem tomar alguns minutos para se concentrarem no sabor e no aroma da comida.

AVALIAÇÃO DOS EXERCÍCIOS SENSORIAIS

A concentração foi completa ou incompleta? Ela provavelmente variou, pois leva tempo para aprender a concentração no palco. Enfatize que quando a concentração no problema era completa, nós, a plateia, podíamos ver.

O que eles estavam manipulando, vendo, ouvindo etc.? Mantenha essa discussão centrada no esforço do grupo todo, não nos indivíduos.

Eles mostraram ou contaram? Mesmo que não tenham falado, mas se usaram ações físicas muito óbvias ao invés da energia focalizada no problema, eles estavam contando e não mostrando. Por exemplo, se um jogador fez uma pantomina do que ele viu enquanto observava um jogo de basquete, então ele estava contando. Se, por outro lado, ele se manteve firmemente no problema de ver, ele fez um bom uso do Ponto de Concentração.

Mostrar torna-se uma fisicalização do ver e não uma pantomina. Cresce a partir do problema e não é imposto sobre ele. Contar é calculado e vem da mente; mostrar é espontâneo e vem do intuitivo.

PONTOS DE OBSERVAÇÃO PARA OS EXERCÍCIOS SENSORIAIS

1. Esses exercícios usam as primeiras formações de grupos pelo método aleatório, que será parte das oficinas de trabalho subsequentes. Neste caso, com somente dois grupos grandes, os alunos podem simplesmente contar de dois em dois. (Você vai para aquele grupo, ele vem para esse, e assim por diante.)
2. Cada grupo deve chegar ao acordo grupal antes de ir para o palco. Não deve haver inter-relação ou diálogo entre os atores, nestes exercícios. Desta maneira, evitam-se situações prematuras, e assim a "interpretação". Pode-se dizer que eles estão trabalhando juntos sozinhos.
3. Cada aluno deve trabalhar individualmente nos problemas sensoriais, ainda que fazendo parte do grupo. Não peça para um indivíduo separadamente trabalhar no palco durante essa primeira sessão. A segurança do grupo é essencial se se desejar livrar o indivíduo de suas tensões musculares (temores).
4. Quando "Pronto!" tiver que ser falado por um time pronto para começar um exercício, não aponte ninguém para fazer isso, mas

deixe-os – individualmente ou como um grupo – entrar espontaneamente na experiência teatral falando pronto. Ainda que possa parecer demasiado simples, isto é muito importante. O fato de se falar "Pronto!" é, com efeito, o mágico abrir das cortinas do teatro, muito embora o "teatro" possa ser nada mais do que uma fileira de cadeiras num espaço aberto no fundo de uma grande sala.

5. Se alguns alunos olharem para ver o que os colegas estão fazendo após o "Pronto!", oriente-os: *Todos ouvem de sua maneira; Mantenha seu ponto de concentração no problema, não em seu colega do lado!* Embora uma porcentagem de todos os grupos de idade tentem "espiar" à sua maneira, isto é mais comum entre as crianças (veja A Criança Incerta, p. 258). Não aponte o aluno que está espiando. Parar o exercício momentaneamente e explicar este não é um EXERCÍCIO DE ESPELHO (imitação) deverá esclarecer o aluno. Ele faz isto devido à necessidade de "fazer certo", e logo irá aprender que não há uma maneira certa ou errada de solucionar o problema.
6. Não comece a Avaliação antes que todos tenham tido sua oportunidade no palco.
7. É durante a Avaliação que os valores de julgamento de bom/mal, certo/errado dos alunos são substituídos pelos termos impessoais de completo/incompleto.
8. Não permaneça muito tempo com o problema. Esses exercícios são o primeiro passo para auxiliar o aluno a reconhecer que a memória física existe dentro dele e pode ser chamada intuitivamente sempre que ele precisar. Os jogos mostram que ele (aluno) não precisa se refugiar num mundo subjetivo – que ele não precisa entrar numa nuvem de memórias passadas – quando trabalha no teatro.
9. A instrução durante esses exercícios deve ajudar a libertar a resposta física nos alunos-atores. Se um indivíduo resistir às instruções, diga: *Não pense sobre o que estou dizendo! Deixe que seu corpo ouça!*
10. É aconselhável que o professor-diretor termine os exercícios ao invés de esperar que os alunos-atores o façam.
11. Desencoraje quaisquer piadas, situações prematuras etc., mantendo a concentração dos alunos na realidade.
12. Evite o caráter de jogo de salão em que esses exercícios podem cair. A plateia não deve adivinhar – a plateia deve saber desde o início o que os jogadores mostram.
13. Embora a consciência sensorial faça parte de toda Avaliação daqui para a frente, ela raramente será o foco principal. Por outro lado, ela será considerada uma parte secundária de cada problema, a ser desenvolvida junto com outras habilidades.

Exercício de espelho n. 1

Dois jogadores.

O jogador B olha para o jogador A. A é o espelho, e B inicia todos os movimentos. O jogador A reflete todas as atividades e expressões faciais de B. Olhando para o espelho, B realiza uma atividade simples como lavar-se, vestir-se etc. Depois de um certo tempo, troque os papéis, sendo que B é o espelho e A, o iniciador dos movimentos.

PONTO DE CONCENTRAÇÃO: na exata reflexão dos movimentos do iniciador, dos pés à cabeça.

INSTRUÇÃO: *Siga os movimentos exatamente! Faça ações exatas e precisas! Seja um espelho!*

PONTOS DE OBSERVAÇÃO

Este exercício pode lhe dar um breve índice do sentido natural de cada aluno para atuar, fazer brincadeiras, inventividade, habilidade para criar tensão, e sentido de tempo. Observe:
No jogador A

(espelho)
1. o estado de alerta do corpo
2. precisão da observação (atenção)
3. habilidade para seguir o jogador B e não fazer suposições. Quando B faz uma atividade conhecida, por exemplo, maquiar-se, o jogador A se antecipa e, portanto, assume a ação seguinte, ou ele permanece com B?
4. Habilidade para fazer o reflexo. Por exemplo: se B usa a mão direita, A usa a mão direita ou a esquerda?

No jogador B

(iniciador da atividade)

1. inventividade (suas ações são mais elaboradas ou são superficiais?)
2. exibicionismo (ele faz brincadeiras para fazer a plateia rir?)
3. humor (ele brinca com o espelho e altera a ação?)
4. variação (ele, sem a sua orientação, muda os ritmos do movimento?)

Quem é o espelho?

Faça com que os alunos usem esse exercício sem contar para a plateia quem é o espelho. Esse esforço para confundir a plateia requer uma concentração muito maior e produz um maior envolvimento com o problema e entre eles. Este é um passo inicial para quebrar as barreiras entre ator e ator e entre ator e plateia.

Cabo-de-guerra

Dois jogadores.

Os jogadores devem jogar cabo-de-guerra com uma corda imaginária. A corda é o objeto entre eles.

PONTO DE CONCENTRAÇÃO: dar realidade à corda invisível.

INSTRUÇÃO: *Sinta a corda! Sinta sua textura! Sua grossura! Torne-a real!*

PONTOS DE OBSERVAÇÃO

1. A ação corporal deve vir a partir da realidade da corda. Se a concentração completa for colocada no objeto entre os atores, eles usarão tanta energia como se estivessem puxando uma corda *de verdade.*
2. Observe o aluno que "se encaixa no problema", guiando-se mais pela ação de seu companheiro do que pelo POC. Ainda que possa ser muito esperto, ele está fugindo do problema.
3. Este é um exercício muito importante, uma vez que mostra tanto para os jogadores como para a plateia que – como num jogo – quase todos os problemas podem ser solucionados através da inter-relação dos jogadores. Nenhum jogador pode fazer o exercício sozinho. Ele mostra também a necessidade de dar realidade ao objeto para que haja essa inter-relação.
4. Seus jogadores devem sair desse exercício com todos os efeitos físicos de ter realmente jogado cabo-de-guerra (por exemplo: transpirando, sem fôlego, com as faces coradas etc.). Se isto não ocorrer, ao menos parcialmente, então esteja certo de que eles estavam fingindo.

Jogo de orientação n. 1

Uma pessoa vai para o palco, escolhe uma atividade simples e começa a fazê-la. Outros jogadores vêm para o palco, um de cada vez, e se juntam ao primeiro naquela atividade.

PONTO DE CONCENTRAÇÃO: em mostrar uma atividade.

PONTOS DE OBSERVAÇÃO

1. A atividade simples pode ser pintar uma cerca, bater um tapete, esfregar o chão, juntar folhas etc.
2. Os jogadores não devem saber de antemão o que o primeiro jogador irá fazer.
3. Esta atividade e inter-relação de grupo devem criar fluência e energia. Repita o exercício até que isto se realize.

SEGUNDA SESSÃO DE ORIENTAÇÃO

Jogo da Bandeja[2]

Coloca-se uma dúzia ou mais de objetos sobre uma bandeja, depositada no centro do círculo de jogadores. Após dez ou quinze segundos, a bandeja é coberta ou retirada. Os jogadores escrevem individualmente a lista dos objetos que conseguem lembrar. As listas são comparadas com a bandeja de objetos.

Jogo dos seis objetos[3]

Todos os jogadores, exceto um que fica no centro, sentam-se em círculo. O jogador do centro fecha os olhos enquanto os outros passam um objeto qualquer de mão em mão. Quando o jogador do centro bater palma, o jogador que foi pego com o objeto na mão deve segurá-lo até que o jogador do centro aponte para ele e dê uma letra do alfabeto. (Nenhum esforço deve ser feito para esconder o objeto do jogador do centro.)

Então, o jogador que está com o objeto deve começar a passá-lo novamente de mão em mão. Quando o objeto chegar às suas mãos novamente, ele deve ter falado o nome de seis objetos que comecem com a letra sugerida pelo jogador do centro.

Se o jogador não conseguir falar os seis objetos durante a volta que o objeto deu, ele deve trocar de lugar com o jogador do centro. Se o círculo for pequeno, o objeto deve dar duas ou três voltas.

Jogo da bola

Primeiro, o grupo decide sobre o tamanho da bola e, depois, os membros jogam a bola de um para o outro no palco. Uma vez começado o jogo, o professor-diretor dirá que a bola terá vários pesos.

PONTO DE CONCENTRAÇÃO: no peso e tamanho da bola.

INSTRUÇÃO: *A bola é cem vezes mais leve! A bola é cem vezes mais pesada! A bola é normal novamente!*

AVALIAÇÃO

Todos os jogadores se concentraram no peso da bola? Eles mostraram ou contaram?

PONTOS DE OBSERVAÇÃO

1. Observe os alunos que usam o corpo para mostrar o relacionamento com a bola. O corpo tornou-se leve e flutuou com a bola mais leve?

2. NEVA L. BOYD, *Handbook of Games* (Chicago: H. T. Pitzsimons Co., 1945), p. 84.
3. *Ibid.*, p. 99.

O corpo tornou-se pesado com a bola mais pesada? Não chame a atenção dos alunos para isso até que o problema tenha sido trabalhado. Se a Avaliação for dada antes que todos tenham ido ao palco, muitos tentarão agradar o professor e representarão leveza ou peso ao invés de sustentar o Ponto de Concentração (que produz espontaneamente o resultado que procuramos).

2. Junto com este exercício, faça com que o grupo jogue beisebol, pingue-pongue, basquete etc.

Envolvimento em duplas

Dois jogadores.

Os jogadores estabelecem um objeto entre eles e começam uma atividade com ele (como no Cabo-de-Guerra). Neste caso, o objeto que eles escolherem determina a atividade (por exemplo: estender um lençol, colocar um cobertor na cama).

PONTO DE CONCENTRAÇÃO: no objeto entre eles.

PONTOS DE OBSERVAÇÃO

1. Uma maneira de evitar que os alunos-atores planejem o Como (veja p. 31) é fazer com que cada time escreva o nome de um objeto num pedaço de papel. Colocam-se os papéis numa caixa e cada time pega um pedaço antes de ir ao palco. Isso é agradável para todos.
2. Para este primeiro envolvimento, sugira que o objeto seja do tipo que normalmente sugira uma resposta tátil.

Envolvimento em três ou mais

Três jogadores ou mais.

O grupo combina um objeto, o qual não pode ser usado sem o envolvimento de todos os membros do grupo. Eles devem participar numa ação conjunta, na qual todos movimentam a mesma coisa.

PONTO DE CONCENTRAÇÃO: tornar o objeto real.

EXEMPLOS: puxar uma rede de pesca, puxar um barco para a praia, empurrar um carro encalhado.

AVALIAÇÃO

Eles trabalharam juntos? Se três pessoas empurraram o carro e uma quarta sentou-se na roda de trás, o problema não foi solucionado, pois nem todos movimentaram o carro fisicamente.

Eles precisaram um do outro para solucionar o problema, ou um deles poderia ter conseguido fazê-lo sozinho? Se um dos jogadores pudesse ter solucionado o problema sozinho, então a escolha do objeto feita pelo grupo foi incorreta para o problema apresentado.

Eles trabalharam juntos ou separados? Se três pessoas usaram a atividade de pintar um objeto, então eles trabalharam separadamente, muito embora estivessem trabalhando num mesmo objeto. Contudo, se precisaram um do outro para mover o objeto, então eles estavam trabalhando com o problema.

PONTOS DE OBSERVAÇÃO

1. O exercício ENVOLVIMENTO EM DUPLAS irá automaticamente manter os jogadores envolvidos. O ENVOLVIMENTO EM TRÊS OU MAIS, entretanto, pode tender a confundi-los. Apesar disso, não dê quaisquer exemplos, deixe que eles mesmos descubram a solução para o problema.
2. Observe para que os alunos não trabalhem separadamente enquanto estiverem no grupo.

Envolvimento sem as mãos

Dois jogadores ou mais.

Os jogadores estabelecem um objeto animado ou inanimado entre eles. Os jogadores devem colocar o objeto que está entre eles em movimento sem o auxílio das mãos.

PONTOS DE CONCENTRAÇÃO: mostrar e manipular o objeto entre eles sem usar as mãos.

EXEMPLO: empurrar uma pedra, empurrar um carro, colocar um tobogã em movimento, escalar uma montanha (corda amarrada na cintura), colocar uma tábua nos ombros.

AVALIAÇÃO

Eles mostraram o objeto ou contaram?

PONTOS DE OBSERVAÇÃO

1. Não deixe que os alunos escolham objetos que originalmente não precisem das mãos, como amassar uvas com os pés, pois isto é uma resistência ao POC.
2. Observe a espontaneidade e as maneiras não usuais de colocar os objetos em movimento.
3. Lembre-se: dar exemplos é contar o Como aos alunos!
4. Como um primeiro passo para o exercício acima, pode ser aconselhável ter alguma coisa que una todos os jogadores, como por exemplo um grupo de prisioneiros presos a uma corrente. O terceiro passo é o exercício ONDE SEM AS MÃOS, pp. 129 e s., para ser usado após a introdução do ONDE.

Exercício de espelho n. 2

Times de quatro jogadores.

Os times se subdividem em dois. Cada subtime reflete o outro. O subtime A é o espelho, o subtime B inicia todos os movimentos. O subtime que inicia os movimentos deve combinar uma atividade que envolva ambos os jogadores. Faz-se como no EXERCÍCIO DE ESPELHO n. 1, p. 55. Após algum tempo troque os papéis.

PONTOS DE CONCENTRAÇÃO: o subtime que tem o papel de espelho deve refletir todos os movimentos *exatamente*.

EXEMPLO: Barbeiro fazendo a barba do cliente. O subtime A torna-se, então, o reflexo do barbeiro e do cliente e deve seguir exatamente a atividade de barbear.

PONTOS DE OBSERVAÇÃO

Este exercício deve ser dado novamente quando os alunos-atores chegarem aos problemas de "ver".

Jogo de orientação n. 2

Um jogador vai para o palco e começa uma atividade. Outros jogadores juntam-se a ele, um de cada vez, como personagens definidos (Quem) e começam uma ação relacionada com a sua.

EXEMPLO: O primeiro jogador é um cirurgião: Outros jogadores são enfermeira, anestesista, médico auxiliar etc.

PONTOS DE OBSERVAÇÃO

1. Os jogadores não devem saber de antemão o que o primeiro jogador irá fazer, ou quem será.
2. Em cada oficina de trabalho, dê o exercício JOGO DE ORIENTAÇÃO até que seus alunos estejam entrando no problema com entusiasmo e prazer, como fariam se entrassem num jogo. Isto libera um fluxo de energia que resulta em interação grupal e traz uma qualidade natural à fala e ao movimento. Se isto não acontecer, é porque você pode não estar comunicando o Ponto de Concentração. Se a cena torna-se demasiadamente verbalizada ou se os jogadores se movimentam sem um objetivo, isto significa que não estão focalizados na atividade do grupo, mas simplesmente criando história. Se isto ocorrer, faça com que o primeiro jogador comece um jogo qualquer (pingue-pongue, beisebol etc.) e encoraje os outros a se juntar a ele.
3. Ainda que o Quem seja adicionado ao exercício, tome cuidado para que a atividade fique em primeiro plano, caso contrário os alunos irão "representar".

TERCEIRA SESSÃO DE ORIENTAÇÃO

Quem começou o movimento?[4]

Os jogadores ficam sentados num círculo. Um jogador sai da sala enquanto os outros escolhem um líder para começar o movimento. O jogador é então chamado de volta. Ele fica no centro do círculo e tenta descobrir o líder, cuja função é fazer um movimento – bater os pés, acenar a cabeça, mexer as mãos etc. – e mudar de movimento quando quiser. Os outros jogadores imitam esse movimento e tentam evitar que o jogador do centro identifique o líder.

Dificuldade com pequenos objetos

(Use em intervalos durante todo o treinamento.)

A. Um único jogador

O jogador envolve-se com um pequeno objeto.

PONTO DE CONCENTRAÇÃO: ter dificuldade com objeto.

EXEMPLOS: Abrir uma garrafa, abrir uma bolsa, forçar uma gaveta, abrir um maço de cigarro.

B. Um único jogador

O jogador envolve-se com uma peça de roupa.

EXEMPLOS: Zíper emperrado nas costas de um vestido, botas apertadas, um pequeno rasgo na manga de um casaco.

C. Dois ou mais jogadores

Este é o mesmo que os exercícios A e B, só que envolve mais jogadores.

PONTOS DE OBSERVAÇÃO

A resistência ao POC irá se mostrar num jogador que intelectualiza o problema. Ao invés de ter uma dificuldade física com um objeto, ele pode, por exemplo, ter um furo na sola do sapato e pegar uma nota de um dólar da carteira e colocar no sapato para cobrir o buraco. Esta é uma "piada" e significa total esquiva do problema apresentado.

Quantos anos eu tenho?

Um único jogador.

O professor-diretor estabelece um Onde simples, de preferência um ponto de ônibus. O cenário inclui banco na frente do palco e a

4. *Ibid.*, p. 84.

fachada de uma loja ao fundo. O jogador escreve a idade num pedaço de papel e dá para o professor-diretor antes de ir para o palco. O jogador entra no palco e espera o ônibus. Cada jogador tem um ou dois minutos para o exercício.

PONTO DE CONCENTRAÇÃO: na idade escolhida.

INSTRUÇÃO: *O ônibus está a meia quadra do ponto! Ele está cada vez mais perto! Chegou!* (Às vezes, o fato de se dizer, *O ônibus está preso no tráfego!* Ajuda a dar *insight* à personagem.)

EXEMPLO I (feito por um adulto): Uma personagem entra no palco mascando goma. Olha a rua, não vê nada, senta-se no banco e começa a fazer bolas com a goma. A bola estoura e a goma gruda no nariz, ela limpa com os dedos e a língua, olha para a rua novamente e não vê nada. Olha para trás e nota uma vitrina, vai até ela e dá uma olhada dentro, pressionando os dedos contra o vidro. Vai para o fundo do palco fazendo mais bolas, procura alguma coisa em seu bolso, mas não encontra. Preocupada, procura em todos os bolsos e tira um ioiô. Começa a brincar com ele. O ônibus chega. Guarda o ioiô rapidamente e ansiosamente começa a procurar o dinheiro para o ônibus.

EXEMPLO II (feito por um menino de 11 anos): Uma personagem entra no palco com um andar firme e agressivo. Ela está carregando algo em sua mão. Olha para a rua, e vê que nada vem vindo. Senta-se no banco. Coloca o que está carregando em seu colo e abre o que parece ser uma pasta de executivo. Tira um papel, olha, tira uma caneta do bolso do paletó, faz alguma anotação no papel, coloca-o de volta na pasta, fecha a pasta, olha para a rua e vendo que não vem vindo o ônibus, coloca a pasta no chão. Olha para a rua impaciente – nada de ônibus. Levanta-se, anda para baixo e para cima, nota a vitrina, olha e passa a mão nos cabelos. Quando o ônibus chega, ela volta para seu lugar e apanha sua pasta.

AVALIAÇÃO

Quantos anos ele tinha? Ele mostrou ou contou? As qualidades de idade são sempre físicas? As diferenças de idade são parte de uma atitude em relação à vida? Ele viu o ônibus ou estava simplesmente ouvindo as instruções?

PONTOS DE OBSERVAÇÃO

1. Neste estágio inicial, o aluno-ator geralmente dá alguns ritmos corporais e bastante atividade para ajudar a esclarecer a idade.
2. Desencoraje a "representação" e/ou "desempenho" durante este exercício, parando a ação sempre que necessário.
3. Repita este exercício na décima ou décima segunda sessão do Onde, relembre para seus alunos-atores a primeira solução do problema.

4. Diga "O ônibus está preso no tráfego!" somente quando você quiser explorar ainda mais o trabalho do aluno-ator.

Quantos anos eu tenho? Repetição

Um único jogador.

O jogador senta-se silenciosamente no banco esperando pelo ônibus e concentra-se somente na idade. Quando ele estiver pronto, ele inicia a ação, e tudo o que ele precisar para o problema virá por si mesmo.

PONTO DE CONCENTRAÇÃO: pensar somente na idade, repetir para si mesmo várias vezes.

INSTRUÇÃO: *Concentre-se no problema! Pense na idade com seus pés! Com seu lábio inferior! Com sua espinha!*

Quando a idade aparecer: *O ônibus está a meia quadra do ponto! O ônibus está preso no tráfego!*

PONTOS DE OBSERVAÇÃO

É difícil para o aluno-ator acreditar que:

1. A mente limpa (livre de preconceitos) é o que procuramos se quisermos enriquecer nossa experiência.
2. Se a concentração for realmente na idade, tanto o aluno-ator como a plateia terão uma experiência inspiradora na medida em que o aluno-ator tornar-se mais velho ou mais jovem espontaneamente, sem necessidade de criar uma ação ou atividade no palco.
3. Este exercício só funcionará se o aluno-ator realmente limpar sua mente de qualquer imagem relacionada com a idade (repetir essa idade várias vezes, com a ajuda da instrução ajudará nesse ponto).
4. Concentrar-se somente na idade serve para liberar a memória corporal a um grau tão extraordinário que o jogador mostra a idade com os mínimos movimentos corporais e gestos, sutilezas que se espera encontrar somente nos atores mais experimentados. Uma vez mais, vemos que para experimentar novas aventuras devemos confiar no esquema e deixar que o Ponto de Concentração faça o trabalho.
5. Se o problema for solucionado, o aluno-ator deverá sair do exercício com uma graça corporal mais evidente, devido à perda da rigidez, com relaxamento muscular e com os olhos brilhando. Novas fontes de energia e conhecimento serão realmente liberadas. "Eles mostraram a idade sem fazer nada!" é um comentário excitante que sempre ouvimos dos alunos-atores.

6. Para se preparar para a ação, o jogador deve concentrar-se na expiração como no exercício EXCURSÕES AO INTUITIVO, p. 172 e s.

Objeto move os jogadores[5]

Qualquer número de jogadores.

Os jogadores combinam o objeto que deverá colocá-los em movimento. Eles devem ser um grupo inter-relacionado.

PONTO DE CONCENTRAÇÃO: no objeto que os está movendo.

INSTRUÇÃO: *Sinta o objeto! Deixe que o objeto os coloque em movimento! Vocês estão todos juntos!*

EXEMPLOS: barco a vela, carro, roda-gigante etc.

AVALIAÇÃO

Para a plateia: Eles deixaram que o objeto os colocasse em movimento? Ou eles iniciaram o movimento independente do objeto? Eles se movimentaram olhando os outros atores?

Para os jogadores: Vocês fizeram do exercício um jogo de espelho (reflexo dos outros) ou trabalharam com o ponto de concentração?

PONTOS DE OBSERVAÇÃO

1. Observe se os jogadores *sentem o* objeto entre eles. Isto ocorre num grau extraordinário quando os alunos já tiverem trabalhado juntos por alguns meses ou quando estiverem concentrados profundamente no problema.
2. Muitos alunos perguntarão: "Necessitamos observar os outros jogadores para saber quando nos movermos?" É a mesma coisa que o aluno perguntar ao professor "Como eu faço isso?", significa uma dependência. Enunciar simplesmente "Deixe que o objeto o coloque em movimento", repetido várias vezes, ajudará a quebrar essa dependência.
3. Se o foco for mantido no objeto, uma realidade grupal parece ser sentida pelos jogadores e evidente para a plateia.
4. Pode ser que os jogadores finalmente "deixem acontecer" e deixem que o objeto os coloque em movimento somente após uma orientação constante. A maioria deles "deixarão acontecer" se o Ponto de Concentração for compreendido e se as instruções os atingirem. Cada grupo deve continuar no palco até que isso aconteça para â maioria dos seus elementos, seus elementos.
5. Repita esse exercício durante todo o treinamento.

5. Veja também "Usando Objetos para Desenvolver Cena", p. 191.

Mais pesado quando cheio[6]

Três ou mais jogadores.

Os jogadores combinam uma atividade na qual recipientes devem ser enchidos, esvaziados e enchidos novamente.

PONTO DE CONCENTRAÇÃO: em mostrar as variações de peso quando as coisas estão cheias ou vazias.

EXEMPLOS: amontoando areia com a pá, enchendo um balde de água, apanhando laranjas.

VARIAÇÃO A

Manipular coisas de pesos diferentes.

EXEMPLOS: amontoando areia com uma pá, empilhando feno com um forcado, levantando caixas.

VARIAÇÃO B

Esta variação é para ser usada após o exercício inicial do Onde. Combina-se o Onde, Quem e O Quê, e o problema da variação de peso é colocado dentro do contexto combinado.

Jogo de orientação n. 3

Um jogador vai para o palco e começa uma atividade. Outros jogadores vão para o palco, um de cada vez. Desta vez, eles sabem quem são quando entram em cena; e o primeiro jogador (que não sabe quem são eles) deve aceitá-los e se relacionar com eles.

PONTO DE CONCENTRAÇÃO: na atividade, com um Quem como elemento adicional, mas não como foco principal.

EXEMPLO: Um homem pendurando cortinas. Uma mulher entra. Mulher: "Querido, você sabe que não é desse modo que eu quero que fiquem penduradas!" O homem aceita que aquela mulher está fazendo o papel de sua mulher, e ele atua correspondendo à relação estabelecida. Os jogadores continuam a entrar, como os filhos do casal, os vizinhos, os parentes, o pastor da igreja etc.

AVALIAÇÃO

Eles mostraram ou contaram que eram a esposa, o vizinho etc.? Eles todos permaneceram com a atividade?

6. Veja também "Dar Realidade aos Objetos", p. 262.

PONTOS DE OBSERVAÇÃO

1. Neste ponto, o JOGO DE ORIENTAÇÃO deve mostrar o início de uma cena que cresce a partir do Ponto de Concentração, bem como o primeiro sinal de relacionamento, ao invés de uma mera atividade simultânea.
2. Deixe os jogadores desfrutarem do JOGO DE ORIENTAÇÃO mesmo que o palco esteja um tanto caótico devido ao grande número de "personagens" em cena, com todos falando e se movimentando ao mesmo tempo. Esse comportamento quase infantil libera o prazer e o entusiasmo e é essencial para o crescimento social do grupo (necessário para o teatro improvisacional). Evite (qualquer que seja a tentação) tentar obter uma cena ordenada. Os exercícios subsequentes farão isso lentamente para o aluno. O exercício DUAS CENAS (p. 144 e s.) em particular irá ajudar.

Parte de um todo

(Pode ser usado para um jogo de orientação.)

Um jogador vai para o palco e torna-se parte de um objeto animado ou inanimado que se move. Tão logo a natureza do objeto se torne clara para um outro, ele se junta ao primeiro jogador e torna-se uma outra parte do todo. Assim, o exercício continua até que toda a plateia tenha participado e esteja trabalhando para formar o objeto completo.

PONTO DE CONCENTRAÇÃO: em ser parte de um objeto maior.

EXEMPLO: Uma pessoa vai para o palco e inicia um movimento de braços parecido com o de um pistão. Um outro jogador coloca-se a meio metro do primeiro e assume o mesmo movimento. Dois outros jogadores se juntam, e quatro rodas estão agora se movimentando. Outros jogadores rapidamente tornam-se o apito, outras partes do motor e, finalmente, um semáforo que para o trem.

PONTOS DE OBSERVAÇÃO

1. Este exercício gera uma grande dose de espontaneidade e divertimento. Todo grupo responde a ele com igual energia. Você notará que os efeitos sonoros aparecerão espontaneamente quando necessários.
2. Outros exemplos: um conjunto escultural, uma flor, um animal, células do corpo, o mecanismo de um relógio. Não dê exemplos. Se o jogo for apresentado claramente, os jogadores aparecerão com os objetos mais divertidos.

QUARTA SESSÃO DE ORIENTAÇÃO

O *jogo da sobrevivência*

Duas fileiras de jogadores, uma de frente para a outra.

Cada jogador deve observar a pessoa que está à sua frente e notar sua roupa, seu cabelo etc. Os jogadores então viram-se de costas e efetuam três mudanças (por exemplo: desapertam a gravata, desarrumam o cabelo, soltam o laço do sapato, mudam o relógio de mão etc.).

Os jogadores, então, voltam a se olhar de frente. Cada jogador deve agora identificar que mudanças seu parceiro efetuou. Troque os parceiros e peça que façam quatro mudanças agora. Continue trocando os parceiros após cada mudança até atingir sete, oito, ou mais.

PONTO DE OBSERVAÇÃO

Não deixe que os jogadores saibam que você planeja aumentar o número de mudanças, até que tenham terminado a primeira rodada. Muitos ficam preocupados em como encontrar três mudanças. Quatro ou mais irá criar uma grande dose de excitação. Este é um exercício excelente para os jogadores, que exige seus poderes de improvisar num nível físico simples. Os jogadores são forçados a olhar para um "campo estéril" e encontrar coisas, que seus olhos não viram à primeira vista, para usar no jogo. Este tem sido chamado o Jogo da Sobrevivência.

O que faço para viver?

A mesma elaboração e procedimento do QUANTOS ANOS EU TENHO? (Veja p. 61 e s.)

PONTO DE CONCENTRAÇÃO: em mostrar o que ele faz para viver.

AVALIAÇÃO

É só através da atividade que mostramos a idade? É somente através da atividade que podemos mostrar o que fazemos? A estrutura do corpo se altera em algumas profissões? Existe alguma diferença entre um professor e um vendedor? Vinte anos como operário deixariam um homem parecer e agir diferentemente de um homem com vinte anos como médico? É uma atitude que origina uma mudança? Ou é o meio (local) de trabalho?

PONTOS DE OBSERVAÇÃO

1. Este questionamento na Avaliação deve provocar a primeira compreensão da fisicalização do personagem. Deve ser bastante informal. Pelo fato de esses exercícios serem feitos no início do trabalho, não enfatize demais o personagem; *evite* isto até que ele cresça a partir dos problemas de atuação.

2. Se o grupo for grande, dois ou três jogadores podem trabalhar simultaneamente no palco. Contudo, eles devem trabalhar separadamente e não devem se inter-relacionar de forma alguma.
3. Piadas, "representação", brincadeiras etc. são evidências de uma resistência ao problema.
4. Para evitar o Como, faça com que os alunos-atores sentem silenciosamente concentrando-se na profissão que escolheram – nada mais. Se a concentração for completa, tudo o que precisarem para a solução do problema virá sem grande esforço.

Exercício de espelho n. 3

(Este exercício deve ser dado através de todo o treinamento, especialmente antes de se dar o exercício DEBATE EM CONTRAPONTO, p. 163 e AGILIDADE PARA PERSONAGEM, p. 243. É o primeiro exercício de duas partes que é dado, é o primeiro passo para o exercício PREOCUPAÇÃO.)

Dois jogadores.

Os jogadores estão sentados, um olhando para o outro. Eles combinam uma relação simples (patrão-empregado, marido-mulher, professor-aluno etc.) e escolhem um tópico para discussão.

Após terem começado a discussão, o diretor diz o nome de um deles. O jogador chamado assume, então, a estrutura facial do outro enquanto, ao mesmo tempo, continuam a conversa. Ele não deve refletir os movimentos e expressão, como nos exercícios de espelho anteriores, mas deve remodelar sua face de forma com que se pareça com a do outro jogador.

PONTO DE CONCENTRAÇÃO: o jogador chamado deve remodelar sua face para parecer com a do outro jogador.

EXEMPLO: A boca do jogador A é pequena, seu queixo é curto, seus olhos são pequenos. Os lábios do jogador B são grossos, seu queixo é proeminente, e ele tem grandes olhos arregalados. Quando o nome do jogador A for chamado, ele deve se concentrar na reestruturação de sua face para se parecer como a do jogador B. Enquanto continuam a discussão, ele deve fazer um queixo saliente, moldar uma boca grande etc., da mesma forma que um escultor.

INSTRUÇÃO: *Faça com que seu nariz pareça com o dele! Queixo! Testa! Mude a linha do queixo! Olhos! Concentre-se nele! No lábio superior! Na linha do queixo! Volte à sua própria face!* (Faça os jogadores voltarem às suas próprias faces durante o exercício.)

PONTOS DE OBSERVAÇÃO

1. Troque o espelho constantemente. Não deixe os alunos saberem quando seus nomes serão chamados. Oriente-os para que a discussão ou argumentação nunca pare enquanto reconstroem suas faces. Lembre-os para evitar as expressões superficiais. Eles devem penetrar na face do outro.
2. Ao selecionar os times, peça aos jogadores que escolham pares com faces de estruturas diferentes. Nariz curto com nariz comprido, faces largas com faces estreitas etc. Peça aos alunos para exagerarem na outra face.
3. Alguns jogadores parecerão apreensivos quanto ao fato de como eles se parecerão aos olhos do outro. Trabalhe isso enfatizando a solução do problema e apontando o exagero pedido.
4. Quando este exercício é dado neste ponto inicial do treinamento, as resistências aparecerão. Em sua maioria, os jogadores mostrarão muito pouca mudança física e farão o exercício da mesma forma que O EXERCÍCIO DE ESPELHO N. 1 (refletindo, ao invés de penetrar). Contudo, o exercício tem um valor ao ser dado aqui, pois força os jogadores a se olharem e verem.
5. Resistência ao contato visual tão próximo com um outro jogador, nesse estagia inicial, mostrar-se-á na irritação com o exercício, quase nenhuma tentativa de mudar a estrutura facial, e na verbalização quanto a "Como é possível continuar falando?"
6. Quando repetido mais tarde no treinamento, a resistência inicial a este exercício deve ser lembrada e chamada a atenção para os alunos--atores.
7. Aqui, pela primeira vez, os alunos são jogados numa relação explícita de conversa – um Quem e um O Quê. Eles devem estar tão ocupados com a penetração, que não se darão conta.

Conversação com envolvimento

Dois jogadores ou mais.

Os jogadores combinam um tópico de discussão simples. Eles devem, então, começar a comer e beber enquanto continuam a discutir.

PONTO DE CONCENTRAÇÃO: dar vida ao objeto sentindo o gosto, sentindo o cheiro, vendo etc.

INSTRUÇÃO: *Sinta o gosto da comida! Sinta a textura do guardanapo! Qual é a temperatura da água que você está bebendo? Mastigue a comida! Sinta o cheiro da comida!*

AVALIAÇÃO

Os jogadores deram realidade sensorial aos objetos? Eles mostraram ou contaram? Que tipo de sopa eles estavam tomando? A comida estava quente?

PONTOS DE OBSERVAÇÃO

1. Certifique-se que os jogadores mostrem relacionamento (Quem).
2. Se a resistência ao Ponto de Concentração for muito alta (com muitas piadas, *gags* etc.), então o grupo não está pronto para este exercício ainda. Deixe este problema e volte para ele mais tarde.
3. Não deixe os jogadores criarem uma situação a partir do exercício. Se isto ocorre, eles "representam" a situação e resistem em trabalhar no problema (objetos).
4. Faça uma planta do ambiente imediato.
5. A cena pode ser dividida em três partes ou mais (por exemplo: primeiro gosto e cheiro, então sentir os objetos, depois ver etc.).
6. Este é o segundo problema bipolar.
7. Use todos os sentidos juntos.

QUINTA SESSÃO DE ORIENTAÇÃO

Envolvimento com objetos maiores

Um único jogador.

O jogador envolve-se com um objeto grande que causa complicação, emaranhado.

PONTO DE CONCENTRAÇÃO: no objeto escolhido.

EXEMPLOS: teia de aranha, cobra grande, galhos de árvore numa floresta ou selva, polvo, paraquedas, planta carnívora.

PONTO DE OBSERVAÇÃO

Observe as palavras que forem utilizadas para explicar o POC, para que a concentração dos jogadores seja no objeto e não em desembaraçar-se do objeto. Esta é uma diferença importante que aparece continuamente no trabalho.

Jogo do desenho

Dois times.

Os jogadores dividem-se em dois times. Cada time coloca numa mesa várias folhas de papel e alguns lápis, a uma distância do líder ou professor. O líder tem uma lista de objetos como árvore de Natal, janela, vaca, trem, avião, gato, rato, maçã, casa etc. – qualquer objeto que tenha características marcantes. Um jogador de cada time vai até o centro. O líder mostra somente uma das palavras para os dois, que então correm de volta aos seus lugares e tentam desenhar o mais rápido possível o objeto, enquanto os outros elementos do grupo reunidos ao seu redor tentam identificar qual é o objeto. Assim que um dos membros do time reconhecer o objeto desenhado, ele deve dizer em voz alta. O time que disser em primeiro lugar o maior número de objetos ganha o jogo. O jogo deve continuar até que todos os membros do time tenham tido a oportunidade de desenhar um objeto.

A habilidade para desenhar não tem nada a ver com este jogo, pois é um jogo de seletividade que mostra quais os alunos que podem rapidamente escolher dos seus "arquivos" para fazer uma comunicação. De fato, os artistas dentro de um grupo são frequentemente menos fluentes. Este jogo pode ser repetido a intervalos, com objetos cada vez mais difíceis. Uma variação deste jogo, usando abstrações, pode ser encontrado no livro *Handbook of Games*, de Neva L. Boyd (p. 101).

Preso

Um jogador.

O jogador escolhe um Onde do qual ele tenta escapar.

EXEMPLOS: preso numa armadilha de raposa, numa árvore, num elevador etc.

Fisicalizar um objeto

Um jogador.

O jogador escolhe um objeto, animado ou inanimado, que ele manipula e usa. Ele deve comunicar para a plateia a vida ou o movimento deste objeto.

PONTO DE CONCENTRAÇÃO: dar vida ou movimento ao objeto.

EXEMPLO: Se o objeto for uma bola de boliche, o aluno-ator joga a bola na pista, e a plateia deve saber o que acontece à bola de boliche, uma vez lançada. Outros objetos que podem ser usados são: tentar segurar um peixe, jogar numa máquina de fliperama, jogar bilhar, soltar papagaio, brincar com ioiô.

INSTRUÇÕES: *O que a bola está fazendo agora? Dê vida ao peixe!*

AVALIAÇÃO

Eles fisicalizaram o objeto? Eles mostraram ou contaram?

PONTO DE OBSERVAÇÃO

Cuidado com este exercício para que não se torne um jogo de observação de um esporte. A diferença entre dar vida ao objeto e manipular o objeto é sutil. Cuidado com a apresentação e as instruções para que não conte o COMO aos alunos-atores.

Manter a altura de uma superfície

Um jogador.

O jogador estabelece uma superfície (mesa, balcão etc.) sobre a qual ele coloca muitos objetos pequenos, usando para isso um forte impacto. Os objetos podem ser livros, lápis, copos etc.

PONTO DE CONCENTRAÇÃO: manter a altura da superfície estável e constante enquanto coloca vários objetos sobre ela.

PONTO DE OBSERVAÇÃO

Resistência ao Ponto de Concentração aparecerá se os atores, por exemplo, tentarem empilhar os objetos uns sobre os outros, em vez de colocar cada um sobre a superfície.

Começo-e-fim com objetos

Um jogador.

O jogador escolhe um objeto pequeno como um maço de cigarros, por exemplo.

PARTE A

O professor-diretor instrui o jogador para que ele faça uma ação simples com o objeto (por exemplo, tirar um cigarro do maço).

PARTE B

O professor-diretor instrui o jogador para repetir a ação, só que agora dizendo "Começo!" toda vez que ele fizer um contato novo com o objeto, e "Fim!" quando cada detalhe estiver completado.

PARTE C

O professor-diretor instrui o jogador a repetir a ação como antes, só que agora fazendo o mais rápido que puder e sem dizer começo e fim.

PONTO DE CONCENTRAÇÃO: no objeto.

EXEMPLO DA PARTE B: Ele toca o maço: "Começo!" Ele segura o maço: "Fim!" Ele toca um cigarro: "Começo!" Ele segura um cigarro: "Fim!"

Ele começa a tirar um cigarro do maço: "Começo!" Ele tira um cigarro do maço: "Fim!" Ele leva o cigarro até sua boca: "Começo!" Ele segura o cigarro com sua boca: "Fim!"

AVALIAÇÃO

Para o ator: Qual das três ações foi mais real para você?
Para a plateia: Qual das três ações pareceu mais real?

PONTOS DE OBSERVAÇÃO

1. Se a Parte B for feita corretamente, cada detalhe será um quadro de um filme cinematográfico. Instrua o aluno a fazer o seu começo e fim com uma energia muito grande, de impacto.
2. A terceira ação (Parte C) será mais clara e exata do que a primeira (Parte A). A manipulação do objeto por parte do aluno terá realidade.
3. Este exercício é muito útil para desenvolver detalhes exatos na manipulação de objetos e deveria ser repetido frequentemente durante todo o treinamento. Uma variação deste exercício, onde a mesma técnica é usada para produzir detalhes e revelar a intenção de uma cena, aparece na p. 121.
4. A realidade que a plateia vê é a que deve ser aceita na Avaliação. Quando um ator está acostumado a "representar", isto frequentemente se torna a sua realidade; e a plateia é o elemento de verificação para que isto não aconteça.
5. Este exercício está relacionado com a SUBSTÂNCIA DO ESPAÇO e deveria ser feito antes daquele.

A substância do espaço

Após os exercícios preliminares de envolvimento com objetos terem sido usados, A SUBSTÂNCIA DO ESPAÇO deve ser introduzida e repetida pelo menos mais oito sessões como aquecimento. Ela é útil para o relaxamento do grupo em qualquer momento. Uma vez que existem muitas variações possíveis, o professor-diretor deve determinar o seu uso nas sessões subsequentes. Quanto mais frequente ele for usado, mais perfeitos serão os alunos-atores na criação e construção de objetos "a partir do nada" e em "deixar as coisas acontecerem".

A. CAMINHAR NO ESPAÇO

Grupo grande (não é necessário plateia).

Peça aos alunos-atores para se moverem pelo palco, dando substância ao espaço na medida em que caminham. Eles não devem sentir ou mostrar o espaço como se fosse um material conhecido (água, lodo, melado etc.), mas devem explorá-lo como uma substância totalmente nova e desconhecida.

INSTRUÇÕES: *Atravesse essa substância e estabeleça contato com ela. Não dê um nome a ela – ela é o que é! Use seu corpo todo para estabelecer contato! Sinta contra o queixo! O nariz! O joelho! Os quadris!* Se os jogadores tentarem usar somente as mãos, faça-os ficarem com elas junto ao corpo para que se movam como uma massa só. Continue dando instruções: *Empurre-a. Explore. Você nunca sentiu essa substância antes. Faça um túnel. Volte pelo espaço que seu corpo moldou. Faça a substância voar. Movimente-a. Faça ondas.*

B. APOIO E ESFORÇO NO ESPAÇO

Grupo grande com plateia.

Faça os jogadores caminharem pelo palco, estabelecendo contato com a substância.

INSTRUÇÕES: *Deixe que a substância sirva de apoio. Descanse sobre ela. Deixe que ela o sustente. Debruce sobre ela. Deixe-a segurar sua cabeça. O queixo. Os braços. Os lábios etc.*

Quando os jogadores estiverem em movimento e respondendo ao problema, dê uma nova compreensão da substância do espaço que eles estão contatando.

INSTRUÇÕES: *Agora é você quem se sustenta. Você está sendo sustentado pela boca. Pelos braços. Pela testa.*
(Enuncie as várias partes do corpo que os alunos mantiverem rígidas.) Agora faça-os voltar a deixar que a substância do espaço sirva de apoio. Mude várias vezes até que os alunos sintam a diferença. Enquanto estiver enunciando as partes do corpo, ajude os alunos a soltarem e relaxarem os músculos. (Um aluno que normalmente tinha uma expressão rígida em seu rosto, que lhe dava uma "expressão dura", conscientizou-se pela primeira vez de sua rigidez através deste exercício).

AVALIAÇÃO

Para os jogadores: Como você se sentiu quando o espaço era apoio? E quando você era o seu próprio apoio?

Para a plateia: Vocês notaram um diferença entre o apoio e o não apoio na maneira como os jogadores andavam?

PONTOS DE OBSERVAÇÃO

1. Quando os atores se sustentam, quando eles são seus próprios centros de gravidade, alguns encolhem, alguns parecem ter medo de

cair, enquanto outros parecem ansiosos, solitários, e outros ainda parecem agressivos. De fato, muitas "características" aparecem. Quando, por outro lado, os jogadores debruçam sobre o espaço, pode-se notar uma expansão quando eles se movem pelo ambiente. Faces sorridentes, calma, e um ar de suavidade aparece. É como se eles soubessem que o ambiente os apoiará, se permitirem.

2. "Ponha sua assinatura no espaço" é uma boa instrução para colocar o jogador no ambiente. O objetivo é deixar uma marca no espaço – uma pegada, a silhueta de sua cabeça etc. – e então ver essa marca.

C. MOLDANDO O ESPAÇO

Um jogador só.

Peça aos jogadores para fazer qualquer objeto da substância do espaço. Em alguns casos, pode-se dizer "descubra" o objeto, em vez de "faça". Tente ambos os casos.

PONTO DE CONCENTRAÇÃO: construir um objeto a partir da substância do espaço.

PONTO DE OBSERVAÇÃO

A maioria dos jogadores junta a substância do espaço e a manipula como se fosse uma outra massa qualquer. Com confiança e certeza, o aluno constrói seu objeto com incrível exatidão e realidade. Onde, na primeira criação de objetos, só alguns alunos conseguiam dar realidade, esse exercício é bem sucedido com quase todos. Talvez isso aconteça porque o jogador não constrói (inventa) o objeto da imaginação, mas descobre-o na medida em que ele surge no espaço.

Depois disso, peça para que cada jogador empurre a substância do espaço como se não pudesse separar-se dela. Isto algumas vezes resulta na apresentação de material elástico. Instrua os jogadores para que experimentem isso.

D. MOLDAR O ESPAÇO EM GRUPO

Dois ou mais jogadores.

Peça aos jogadores para construírem juntos um objeto, animado ou inanimado, a partir da substância do espaço, e então usá-lo. Depois os jogadores devem puxar a substância, mantendo-a ligada ao espaço, devem agitá-la, deixar que ela os suspenda, e enrolá-la em torno de si mesmo e dos outros etc.

PONTOS DE OBSERVAÇÃO

1. Os jogadores se movem para fora do ambiente imediato com facilidade após esse exercício. (Ao manipular a substância do espaço,

um grupo de jogadores acabou fazendo a dança das fitas, e a realidade estava tão clara para os jogadores que quando as fitas ficaram trançadas, a plateia pôde "ver".)

2. Certifique-se que os jogadores estão estabelecendo contato com a substância do espaço e não impondo ações sobre ela.

E. TRANSFORMAÇÃO DE OBJETOS

Grupos grandes.

A primeira pessoa cria um objeto e passa para a próxima. O próximo jogador deve manipular o objeto até que mude de forma e então passa para um terceiro jogador. O exercício difere de TRANSFORMAÇÃO DO OBJETO (p. 193), pois que aqui o jogador não deve fazer uma história ou situação com o objeto, mas simplesmente manipulá-lo até que aconteça alguma coisa. Se nada acontecer, ele deve passar o objeto para o próximo jogador. Por exemplo, se um jogador receber um ioiô e usá-lo, ele pode se transformar num pássaro ou num acordeão. Passo seguinte: dois jogadores criam jutos (como no exercício MOLDAR O ESPAÇO EM GRUPO) uma série de objetos em constante transformação.

Este exercício é difícil e deve ser compreendido claramente pelos jogadores. Eles não devem transformar o objeto – ou o próprio objeto se transforma ou nada acontece. Nenhuma associação deve ser usada para levar a uma história. Se um jogador receber um pente, por exemplo, ele não deve criar um espelho e usar o pente.

PONTOS DE OBSERVAÇÃO

Quando o objeto parece transformar-se, o grupo sente uma grande excitação. Quando um aluno tem essa experiência, deve ser assinalado que isto é exatamente o que o Ponto de Concentração deve fazer para os jogadores.

F. O ESPAÇO COMO UM OUTRO ELEMENTO

Qualquer número de jogadores. Não use este exercício até que a substância do espaço tenha sido inteiramente explorada. Diga aos jogadores que o espaço no qual eles estão se movendo é vento, água, lodo etc.

INSTRUÇÕES: *Seu cabelo está flutuando. Seus tornozelos estão flutuando. Sua espinha está flutuando.* Use a instrução adequada para qualquer substância sugerida.

PONTOS DE OBSERVAÇÃO

1. O exercício F é excelente para ensaiar uma peça formal que tenha cenas em condições atmosféricas fora do comum. Uma cena "submarina" com peixes nadando em volta de mergulhadores e uma luta de polvos pode ter grande realidade para o deleite da plateia.

2. Todos esses exercícios auxiliam o aluno-ator a sentir o impacto do espaço sobre o seu corpo. Eles ajudam a penetrar no espaço, moldá-lo, defini-lo, e a movimentar livremente.

Não movimento – Aquecimento

Qualquer número de jogadores.

O exercício que se segue deve ser dado imediatamente antes do NÃO MOVIMENTO (p. 170). Ele deve ser dado com A SUBSTÂNCIA DO ESPAÇO, contudo e por isso é apresentado neste ponto do livro.

Peça aos jogadores para levantar e abaixar seus braços. Agora peça para se concentrarem no NÃO-MOVIMENTO enquanto continuam a levantar e abaixar os braços. Use a imagem de um *flip-book* – uma série de fotografias que quando folheadas, criam uma imagem em movimento. Agora peça que os jogadores vejam a série de fotografias paradas que os braços deixam no espaço ao levantar e abaixar. Quando eles compreenderem isto, faça o mesmo com o andar, subir escadas etc. Se o exercício for executado adequadamente, ele dá ao jogador um sentimento físico e uma compreensão do movimento. Concentrando-se no NÃO MOVIMENTO, as mãos, pernas etc. se movem sem esforço e sem determinação consciente. Isto pode ser usado como uma fisicalização para mostrar como, sem interferência, o Ponto de Concentração pode trabalhar por nós. Como um jogador assinalou certa vez, "É como se uma outra pessoa estivesse nos colocando em movimento!" Um outro jogador disse, "É como estar de férias!"

PONTO DE CONCENTRAÇÃO: nos momentos de parada durante os movimentos.

PONTO DE OBSERVAÇÃO

Uma tarefa para casa para esse exercício será útil e ajudará a acelerar o treinamento. (1) Peça aos alunos que tomem alguns minutos por dia para pegar uma cena em movimento e vê-la como uma fotografia parada: uma vista da rua; um escritório; uma ambulância passando rapidamente; um momento de alguma pessoa numa situação emocional. (2) Peça aos alunos para manter um "diário" de suas experiências – uma ou duas palavras escritas no momento em que alguma coisa estiver acontecendo. Por exemplo, se uma pessoa estiver irritada porque não pode encontrar seus sapatos, naquele momento ele escreve "irritado – sapatos, 9:30". Se uma hora mais tarde ele correr para tomar o ônibus e perdê-lo, ele pode escrever "sem fôlego – perdi o ônibus, 10:30". Cada indivíduo, ao fazer o exercício, saberá intuitivamente que momentos colocar no diário.

Essa tarefa para casa não traz introspecção ou subjetividade para o trabalho do aluno. Pelo contrário, ela lhe dá um extraordinário sentido do seu ambiente e dele próprio dentro desse ambiente. Como o Ponto de Concentração no NÃO-MOVIMENTO, ele lhe dá uma percepção exata do mundo que se move ao seu redor. O imediato e a brevidade são necessários, contudo. Se o aluno fizer um registro elaborado em seu diário, ele modificará o exercício. O palavreado excessivo levará ao emociona-lismo, julgamentos, sentimentos, afastamento. O palavreado excessivo levará o aluno além do momento do evento e o exporá à subjetividade e a uma experiência velha e passada.

Penetração

Qualquer número de jogadores.

Se, por um lado, este exercício pode ser integrado como uma parte das instruções durante alguns dos exercícios sensoriais, por outro lado pode ser útil como um aquecimento especial durante as sessões de Orientação. Note que este não é um exercício completo, ele é simplesmente uma sugestão para enfatizar uma parte importante do jogo.

Dê o Ponto de Concentração para os times e diga-lhes que podem fazer o que quiserem diante da plateia.

PONTO DE CONCENTRAÇÃO: penetrar no ambiente. Peça aos alunos para pensar em seus equipamentos sensoriais como um instrumento estendido – algo que pode se mover, cortar, penetrar.

INSTRUÇÃO: *Penetre naquela cor! Penetre naquele sabor! Deixe que seu ouvido penetre no som.*

Acrescente uma parte

(Pode ser usado como um jogo de orientação.)

O grupo todo.

Um jogador vai para o palco e coloca um objeto que é uma parte de um objeto maior. Um outro jogador vai até lá e adiciona uma parte até que todos tenham tido a oportunidade de colocar alguma coisa.

EXEMPLOS: O primeiro jogador coloca uma direção de carro no palco. O segundo jogador adiciona um para-brisas, o terceiro coloca um assento traseiro. E assim sucessivamente. O primeiro jogador coloca uma janela, o segundo adiciona uma cortina, etc.

Acrescente um objeto no Onde n. 1

O grupo todo.

O primeiro jogador vai para o palco e coloca um objeto num ambiente geral, ao redor do qual um Onde possa ser construído. Cada novo jogador usa todos os objetos já colocados e então adiciona o seu.

EXEMPLO: O primeiro jogador coloca uma pia no palco, o segundo adiciona uma banheira. E assim sucessivamente.

PONTO DE OBSERVAÇÃO

Este exercício é um passo preliminar para o Onde.

SUMÁRIO

Continue a estimular os alunos-atores a fazer um estudo consciente e cuidadoso do mundo físico que os cerca. Encoraje-os a observar como as coisas se parecem, como é o sabor, o som, o aroma e a textura delas. A observação clara do mundo à sua volta é uma ferramenta necessária para o ator do teatro improvisacional.

Se os alunos perderem o detalhe e generalizarem objetos e relacionamentos em qualquer ponto do treinamento, será melhor parar o grupo por um momento e dar um dos exercícios cobertos anteriormente na Orientação. Quase todos eles são úteis como aquecimento.

O professor-diretor pode também sugerir que os alunos retomem os jogos sensoriais em casa. Se, por um lado, os exercícios não devem ser feitos fora das oficinas de trabalho, por outro lado os jogos podem proporcionar muito divertimento e satisfação para o aluno-ator.

Prazer e entusiasmo devem estabelecer o tom durante esses exercícios. Se os alunos estiverem apreensivos, ansiosos e constantemente vendo se estão fazendo "certo", então deve ter havido algum erro na apresentação. Em sua pressa, o professor pode ser pedante em vez de líder do grupo. Ele pode estar impondo seu quadro de referência nos "resultados". Ele pode estar dando muitos problemas numa única aula, não permitindo que os alunos tenham a experiência da "fluência", que teriam no caso de um jogo.

Tente sempre começar o trabalho com um jogo e terminá-lo, se possível, com um exercício que dê aos jogadores uma conclusão não verbal dos problemas anteriores, O JOGO DE ORIENTAÇÃO, ADICIONE UMA PARTE, PARTE DO TODO são alguns desses exercícios. Eles mostram rapidamente, para o professor, até que ponto os exercícios anteriores integraram-se organicamente nos alunos. Se as brincadeiras, a "representação" e o exibicionismo persistirem, então é óbvio que o envolvimento e a compreensão do Ponto de Concentração ainda não aconteceram.

Não use exercícios envolvendo um jogador só até que a plateia tenha sido incorporada como "parte do jogo". Isso deve acontecer pelo final da segunda sessão de orientação. Caso não aconteça, adie os exercícios com um só jogador.

4. Onde

INTRODUÇÃO

OS TRÊS AMBIENTES

Muitos atores acham difícil "ir além de seus narizes" e devem ser libertados para que tenham um maior relacionamento físico com o espaço. Para efeito de esclarecimento, deve-se ter sempre em mente três ambientes: imediato, geral e amplo[1].

O espaço imediato é a área mais próxima de nós: a mesa onde comemos, com os talheres, os pratos, a comida, o cinzeiro etc. O espaço geral é a área na qual a mesa está localizada: a sala de jantar, o restaurante etc., com suas portas, janelas e outros detalhes. O espaço amplo é a área que abrange o que está fora da janela, as árvores, os pássaros no céu etc.

Todos os exercícios com espaço (Onde) são destinados a despertar os atores para as três áreas e ajudá-los a se movimentar, penetrar e trabalhar confortavelmente.

ENVOLVIMENTO COM O ONDE

O primeiro exercício de Onde proporcionará ao aluno-ator a estrutura básica que ele utilizará nos exercícios subsequentes. É o "campo" no qual ele agirá. Dá ao aluno o espaço do palco em sua totalidade e mostra-lhe como agir dentro desse espaço e como deixar que as pessoas, os objetos e os acontecimentos que ele encontra no palco trabalhem por ele.

Devido à importância de uma completa familiarização do aluno-ator interessado em improvisação de cena com esta forma básica, é

1. Veja "A Substância do Espaço", p. 73.

aconselhável dispender bastante tempo neste problema e nas variações e complementações sugeridas no livro. (Não utilize todos os exercícios de Onde antes de ir para outras partes do livro. Muitos dos exercícios do final desse capítulo são para alunos muito avançados.)

Para o ator de teatro formal, os exercícios com Onde servem para localizá-lo dentro do palco, onde ele compreenderá que o movimento no palco é orgânico e não memorizado.

PRIMEIRA SESSÃO DO ONDE

O ESTABELECIMENTO DO FOCO NO ONDE, QUEM E O QUÊ

Antes de apresentar o exercício de Onde, faça uma discussão com o grupo para estabelecer o foco no Ponto de Concentração primário (Onde) e secundário (Quem e O Quê).

Inicie discutindo o Onde (relações com objetos físicos).

Como você sabe onde está? Se não obtiver resposta, tente uma abordagem diferente.

É verdade que você sempre sabe onde está? "Algumas vezes você não sabe onde está."

Realmente, você pode estar num lugar estranho. Como você sabe que ê estranho? Como você sabe quando está num lugar conhecido? Como você sabe onde está a cada momento do dia? "Você simplesmente sabe, ora." "Você sempre pode dizer." "Há sinais."

Como você sabe quando está na cozinha? "Você pode sentir o cheiro do que está cozinhando."

Se não tivesse nada cozinhando, como você saberia? "Sabendo onde fica."

O que você quer dizer? "Sabendo onde ela fica na casa."

E se todos os cômodos da casa fossem mudados de lugar, você ainda saberia dizer qual é a cozinha? "Claro!"

Como? "Pelas coisas que estão nela."

Quais coisas? "O fogão, a geladeira."

Você reconheceria uma cozinha se não houvesse nem fogão nem geladeira? Se estivesse num lugar na selva, por exemplo? "Sim."

Como? "Seria um lugar onde a comida é preparada."

E assim, através da discussão e apresentação de perguntas orientadas, os alunos-atores concluem que "nós sabemos onde estamos através dos objetos físicos à nossa volta". Uma vez em acordo sobre essa premissa básica, torne a discussão mais específica.

Qual é a diferença entre um escritório e uma sala de estudos? "Um escritório tem uma escrivaninha e um telefone."

Isto não é válido também para uma sala de estudos? "Sim."

O que uma sala de estudos poderia ter que um escritório não teria? "Fotografias, tapetes, abajures."

Essas coisas não poderiam estar num escritório?

Num quadro-negro grande, estabeleça duas colunas sob os títulos de Sala de Estudos e Escritório. Agora peça ao grupo para dizer quais as coisas que poderiam ser encontradas em cada um desses lugares, colocando-as nas colunas apropriadas, na medida em que são mencionadas. Eventualmente, ficará aparente que realmente existem diferenças, pois enquanto nos dois lugares pode haver uma escrivaninha, o bebedouro e o sistema de intercomunicação são mais prováveis num escritório do que numa sala de estudos.

Continue seguindo nessa linha. *Como você sabe a diferença entre um parque e um jardim?* Quanto mais detalhadas essas discussões se tornam, mais seus alunos reconhecerão que a seleção refinada (captação da essência) dá vida à comunicação teatral.

Quando a discussão sobre o Onde estiver terminada, os pontos acerca do Quem e O Quê devem ser cobertos muito rapidamente.

Através do Quem, estamos interessados em estabelecer relacionamentos humanos – em encorajar os atores a reconhecer com quem ele está trabalhando e a chegar a uma compreensão dos seus papéis mútuos.

Você geralmente conhece a pessoa que está numa mesma sala que você? Você diferenciaria um estranho do seu irmão? Seu tio do vendedor da esquina? "Claro!"

Quando você está num ônibus, pode perceber a diferença en-dois amigos de escola e uma mãe e um filho? A diferença entre dois estranhos e um casal de marido e mulher? "Sim."

Como você percebe? "Pela maneira como eles agem."

O quê você quer dizer, "pela maneira como eles agem"? Os atores jovens responderão, "As mães são mandonas... os namorados parecem bobos... marido e mulher discutem". Triste comentário, na verdade.

Ao discutir mais profundamente, os alunos concordarão que as pessoas nos mostram quem são pelo seu comportamento (o contrário de contar-nos). Quando eles chegarem a esse ponto coloque o fato de que os atores, para comunicar à sua plateia, devem mostrar quem eles são através do seu relacionamento com os outros atores.

Quando o Quem já estiver visto, passe para o último dos três Pontos de Concentração. Qual é a razão para o ator estar no palco.

Por que você entra numa cozinha? "Para fazer comida." "Para tomar um copo d'água." "Para lavar a louça."

Por que você entra num quarto? "Para dormir." "Paia trocar de roupa."

E numa sala? "Para ler." "Para assistir televisão."

Na medida em que as perguntas continuam, os alunos concordarão que geralmente temos uma razão para estar em determinado lugar e para fazer alguma coisa – para manipular certos objetos físicos, para entrar em certos lugares e salas. E assim o ator deve ter suas razões para manipular certos objetos no palco, para estar num certo lugar, para atuar de um certo modo. Quando o Onde, Quem e O Quê estiverem completamente cobertos, passe para o EXERCÍCIO DO ONDE.

Exercício do Onde[2]

Materiais especiais

1. Vários quadros-negros pequenos (pode ser madeira pintada) e giz. O papel pode ser substituído, mas os quadros-negros são melhores para atores mais jovens.
2. Um cavalete ou suporte para um quadro-negro no palco.
3. Algumas cadeiras.

Dois jogadores (o número poderá aumentar após a segunda ou terceira sessão).

Cada time de dois recebe um quadro-negro e giz. Eles estabelecem um lugar (Onde) e criam uma planta-baixa do lugar no quadro-negro (por exemplo, se o time escolheu uma sala de estar, eles colocariam o sofá, as cadeiras, cinzeiros, lareira etc.). Cada ator deve ser encorajado a contribuir com itens diferentes, usando os símbolos padronizados para planta-baixa.

Quando o primeiro grupo completar sua planta-baixa, seu quadro-negro deve ser colocado no cavalete de frente para o palco, onde os jogadores possam vê-lo facilmente. O professor-diretor deve dizer-lhes que não precisam memorizar nenhum dos itens, mas que devem voltar à planta-baixa sempre que quiserem durante o exercício. Este é um passo decisivo para livrar os atores da memorização e dará um grande alívio, se enfatizado. "Não fique com a planta-baixa na cabeça, refira-se ao quadro-negro!" É também um outro passo no sentido de ajudar o aluno a relaxar seu controle cerebral sobre si mesmo.

O time deve atuar dentro do Onde, estabelecendo uma relação (Quem) entre si – dois amigos, marido e mulher, irmão e irmã, etc. – e decidir a razão para estar ali (O Quê). Quem, Onde e O Quê devem também ser escritos na planta-baixa, junto com o Foco.
Concentração.

PONTO DE CONCENTRAÇÃO: (1) Os atores devem mostrar onde estão, estabelecendo contato físico com todos os objetos desenhados na planta-baixa. (Os únicos objetos realmente necessários no palco são as cadeiras. Os outros objetos são simplesmente representados pelas marcas de giz no quadro-negro e devem ser criados no palco pelos alunos.) Em outras palavras, cada jogador deve, de alguma forma, manipular ou tocar no palco tudo que foi desenhado no quadro-negro, mostrando para a plateia sua razão para usar cada um deles. (2) Mostrar o Onde através do Quem e O Quê (relacionamento e atividade).

2. Veja Era Uma Vez, p. 274, que é uma versão infantil da introdução do Onde.

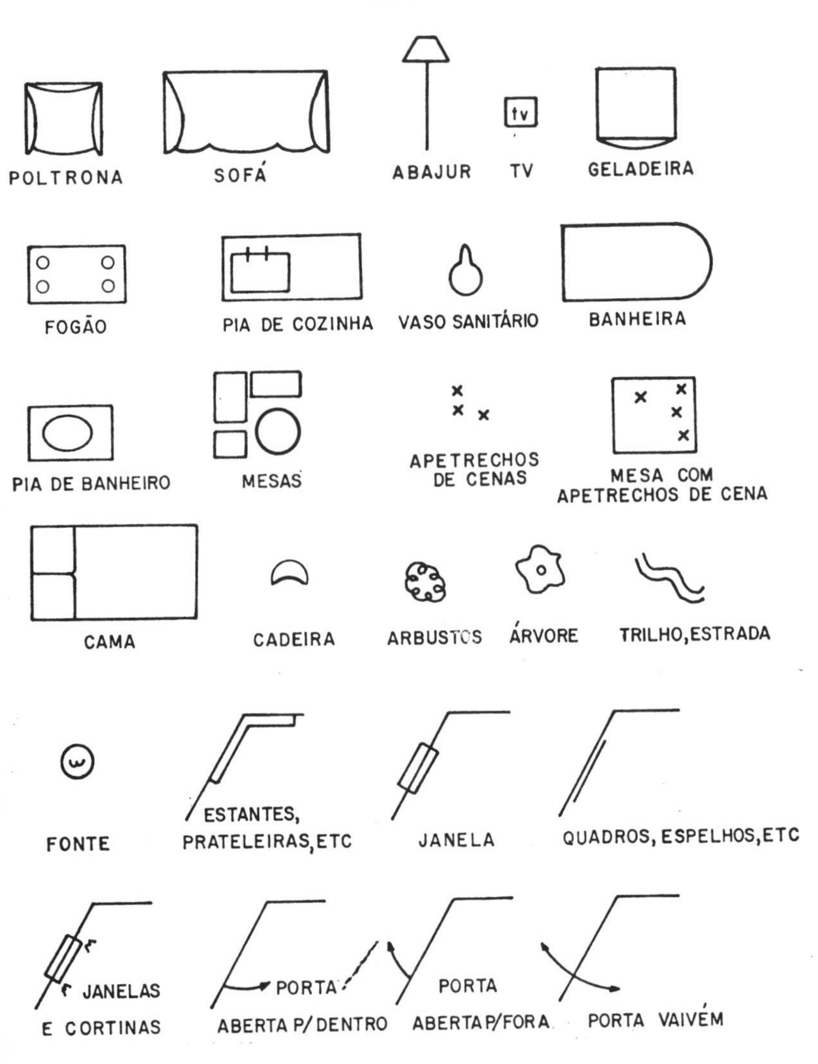

Ilustração 1. Símbolos para a planta-baixa.

EXEMPLO: É aconselhável demonstrar o exercício para a classe antes do seu envolvimento com o problema. O professor-diretor deve gastar o tempo que for necessário nessa instrução. Lembre-se: desenhar a planta-baixa é o começo do foco disciplinado do aluno-ator, ou consciência do detalhe. É por meio dela que ele aprende a evitar generalidades. Não apresse o processo de aprendizagem!

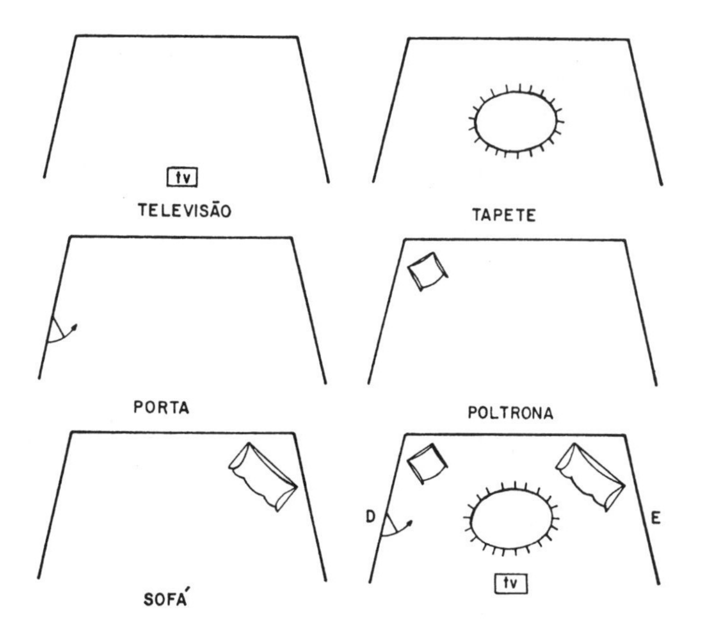

Ilustração 2. Construindo a planta-baixa.

AVALIAÇÃO

Eles estão mostrando a atividade para a plateia? Eles estão mostrando ou contando onde estão? Os dois manipulam os objetos do mesmo jeito?[3]

A concentração foi completa ou incompleta? O grupo solucionou o problema de atuação? Nós sabíamos Onde eles estavam? Eles manipularam todos os objetos? Eles se referiram a planta-baixa quando necessário? Eles relataram o uso dos objetos ("Acho que vou fechar a janela" etc.), ou os utilizaram simplesmente?

Compare a planta-baixa dos atores com o que a plateia observou (Ilustração 3). Nos primeiros momentos do exercício, os atores de uma maneira geral se sentirão confusos e não usarão todos os objetos. Na medida em que o exercício é repetido, esta confusão será superada. Dê as instruções para usar todas as coisas no palco e lembre-os que podem recorrer ao seu quadro-negro sempre que quiserem.

Eles manipularam (contataram) seus objetos de maneira que pudéssemos compreender O Quê estavam fazendo? Tente determinar quais foram as ações que faltaram? Encoraje voluntários a demonstrar como

3. Para a primeira sessão, coloque todos os jogadores no mesmo Onde e faça o grupo como um todo escolher o Quem.

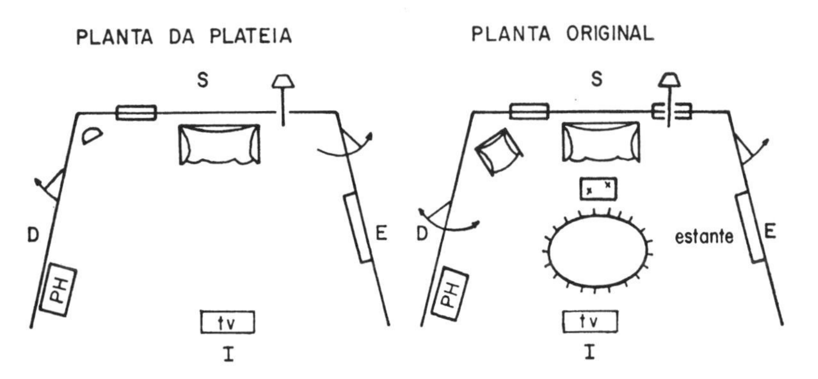

Ilustração 3. Planta original dos jogadores comparada com a planta-baixa desenhada pela plateia.

vários objetos poderiam ter sido manipulados. Tente mostrar as diferenças na manipulação de um objeto (por exemplo, a diferença de peso e construção entre um livro e uma revista). Se o exercício SUBSTÂNCIA DO ESPAÇO foi usado com frequência até aqui, a criação de objetos será claramente detalhada.

Eles poderiam ter usado seus objetos de uma maneira mais interessante? A mão é o único meio de tocar os objetos? É necessário manipular (contatar) os objetos de forma óbvia? Pode-se cair sobre os objetos, debruçar sobre eles etc. O nariz pode ser pressionado contra a janela da mesma forma que a mão pode abri-la. Seria possível entrar em contato com garrafas atrás do balcão? "Um bêbado poderia cair sobre elas?" "Ele poderia ter brigado com o garção." Tanto quanto possível, o professor deve deixar os alunos descobrir os princípios por si mesmos. Como aquecimento, escolha um objeto específico e faça os atores utilizá-lo individualmente. A avaliação, então, seria sobre as possíveis variações com o mais simples dos objetos. (Veja USO DE OBJETOS PARA DESENVOLVER CENAS, p. 191.)

Eles mostraram Onde estavam, pelo uso de objetos físicos, ou eles contaram? Eles mostraram primeiro e depois contaram? A ação geralmente precede o diálogo.

Eles compartilham conosco o que estavam fazendo? Essa exploração do "compartilhar com a plateia" levará a uma discussão do arranjo do palco e marcações de cena espontâneas.

Quando uma avaliação satisfatória estiver terminada, peça para outro grupo ir ao palco e fazer sua cena. Uma vez que a avaliação ajuda tanto o grupo que está no palco como os membros da plateia, cada grupo será auxiliado pelas avaliações de outros grupos.

Depois que o segundo grupo tiver trabalhado, comece a avaliação perguntando: "Eles se beneficiaram com a nossa discussão sobre o primeiro grupo?"

PONTOS DE OBSERVAÇÃO

1. Ao desenvolver plantas-baixas, é importante que cada membro do grupo tenha um pedaço de giz e seja encorajado a fazer uso dele, pois isto permite que mesmo o mais tímido contribua com pelo menos um objeto para a planta-baixa. Este é o início orgânico de envolvimento de grupo.
2. Apresentada aqui pela primeira vez, a planta-baixa imediatamente torna-se uma parte integral de todos os exercícios futuros. É uma visualização do Onde do ator. É importante que a primeira planta--baixa do aluno-ator seja compilada corretamente e com propósitos. Por esta razão, o professor-diretor deve ir de grupo em grupo, durante a primeira sessão de planejamento, e dar sugestões e encorajamento sempre que necessários. No início, os alunos-atores colocarão seus itens aleatoriamente, alguns colocando muitas coisas no quadro e outros colocando muito poucas. Com o passar do tempo, eles se tornarão mais seletivos e irão escolher e colocar as coisas pensando no palco como um todo.
3. Antes de começar uma cena, certifique-se de que a planta esteja bem à vista dos atores que estão no palco. Encoraje-os a voltar ao quadro livremente e sempre que desejarem. Essa gradual libertação da memorização lhes permitirá concentrar-se nos objetos que são manipulados, eliminando a necessidade de lembrar sua localização no palco. Verifique sempre, após cada cena, o que a plateia percebeu, comparado com a planta-baixa.
4. Lembre constantemente aos atores para mostrar onde estão, pelo uso de todos os objetos físicos no palco. Por meio dessa orientação, o Ponto de Concentração do ator se tornará claro.
5. Quando a fala se torna um murmúrio e os atores se escondem em grupos fora da linha de visão, dê instruções: *Participe do visual do palco! Compartilhe sua vez com a plateia!* Em quase todos os casos eles reagirão.
6. Essas cenas iniciais terão muita fala no lugar da ação – contar ao invés de mostrar. Os relacionamentos serão esquemáticos, o contato com o objeto superficial, e a concentração esporádica. Isto será remediado com tempo, descoberta e instrução.
7. Para evitar a dramaturgia no início do trabalho, não permita que os alunos planejem uma situação. Observe os grupos atentamente du-

rante a preparação do exercício. Se o Como for discutido, se a cena for planejada, se o Ponto de Concentração (Onde) não for observado, então o exercício não será uma atividade espontânea e improvisada[4]. Mantenha o O Quê como sendo uma simples atividade física entre os jogadores.

8. Faça com que os alunos-atores coloquem cada vez mais detalhes nas suas plantas-baixas toda vez que o exercício for repetido – quadros, vasos, cinzeiros, rádios – tudo deve ser incluído. A canalização de energia para resolver um problema, as marcações de cena espontâneas aparecerão na medida em que os alunos se movimentam pela sala.
9. Certifique-se de que seja estabelecido contato com todos os objetos por todos os atores durante este período inicial. Mais tarde, eles não precisarão mais entrar em contato com todos os objetos no palco – na verdade, isto irá interferir no seu trabalho. Mas a descoberta dessa liberdade e o subsequente nivelamento devem ser determinados inteiramente para julgamento do professor.
10. O Onde, Quem e O Quê, o Ponto de Concentração e as informações complementares devem ser escritas abaixo da planta-baixa. Um arquivo de plantas-baixas é útil como referência quando se planeja um espetáculo.
11. Nas primeiras sessões do Onde, faça os alunos utilizarem interiores que lhes são familiares, como cômodos de uma casa, escritório etc.
12. Como os atores estão mais à vontade nesses exercícios do que nos anteriores, podem se tornar muito mais independentes um do outro e trabalhar no Ponto de Concentração separadamente, ainda que na mesma situação. Para evitar isso, faça o grupo mostrar o Onde através do Quem (relacionamento) e O Quê (atividade). Se, por exemplo, o Onde é uma sala de estar e o Quem uma garota e o namorado, os objetos do espaço geral podem ser usados de muitas maneiras. Os livros na estante poderiam ser manipulados para ler poesia para a namorada, ela poderia usar a cadeira vindo por trás e abraçando o namorado que estaria sentado nela. É o mesmo problema de deixar o Ponto de Concentração movimentar os atores em vez de impor algumas coisas sobre ele. Ele é o único caminho para a verdadeira improvisação de cena, pois é somente através do relacionamento que aparece a ação no palco.
13. Se os atores persistem em usar uma atividade planejada quando trabalham no Onde, eles estão resistindo ao Ponto de Concentração e ao relacionamento. Por exemplo, se um quarto é escolhido como Onde e os atores estiverem fazendo a limpeza, isto significa um uso

4. Veja discussão do Como, p. 31.

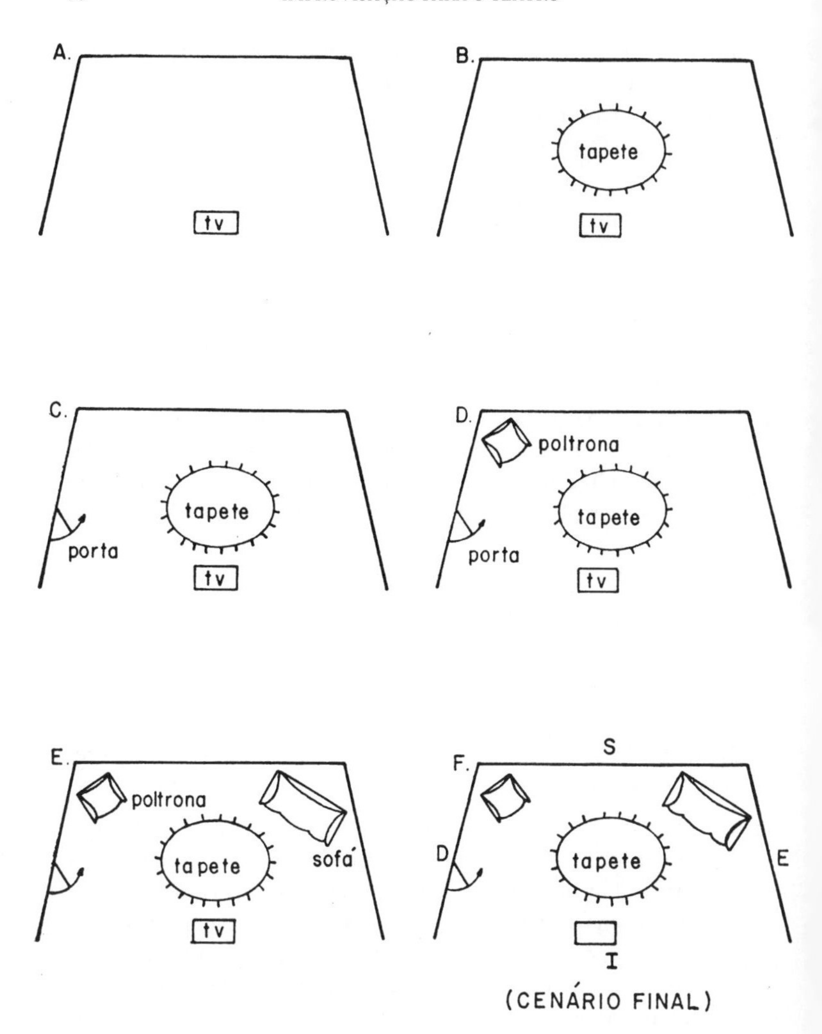

Ilustração 4. Informações nas plantas-baixas.

não desafiante ou planejado do Onde. Para evitar isso, sugira um problema onde os atores usem um O Quê não tão relacionado com os objetos que estão no Onde. A cama poderia ser um lugar onde dois alunos estariam estudando. Uma oficina, por exemplo, poderia ter dois atores jogando damas na hora do intervalo do almoço. Essas atividades não relacionadas mantêm então uma absorção total no jogo, e a preocupação (foco de atingir o objeto) torna-se fonte de energia.

Jogo do Onde

(Este é parecido com o JOGO DE ORIENTAÇÃO, só que agora os atores concentram-se no Onde e na atividade.)

O jogador vai para o palco e mostra o Onde através do uso físico dos objetos. Quando um outro jogador achar que sabe Onde o primeiro jogador está, assume um Quem, entra no Onde e desenvolve um relacionamento com o Onde e com o primeiro jogador. Outros jogadores se juntam a eles, um de cada vez, da mesma maneira que o segundo jogador.

PONTO DE CONCENTRAÇÃO: no Onde.

EXEMPLO: O jogador vai para o palco e mostra várias fileiras de estantes de livros. O segundo jogador entra e se coloca atrás de um balcão. Ele começa a assinar pequenos cartões que tira de dentro do livro. O terceiro jogador entra, empurra um carrinho com livros e começa a colocá-los nas estantes. Outros jogadores entram na biblioteca (Onde). Outros lugares para o JOGO DO ONDE: estação de trem, supermercado, aeroporto, hospital, sala de espera, rua, praia, sala de aula, galeria de arte, restaurante.

SEGUNDA SESSÃO DO ONDE

Se possível, os exercícios que seguem, O QUE ESTÁ ALÉM? A, B, e C, devem ser dados na mesma sessão. Mesmo que a primeira experiência, por alunos novos, seja elementar, o seu trabalho será enriquecido com a repetição, a intervalos, durante o período de treinamento (por exemplo, depois do JOGO DE PALAVRAS, OU durante os problemas com Emoção). Quando forem dados os outros dois exercícios, O QUE ESTÁ ALÉM? D e E, repita A, B C C. Estes dois últimos salientam entradas e saídas de cena.

O que está além? A

Um jogador.

O jogador deve sair ou entrar em um ambiente (ou ambas as alternativas). O palco é usado apenas como passagem, não deve haver outra ação do que aquela necessária para comunicar à plateia de que lugar ele veio e para onde vai. (Sugira que o palco é apenas um corredor vazio, que conduz de uma porta à outra), outra).

PONTO DE CONCENTRAÇÃO: mostrar de que lugar veio e para que lugar vai.

EXEMPLO I (realizado por um adulto): O personagem caminha apressadamente pelo palco, enxugando a mão no que parece ser uma toalha, que está segurando. Desamarra alguma coisa que está em volta da cintura e a pendura na maçaneta da porta. Movimenta-se pelo palco, parando momentaneamente para pegar alguma coisa que parece ser um chapéu, coloca-o na cabeça, olha no espelho e repentinamente sai por uma outra porta.

EXEMPLO II (realizado por um menino de 12 anos): Um personagem vem caminhando pelo palco, bocejando e espreguiçando-se. Ao atravessar o palco, desabotoa e tira lentamente o que parece ser um pijama. Passa a língua nos dentes, ao sair por uma outra porta.

AVALIAÇÃO

De que lugar ele veio? Para que lugar ele foi? Ele mostrou ou contou? É possível mostrar O QUE ESTÁ ALÉM, sem realizar qualquer atividade no palco? A avaliação deve referir-se somente ao Ponto de Concentração. Estamos apenas interessados na área da qual o ator veio e para a qual ele vai.

PONTOS DE OBSERVAÇÃO

1. Depois que os jogadores tiverem trabalhado com "interiores", o exercício pode ser dado novamente – sendo que desta vez o ator entra ou sai de lugares específicos (como a clareira de uma floresta, um supermercado etc.)
2. O QUE ESTÁ ALÉM deve ser acrescentado à planta-baixa.

Da mesma forma como nos exercícios QUE IDADE TENHO? REPETIÇÃO e O QUE FAÇO PARA VIVER? REPETIÇÃO, experimente este exercício e os subsequentes em um momento posterior, usando a mesma técnica, para esclarecer o quanto pode ser mostrado sutilmente, apenas "deixando acontecer".

O que está além? B

Um jogador.

Realizado da mesma forma como O QUE ESTÁ ALÉM? A.

PONTO DE CONCENTRAÇÃO: sugerir o que aconteceu no lugar (fora do palco) em que o jogador estava.

AVALIAÇÃO

O que aconteceu fora do palco?

PONTO DE OBSERVAÇÃO

Se este exercício for dado durante as sessões iniciais do Onde5 os atores devem realizá-lo na forma simplificada (por exemplo: uma atividade simples, como varrer a casa). Quando for repetido em um momento posterior do treinamento, a cena que aconteceu fora do palco pode ser baseada em um relacionamento com outras pessoas (por exemplo: briga com o namorado, uma cena de morte etc.).

O que está além? C

Um jogador.

Este exercício é a inversão exata de O QUE ESTÁ ALÉM? B.

PONTO DE CONCENTRAÇÃO: no que o jogador vai fazer no outro quarto (fora do palco).

AVALIAÇÃO

O que vai acontecer fora do palco?

Onde com ajuda

Dois jogadores.

Estabelecem Onde, Quem e O Quê. Os jogadores realizam a cena estabelecendo contato com os objetos do ambiente, auxiliando um ao outro e solucionar o problema.

PONTO DE CONCENTRAÇÃO: ajudar um ao outro a estabelecer contato com todos os objetos que estão no Onde, enquanto interpretam o Quem e O Quê.

AVALIAÇÃO

Eles estabeleceram contato com os objetos por meio de Quem eles eram o O Quê estavam fazendo, ou apenas ao acaso, simplesmente para "tocar os objetos"?

PONTO DE OBSERVAÇÃO

1. Recomende aos jogadores para usarem muitos detalhes ao desenharem suas plantas-baixas (por exemplo: portas, janelas, tapetes). O O Quê deve ser mantido na forma simplificada, sem qualquer tensão entre os atores (por exemplo: arrumando o cabelo no cabeleireiro, assistindo à TV etc.).
2. Os jogadores devem levar suas plantas-baixas para o palco para consulta. Outra planta-baixa deve ser desenhada no quadro-negro, para a plateia. Se não houver quadro-negro, deve ser fornecida uma planta-baixa especial (sem indicações de relacionamento e O Quê) para a plateia.
3. O exercício termina no momento em que ambos os atores tiverem estabelecido contato com tudo o que há no Onde. Às vezes, é necessário anunciar "Um Minuto!"5 para terminar o exercício, embora ele geralmente termine por si mesmo.

Onde com obstáculos

Mesmo grupo formado para ONDE COM AJUDA.

Estabelecem Onde, Quem e O Quê. Cada jogador deve procurar evitar que o outro entre em contato com os objetos. FOCO: Evitar que o parceiro entre em contato com os objetos no ambiente.

INSTRUÇÃO: *Trabalhe com o problema!*

AVALIAÇÃO

Qual dos dois exercícios deu maior realidade ao Onde – permitir que o outro ator entrasse em contato com os objetos ou colocando obstáculos a ele? Qual dos dois exercícios deu maior realidade ao Quem?

PONTO DE OBSERVAÇÃO

1. Insista com os atores que o contato com os objetos deve ser estabelecido por meio de O Quê e Quem da cena. Eles não podem simplesmente andar pelo palco, tocando os objetos. As suas ações devem surgir do relacionamento.
2. Observe como os relacionamentos são intensificados. Este exercício é parecido com DAR E TOMAR (p. 207). Se a realidade e os relacionamentos não ficarem claros, continue com o Onde simples por mais algumas sessões.
3. Note que os jogadores devem observar intencionalmente um ao outro para solucionar o problema.

TERCEIRA SESSÃO DO ONDE

Encontrando objetos no ambiente imediato

Três ou mais jogadores.

Estabelecem um relacionamento simples e uma discussão, que deve manter todos envolvidos. Pode ser o encontro de um comitê, assembleia de trabalhadores etc. Durante este encontro, cada ator deve manipular dúzias de objetos que estão no ambiente imediato. Não devem planejar antecipadamente quais serão os objetos.

PONTO DE CONCENTRAÇÃO: receber os objetos que o ambiente estabelecido tem para oferecer (deixar que o ambiente trabalhe pelos atores).

INSTRUÇÕES: *Tenha calma! Não se precipite, deixe que os objetos apareçam! Sustente a discussão! Trabalhe com o problema! Permaneçam em contato entre si!*

AVALIAÇÃO

Os atores inventaram os objetos ou esperaram que eles aparecessem? Os jogadores viram os objetos uns dos outros e os usaram? É possível realizar este exercício, sem estar atento um para o outro? Eles falaram sobre os objetos ou entraram em contato com eles?

Aos atores: Os objetos surgiram por meio de associação ou simplesmente apareceram?

PONTOS DE OBSERVAÇÃO

1. Sugira que os jogadores selecionem um encontro entre pessoas sentadas em torno de uma mesa.
2. Este exercício é relacionado com A SUBSTÂNCIA DO ESPAÇO e pertence ao grupo exercícios de transformação.
3. A resistência em trabalhar com este problema será demonstrada por jogadores que usam coisas óbvias e continuamente se afastam do ambiente e dos outros atores. Ao inventar, logo eles não saberão mais o que manipular. Para admiração de todos, quando este problema é solucionado, objetos infindáveis se apresentarão para o ator: o pão se transforma em migalhas, o papel é espicaçado, fiapos de tecido aparecem no casaco de um vizinho, a poeira flutua no ar, e lápis surgem atrás de orelhas. Deixe que os jogadores descubram isto por si mesmos.
4. Este é um dos problemas bipolares. A atividade no palco (o encontro) deve ser sustentada continuamente, enquanto a preocupação (o Ponto de Concentração) deve ser elaborada o tempo todo. Alguns atores irão sustentar a atividade (o encontro) e negligenciar o Ponto de Concentração, enquanto outros irão trabalhar apenas com o Ponto de Concentração e negligenciar a atividade (o encontro). Dê a instrução adequada.

Onde com atividade não relacionada

Dois jogadores.

Estabelecem Onde, Quem e O Quê. O O Quê deve ser uma atividade entre eles, que não depende de Onde eles estão (por exemplo: uma aula de dança no dormitório, construir um barco na sala de estar).

PONTO DE CONCENTRAÇÃO: os jogadores devem estabelecer contato físico com todos os objetos que estão no ambiente, como estão indicados na planta-baixa, enquanto realizam a atividade entre eles.

PONTO DE OBSERVAÇÃO

Este exercício foi desenvolvido para ajudar os jogadores a perceber que é apenas por meio de relacionamento (Quem) e atividade (O Quê) que o ambiente do palco (Onde) adquire vida, tanto para a plateia como para o ator. Este problema bipolar dá ocupação (atividade) e preocupação (Ponto de Concentração) ao jogador. É provável que o problema bipolar provoque ação no palco porque, temporariamente, elimina o mecanismo de censura, o qual prende os jogadores a velhos quadros de referência e comportamentos óbvios ou estereotipados.

Jogo do Onde

Veja primeiro Sessão do Onde, p. 82.

Que horas são? A

Um jogador.

Palco nu. Sem Onde detalhado. O jogador escreve a hora do dia em um pedaço de papel e o entrega para o professor-diretor, antes de subir ao palco.

PONTO DE CONCENTRAÇÃO: na hora do dia.

EXEMPLO 1: Um homem entra e fecha uma porta com cuidado exagerado. Ele se abaixa e tira seus sapatos. Colocando-os embaixo do braço, sorrateiro e vacilante ele atravessa o palco. Ao ir de encontro a uma poltrona acidentalmente, ele para e escuta paralisado. Nada acontece. Abafando o soluço, ele caminha com passos leves até uma porta, enfia a cabeça no outro quarto com cuidado, e ouve – com grande satisfação – um ronco. Ele sai, ainda com soluço.

EXEMPLO 2 (realizado por uma menina de dez anos): A menina vem para o palco sonolenta, abre a geladeira, e retira o que parece ser uma garrafa. Bocejando, retira uma panela de uma prateleira. Enche-a de água na pia. Então, ela coloca a garrafa na panela e acende o fogão. Ao observá-la, sua cabeça se inclina sonolenta. Ela pega a garrafa e a agita. Bocejando, coloca-a de volta na panela, e novamente inclina a cabeça, pesada de sono. Mais uma vez, ela pega a garrafa, agita-a, parece satisfeita, desliga o fogão e sai, ainda sonolenta.

EXEMPLO 3: Entra um homem e põe-se a trabalhar, construindo alguma coisa. Depois de algum tempo, ele coloca de lado suas ferramentas, abre sua marmita e começa a comer. Quando termina de comer, ele volta a trabalhar.

AVALIAÇÃO

Que horas eram? O jogador mostrou ou contou? Se a plateia afirmar que o jogador era, por exemplo, um marido bêbado, com medo de sua mulher, repita: Que horas eram?

É possível mostrar o tempo sem usar uma atividade? A hora do almoço é sempre ao meio-dia? E o trabalhador noturno? É possível mostrar a hora do dia, sem usar nossos padrões de referência culturais (por exemplo, em nossa cultura, que funciona dentro do esquema 8:00 às 18:00, descobrimos maneiras de mostrar 5:00, meio-dia, 17:00 etc.)?

Que horas são? B

(Deve ser dado imediatamente após QUE HORAS SÃO? A.)

Grupo grande.

Os jogadores permanecem em pé ou sentados no palco. O professor-diretor dá a mesma hora do dia a todos. Eles devem permanecer sentados no palco, trabalhando separadamente. Devem movimentar-se apenas se forem impelidos a fazê-lo, a partir do Ponto de Concentração. Não devem realizar atividade apenas para mostrar a hora do dia.

PONTO DE CONCENTRAÇÃO: sentir o tempo em seu corpo, muscular e cinesteticamente.

INSTRUÇÃO: *Sinta a hora em seus pés. Na sua coluna.*

AVALIAÇÃO

Existe reação do corpo à hora do dia? A sonolência da tarde é diferente da sonolência da meia-noite? Existe apenas uma hora para dormir, uma hora para trabalhar e uma hora para estar com fome? A hora do relógio é um padrão cultural? É possível comunicar a hora, sem manipular adereços, estabelecer o Onde etc.?

PONTOS DE OBSERVAÇÃO

1. Os atores irão variar consideravelmente em sentir a hora. Por exemplo, às duas horas da manhã alguns atores irão dormir, enquanto o coruja do grupo permanecerá despertado.
2. De agora em diante a hora deve ser acrescentada à planta-baixa.
3. Este exercício deve ser usado da mesma forma como QUE IDADE TENHO? REPETIÇÃO e O QUE FAÇO PARA VIVER? REPETIÇÃO.

Que horas são? C

Três ou mais jogadores.

Os jogadores estabelecem Onde, Quem e O Quê e mais a Hora.

PONTO DE CONCENTRAÇÃO: na hora, permitindo que ela determine a forma como a cena se desenvolverá. A avaliação e as instruções seguem a forma usual.

Jogo do Quem[5]

Dois jogadores.

Jogador A está sentado no palco, B entra. Jogador B planejou previamente um relacionamento com A, mas não o revelou. Enquanto B se relaciona com A, A deve descobrir quem ele é. Quando os jogadores tiverem terminado, inverta a cena, sendo que B permanece no palco e A escolhe um relacionamento.

PONTO DE CONCENTRAÇÃO: comunicar o relacionamento (Quem), sem contar uma história; descobrir Quem você é (A); mostrar Quem, o relacionamento (B).

EXEMPLO: A (menina) está sentada em um banco. B (menina) entra. B: "Olá, querida, como está?" B acaricia o cabelo de A. B caminha em torno de A, observando-a criticamente. B pede para A levantar-se. A assim faz. A a leva a dar uma girada, dando estalidos com a língua. B: "Você está muito bonita hoje, querida, muito bonita!" Então, B abraça carinhosamente A. Para, limpa uma lágrima e volta a ocupar-se de A, parecendo muito preocupada. Ela manipula o que parece ser metros e metros de organza, ergue um pedaço de tecido longo, que se arrasta no chão e o coloca no cabelo de A. Quando A percebe que é a filha de B, e que estas ações significam a preparação para o casamento, assume o relacionamento.

AVALIAÇÃO

O jogador B mostrou ou contou o relacionamento?

PONTOS DE OBSERVAÇÃO

1. Este é um dos primeiros passos para a manipulação direta do relacionamento de personagem e deve ser repetido durante o período de treinamento.
2. Use um banco, não uma cadeira individual, no palco.
3. O exercício pode terminar no momento em que o problema for solucionado – quando o relacionamento é descoberto – ou pode continuar. Às vezes, ocorre um envolvimento interessante e pode-se lucrar muito em continuar.
4. Sugira que os alunos façam este exercício com seus amigos, como um jogo de salão.
5. Se este jogo for dado cedo demais no treinamento, o aluno-ator poderá ser levado a verbalizar e a transformá-lo em um jogo intelectual. Se isto ocorrer, o jogo deve ser interrompido e avaliado (mostrar e não contar). A blablação pode auxiliar a interromper o contar neste caso.

5. Veja também Mostrar quem por meio do uso de um objeto, p. 125, e Galeria de arte, p. 124.

6. A repetição deste jogo, a intervalos de alguns meses, fornece um quadro interessante do desenvolvimento dos alunos e sua crescente seletividade e habilidade para improvisação.
7. Este jogo pode ser usado com participação da plateia, sendo que todos, exceto o jogador, sabem quem ele é.

QUARTA SESSÃO DO ONDE

É bom iniciar cada sessão com um exercício de aquecimento. A escolha do aquecimento é determinada pelas necessidades do grupo – seja uma repetição do envolvimento com o objeto, um exercício de Quem, ou o que quer que seja.

Quem está batendo? A

Um jogador.

O jogador não é visível para a plateia. Esta ouve apenas a sua batida.

O jogador deve saber Quem ele é, Onde está, hora do dia, tempo etc. Deve bater de forma a comunicar o máximo de informação possível para a plateia.

PONTO DE CONCENTRAÇÃO: na batida; mostrar Quem, Onde e O Quê, por meio da batida.

EXEMPLO: Diferentes tipos de batidas seriam: policial à noite, telegrama, namorado rejeitado, mensageiro do rei, bandido entrando em uma casa, espião, vizinho assustado, criança pequena, velho.

Quem está batendo? B

Jogador individual.

Este exercício constitui uma variação, especialmente válida para atores jovens. Depois de perguntar para a plateia de alunos qual é o Onde, Quem e O Quê da batida, o professor irá descobrir que muitos deles não perceberam as circunstâncias exatas. Após a Avaliação, quando a ação estiver clara, peça para os jogadores repetirem QUEM ESTÁ BATENDO? A plateia irá escutar mais intencionalmente e acreditar que a comunicação é mais nítida. Depois, pergunte ao aluno-ator quem era a pessoa a qual ele tentava alcançar e peça para ele bater novamente, chamando esta pessoa. Outro aluno deve subir ao palco (estabelecer rapidamente o Onde) e assumir o personagem da pessoa chamada.

EXEMPLO: Um menino, de volta da escola, está batendo na porta de entrada.

Professor: *Quem você está procurando?*

Aluno: *Minha mãe, mas ela está no chuveiro.* ("No chuveiro" é "narrativo" ou "fazer dramaturgia".)

Professor: *Como você sabe que ela está no chuveiro, se acaba de voltar da escola?* Então, o professor pergunta novamente: *Onde você está?*

Aluno: *Batendo na porta de entrada da minha casa, tentando entrar.*

Peça para os alunos voltarem ao palco para bater e chamar novamente (o professor deve estabelecer rapidamente uma extensão do Onde exterior para aquele que está batendo: a janela da cozinha, saída de serviço etc.). O jovem ator deve procurar entrar em casa, chamando sua mãe e batendo. Depois de ter batido e chamado na porta, sem obter resposta, ele corre (continuando sempre a chamar) para a janela e de volta para a porta. Alguém, então, pode ser enviado para o palco para assumir o personagem da sua mãe e deixá-lo entrar.

EXEMPLO 2: O jogador conta para a plateia, com uma batida inicial, que está trancado em um armário de roupa, tentando sair. Envie alguém para o palco para ser a sua mãe; acrescente obstáculos para a saída (não consegue abrir a porta etc.).

Este é um exemplo simples de como, a partir do exercício de aquecimento QUEM ESTÁ BATENDO, o jogador pode entrar no Onde, Quem e O Quê, e construir uma situação mais complexa.

AVALIAÇÃO

Quem bateu? Onde estava? Por que estava batendo? Que idade tinha? Que peso? B possível dizer que horas eram? Qual era a cor de seus cabelos?

PONTOS DE OBSERVAÇÃO

1. Algumas das perguntas na Avaliação talvez não possam ser respondidas; mas é interessante perguntar, pois muitas novas descobertas podem surgir desta forma.
2. Este exercício visa mostrar ao aluno-ator como o sentido do personagem, de onde ele está e do que está fazendo podem ser determinados por algo tão simples como a qualidade de uma batida.
3. A repetição da batida, após a Avaliação, como no exemplo acima, é especialmente válida para manter "participante do jogo" a plateia de alunos jovens. Durante o trabalho inicial, muitas vezes é difícil para os professores e orientadores do grupo ajudar a plateia muito jovem a envolver-se com aquilo que os outros alunos estão fazendo e escutar realmente.

Acrescentar um objeto no Onde n. 2

Grupo todo.

Estabelecem o Onde. Cada jogador deve subir ao palco e colocar alguma coisa no Onde. Mas o jogador não pode acrescentar o seu objeto até que tenha usado todos os outros objetos já colocados no Onde. Este processo de adição continua, até que todos os jogadores tenham acrescentado um objeto. Então, continuam da mesma forma como no JOGO DO ONDE (p. 95).

PONTO DE CONCENTRAÇÃO: construir o Onde.

EXEMPLO: Uma loja de animais de estimação. O primeiro jogador vai para o palco e coloca um balcão. O segundo jogador usa o balcão e coloca uma gaiola de passarinho. O terceiro jogador usa o balcão e a gaiola de passarinho e coloca um aquário. O quarto jogador usa o balcão, a gaiola de passarinho e o aquário e coloca um cachorro. E assim por diante.

AVALIAÇÃO

Quais foram os jogadores que simplesmente largaram os objetos no palco em vez de construir o Onde? Quais foram os jogadores que desenvolveram personagens definidos ao entrarem para acrescentar um objeto?

PONTOS DE OBSERVAÇÃO

1. Este exercício pode ser dado quando não for possível desenhar plantas-baixas, com alunos muito jovens, por exemplo, ou grupos muito grandes de crianças mais velhas. Se o plano para oficina de trabalho proposto neste livro estiver sendo seguido, este exercício deve ser dado depois do JOGO DO ONDE.
2. Este exercício é parecido com ERA UMA VEZ (veja p. 274), à exceção dos adereços reais, que não são usados aqui.
3. Segue-se uma variação de ACRESCENTAR UM OBJETO NO ONDE. Um jogador vai para o palco, coloca um objeto no Onde e o usa. Entra um segundo jogador, relaciona-se com o primeiro e usa o objeto que o primeiro jogador colocou no palco. O primeiro jogador sai. O segundo jogador acrescenta um outro objeto. Entra um terceiro jogador, relaciona-se de alguma forma com o segundo, usa os objetos um e dois. O segundo jogador sai. O terceiro jogador acrescenta um objeto. O quarto jogador entra, relaciona-se com o segundo, usa os objetos um, dois e três. O terceiro jogador sai. O quarto jogador acrescenta um objeto. E assim por diante.

QUINTA SESSÃO DO ONDE

Exercício do espelho n. 3

Veja Quarta Sessão de Orientação, p. 67.

Exercício do tempo n. 1

Um jogador.

PONTO DE CONCENTRAÇÃO: tipo de tempo ou clima que o jogador está experimentando.

AVALIAÇÃO

O tempo o envolveu? Ele utilizou o corpo todo para mostrar-nos (por exemplo, o calor foi mostrado pelas roupas, que ficaram coladas ao corpo, ou ele simplesmente fez caretas)? Ele se concentrou no tempo ou em um personagem? Ele se concentrou no tempo ou em uma situação?

Repita este exercício neste momento, ou em outra oportunidade, seguindo o procedimento de QUE IDADE TENHO? REPETIÇÃO e O QUE FAÇO PARA VIVER? REPETIÇÃO.

Exercício do tempo n. 2

Grupo grande.

O grupo permanece sentado ou em pé no palco. Os jogadores estabelecem um tipo de tempo ou clima, ou estes podem ser dados pelos outros alunos, ou pelo professor-diretor. Eles devem mostrar para a plateia qual é o tempo que estão experimentando, sem usar as mãos.

PONTO DE CONCENTRAÇÃO: no tempo.

INSTRUÇÃO: *Sinta a chuva entre os dedos do pé. Na espinha. Na ponta de seu nariz.*

AVALIAÇÃO

Aos atores: Vocês sentiram a chuva de forma diferente, quando não usaram as mãos?
À plateia: A demonstração do tempo tornou-se mais interessante sem o uso das mãos?

PONTO DE OBSERVAÇÃO

Este exercício deve ser dado logo depois que todos os jogadores tenham completado o EXERCÍCIO DE TEMPO N. 1, e tenha sido realizada a avaliação.

Exercício do tempo n. 3

(Deve ser dado na mesma sessão, em conjunto com os outros EXERCÍCIOS DO TEMPO.)
Dois ou mais jogadores. Estabelecem Onde, Quem e O Quê.

PONTO DE CONCENTRAÇÃO: no tempo ou clima.

AVALIAÇÃO

A concentração no tempo gerou tensão no palco? O tempo trabalhou pelos atores ou foi simplesmente introduzido? O tempo ajudou a desenvolver o conteúdo da cena?

PONTO DE OBSERVAÇÃO

O tempo deve ser acrescentado em todas as plantas-baixas daqui em diante. Inclua alguma referência a ele em todas as avaliações, pois acrescenta nuanças interessantes a qualquer cena.

Jogo do Quem, acrescentando Onde e O Quê

Mesmo procedimento que o JOGO DO QUEM, p. 98, acrescentando Onde e O Quê.

EXEMPLO: A (garota) está sentada no palco. B (homem) entra, olha ansioso. Vê a garota e vem para a frente do palco pela direita. A garota está sentada à esquerda. O homem permanece algum tempo na direita, olha para a garota e vai ao encontro dela, atravessando fileiras de poltronas (como no teatro) para alcançá-la. Agora está diante dela. Acena para ela, sorri carinhosamente. De repente, ele para de sorrir e senta-se ao seu lado. Sua face está séria. Certificando-se que ninguém os vê, ele escorrega para perto dela e, sub-repticiamente, toma a sua mão, aperta-a e depois solta-a, repentinamente. Então, ele permanece sentado, olhando fixamente para a frente, com a cabeça levemente curvada, e lança olhares discretos para A, de tempos em tempos.

AVALIAÇÃO

Onde eles estão? Quem é ela? Quem é ele?

PONTOS DE OBSERVAÇÃO

1. Observe como os atores começam a fazer seleção interessante de detalhes.
2. Uma variação deste jogo dá à plateia de alunos um outro aspecto do mesmo problema. Durante o jogo realizado acima, eles são envolvidos com o desconhecido (o ponto de vista de A). Para complementar o divertimento, permita que eles participem do planejamento prévio daquilo que é conhecido (o ponto de vista de B). Simplesmente, peça para B escrever Onde e Quem em um papel que é passado para a plateia.
3. Uma outra variação consiste em escrever muitos Onde e Quem em pedaços de papel. B seleciona um deles, antes de subir ao palco.
4. Se os alunos-atores já tiverem bastante habilidade de atuação, este exercício pode continuar durante muito tempo, permanecendo em processo. Se, no entanto, os jogadores contarem uma história em lugar de atuar, interrompa-os imediatamente. No momento em que conhecermos Quem, Onde e O Quê, a cena termina. Isto significa um desafio complementar para os jogadores.

SEXTA SESSÃO DO ONDE

A seleção dos exercícios de aquecimento será determinada pelas necessidades dos alunos. A sua manipulação de objetos é displicente? Eles necessitam trabalho com Quem? Eles necessitam trabalho com Ver? Planeje os aquecimentos de acordo.

Exploração de um ambiente mais amplo

Dois ou mais jogadores.

O professor-diretor inicia a sessão, sugerindo um ambiente, em torno do qual deve ser usado o Onde. Ele pode sugerir um ambiente geral (por exemplo, "Hoje nós vamos trabalhar com exteriores" ou "com interiores"). Ou ele pode designar um ambiente específico (por exemplo, "hoje nós vamos trabalhar com água"). Os alunos, então, estabelecem Quem e O Quê e fazem a cena.

PONTO DE CONCENTRAÇÃO: relacionar-se com o ambiente mais amplo.

AVALIAÇÃO

O que havia acima deles? Abaixo deles? O que estava além?

PONTOS DE OBSERVAÇÃO

1. Muitos alunos terão dificuldade em relacionar-se com outros ambientes, além daqueles mais imediatos como casa, escritório, lanchonete, escola etc. Neste exercício, eles são levados a interagir com ambientes mais amplos e distantes.
2. Alguns alunos, fugindo à proposta, irão distrair-se com algum pequeno detalhe à mão (não se importando com o tamanho ou o tipo de ambiente, eles acabarão sempre acendendo uma fogueira). Devem ser levados a ver e a comunicar-se com o ambiente mais amplo, que está além deles (por exemplo, espaço, água, falta de espaço etc.).
3. Este exercício ajuda o aluno a explorar o ambiente mais amplo e a usar o espaço onde a plateia está sentada.

SÉTIMA SESSÃO DO ONDE

Exercício de seleção rápida para o Onde

Papel e lápis.

Cada aluno deve escrever o nome de três objetos que imediatamente indicam cada um dos seguintes lugares. O objeto não deve fazer parte da decoração (como, por exemplo, poeira no solo), mas deve ser um objeto físico inanimado (por exemplo, um altar pode sugerir uma igreja;

uma cama móvel pode sugerir um hospital etc.). Quando as listas individuais estiverem completas, elas devem ser comparadas e discutidas.

PONTO DE CONCENTRAÇÃO: indicar o Onde por meio de um objeto relacionado com ele.

LISTA DE LUGARES

uma janela
uma prisão
um açougue
uma caverna
uma farmácia
um quarto de hospital
um quarto de criança
um dormitório
um cemitério
um sótão
uma torre
um escritório
uma casa na árvore
um tintureiro
um bar
um boteco
uma sala de jantar
um consultório de dentista
uma biblioteca
uma igreja
uma quitanda
uma redação de jornal

AVALIAÇÃO

O objeto indicou imediatamente o Onde, ou os exemplos poderiam ter sido mais explícitos? Os objetos podem mostrar o Onde por si mesmos? Ou é o uso e a atitude com relação ao objeto o que torna claro o Onde?

PONTOS DE OBSERVAÇÃO

1. Este exercício deve levar os alunos a compreender que o detalhe selecionado ajuda a estabelecer comunicação com o público.
2. Não se trata de um jogo de associação. É um exercício de seletividade.

Onde trocado

Dois ou mais jogadores por grupo. Procure fazer distribuição idêntica entre os sexos.

Cada grupo estabelece Onde, Quem, O Quê, tempo, hora do dia, o que está além etc. e faz uma planta-baixa.

Quando todos os grupos tiverem terminado, recolha as plantas-baixas e distribua-as novamente, de forma que cada grupo receba uma outra planta-baixa. A redistribuição deve ser feita no momento em que o grupo já estiver no palco – *não antes*. O grupo não pode sair do palco para discutir. Deve iniciar imediatamente a cena, da forma como ela está estruturada na planta-baixa.

PONTO DE CONCENTRAÇÃO: os jogadores devem entrar em cena sem qualquer pensamento prévio; eles devem permanecer com a estrutura planejada, apresentada na planta-baixa.

AVALIAÇÃO

Eles seguiram a planta-baixa?

PONTOS DE OBSERVAÇÃO

1. Apesar da advertência, os alunos-atores têm tendência a planejar o como com antecedência. O exercício ONDE TROCADO vai ajudar a eliminar isto. Constitui também um dos passos preliminares para desenvolver habilidades para SUGESTÕES DADAS PELA PLATEIA.
2. Não diga aos alunos que as plantas-baixas serão recolhidas e redistribuídas. Deixe que eles as elaborem, como se fossem realizá-las.
3. Procure manter o mesmo número e distribuição de sexos em cada grupo, de forma que as plantas-baixas funcionem para diversos grupos.
4. Não dê a planta-baixa para o grupo antes que ele suba ao palco.

OITAVA SESSÃO DO ONDE

Envolvimento com o ambiente imediato

Dois jogadores, de preferência sentados, estabelecem relacionamento.

PONTO DE CONCENTRAÇÃO: Mostrar o Onde, pegando continuamente objetos pequenos (contato), que estão no ambiente imediato.

EXEMPLOS: Durante uma conversação em um restaurante, os jogadores podem pegar guardanapos, canudos, migalhas, pontas de cigarros, moscas etc.

INSTRUÇÕES: *Mantenha o foco nos objetos que estão à sua volta! Mostre-nos quem você é por meio do ambiente imediato!*

AVALIAÇÃO

A manipulação de pequenos objetos físicos que estavam no ambiente tornou-se parte da cena, ou o diálogo foi interrompido quando os objetos eram manipulados? O Onde adquiriu vida por meio dos objetos? Eles mostraram ou contaram? Quem eles eram? Qual era a forma do saleiro? Havia uma toalha sobre a mesa?

PONTOS DE OBSERVAÇÃO

1. O objetivo do exercício é tornar os jogadores conscientes e forçá-los a integrar a sua ação com os pequenos detalhes que existem no ambiente imediato.
2. Advirta os alunos que eles não devem representar uma atividade completa, como por exemplo fazer uma refeição. Se tiverem escolhido um restaurante para ser o Onde, sugira que o diálogo entre eles tenha lugar depois que a refeição tenha sido terminada, mas antes de tirar a mesa.

3. Este exercício deve ser repetido, depois do trabalho com DEBATE (p. 163).
4. Se no início do treinamento tiver sido dado o exercício Não MOVIMENTO (p. 170), (recomendado quando o grupo é naturalmente capacitado), o presente exercício não precisa ser usado, pois NÃO MOVIMENTO dá vida e detalhe ao menor dos objetos no ambiente imediato. Com alguns grupos, no entanto, é melhor realizar o presente exercício. Como em todos estes casos, o julgamento do professor é decisivo.

Onde por meio de três objetos

Um jogador vai ao palco e mostra Onde para a plateia, por meio do uso de três objetos.

PONTO DE CONCENTRAÇÃO: construir o Onde por meio de três objetos.

EXEMPLO: Onde – boteco. Objetos – xícara de cafezinho, moscas, balcão.

AVALIAÇÃO

Os três objetos usados construíram o Onde, ou eram objetos isolados? Você viu um boteco?

PONTOS DE OBSERVAÇÃO

1. Repita a intervalos regulares durante o treinamento.
2. Atente para este exercício não tornar-se um exercício de atividade e dê as Instruções de acordo. Se o problema for solucionado, o Onde torna-se uma realidade e a ideia do ambiente surge a partir dos três objetos, havendo comunicação com a plateia.
3. Este exercício é válido como um passo preparatório para desenvolver improvisações de momento, a partir de sugestões da plateia.
4. Este exercício deve ser usado depois de SELEÇÃO RÁPIDA.

BLABLAÇÃO

Desenvolvimento de resposta orgânica por meio da blablação

A blablação é um exercício importante e deve ser usado no decorrer das oficinas de trabalho. Para o diretor de teatro formal, a blablação é de grande valia para liberar o ator da multiplicidade de detalhes técnicos que envolvem o ensaio inicial e para capacitá-lo a mover-se espontânea e naturalmente no seu papel.

Blablação significa, simplesmente, a substituição de palavras articuladas por configurações de sons. Não deve ser confundida com "duplo sentido", onde palavras reais são invertidas, ou mal pronunciadas, para confundir o significado. A blablação é uma expressão vocal que acompanha uma ação, não a tradução de uma frase portuguesa. O significado de um som na blablação não deve ser compreendido, até que o ator o transmita por meio da ação, expressões ou tom de voz. É importante, no entanto, que tudo isto seja descoberto pelo aluno.

Quando uma cena, onde se usa blablação, não é compreendida, geralmente ela contém apenas piadas, história e invenção. A blablação desenvolve a linguagem expressiva física, que é vital para a vida no palco, quebrando a dependência das palavras para expressar o significado. Pelo fato de a blablação usar os sons da linguagem, subtraindo dela os símbolos (palavras), coloca o problema da comunicação no nível da experiência direta.

O ator que demonstra a maior resistência para usar a blablação é geralmente aquele que se prende às palavras, em lugar de vivenciar. Quando as palavras lhe são negadas, ele demonstra grande ansiedade. Pelo fato de lutar contra o contato de qualquer espécie, o seu movimento cotidiano é rígido e seu isolamento dos colegas atores bem acentuado.

Também haverá aquele aluno que continua insistindo com o professor para que este explique "Se a comunicação deve ser feita por meio da ação ou por meio da blablação?" Quanto mais velhos e ansiosos os alunos, mais irão solicitar do professor a resposta a esta pergunta. Certa vez, uma aluna, carregada de ansiedade, ao compreender finalmente o problema, fez a seguinte observação: "Você fica tranquilo quando fala em blá". Quando lhe perguntaram se isto não era também verdadeiro ao usar palavras, ela pensou um pouco e respondeu: "Não, quando você usa palavras, as pessoas conhecem as palavras que você está dizendo. De forma que não há nada mais a fazer."

Deixe que seus alunos descubram isto por si mesmos. A blablação, quando comunicada apropriadamente, resulta em resposta física total. Mas se o professor *contar* aos alunos que este deve comunicar por meio da ação, o aluno irá concentrar-se apenas na ação e não será possível adquirir experiência. Queremos integração do som com resposta física ou orgânica, e isto deve surgir espontaneamente, a partir dos alunos.

O som do qual são subtraídos os símbolos não é reconhecível sem o funcionamento do corpo – exceto no caso de dor, alegria, medo ou espanto. Desta forma, a blablação força o aluno-ator a mostrar em lugar de contar. Pelo fato de os sons não possuírem significado, o jogador não tem escapatória. Desta forma, a fisicalização do clima, problema, relacionamento e personagem torna-se orgânica. As tensões musculares são relaxadas, pois os jogadores são obrigados a ouvir e observar para haver compreensão do outro.

As cenas sem som, denominadas imprecisamente "pantomima" (veja Cap. 5), não atingirão os mesmos resultados que a blablação, pois neste caso não necessitamos abstrair o som (diálogo) da ação. O diálogo e a ação são interdependentes: o diálogo gera a ação e a ação gera o diálogo. O aluno-ator deve estar liberado fisicamente ao falar. A insegurança, que mantém estáticas a fluência e a entonação do diálogo, desaparecerá quando os alunos-atores reduzirem a dependência das palavras.

INTRODUZINDO A BLABLAÇÃO

Desenvolver fluência no discurso não linear propicia uma liberação de padrões verbais, que podem não surgir fácil para alguns alunos-atores. O professor deve ilustrar o que é a Blablação antes de utilizá-la como um exercício de palco. (Talvez seja necessário praticar a sua própria fluência antes de apresentar a Blablação para o grupo.) Esta ilustração pode consistir em simples comunicações iniciadas pelo professor. Utilizando a Blablação, peça para o aluno levantar-se. Vá até ele e, com um gesto, indique o comando. Utilize um som para acompanhar o gesto – Gallorusheo! Se ele demorar para responder, repita o som ou invente uma nova frase e acentue o gesto. Peça para outros alunos sentarem (*moolsal!*), andarem (*rellavoo!*) e cantarem (*plagee!*). Faça um aluno cantar a escala apontando para ele e cantando de "dó" a "fá" utilizando apenas o som "o" e apontando novamente.

Peça para os alunos virarem-se em direção àqueles que estão sentados a seu lado, e manterem uma conversação, como se estivessem falando uma língua desconhecida. Eles devem conversar como se estivessem compreendendo perfeitamente o sentido. Mantenha a conversação em andamento, até que todos tenham participado. Solicite o uso de sons diferentes, exagero de movimentos com a boca, e variações tonais. Reúna aqueles que usam apenas um som monótono *dadeeeee-daa*, com pouco movimento dos lábios, com aqueles que verbalizam mais facilmente.

Peça para aqueles alunos que verbalizam com maior facilidade em blablação induzirem os outros a realizar ações simples, que podem ser facilmente comunicadas – abrir uma janela, cumprimentar-se, abrir um livro. Apesar de o grupo ter superado o medo inicial e participar da atividade, sempre haverá um ou dois jogadores a tal ponto presos ao discurso que ficarão paralisados, física e vocalmente. Seu blablabla resultará em fala defeituosa ou conterá exatamente o padrão verbal a que estão se referindo, sendo que o som das palavras é adulterado. Mas não discuta o assunto com eles. Trate-o apenas acidentalmente. Antes de ter completado a terceira sessão de blablação, a fluência de som e expressão corporal estarão unificadas.

Blablação n. 1 – Demonstração

Um jogador.

Permanece em pé no palco. Ele deve vender ou demonstrar alguma coisa para a plateia, em blablação. Quando tiver terminado, peça a ele para repetir, mas agora ele deve dar entonação àquilo que está vendendo ou demonstrando.

PONTO DE CONCENTRAÇÃO: comunicar (mostrar) para a plateia.

INSTRUÇÕES: *Venda diretamente para nós! Olhe para nós!*

AVALIAÇÃO

Havia variedade na blablação? Ele manteve comunicação direta com a plateia? Ele olhou para a plateia, ou apenas a contemplou? Houve diferença entre a primeira e a segunda vez? Por que a entonação trouxe maior intensidade para o trabalho do jogador?

PONTOS DE OBSERVAÇÃO

1. Deve-se insistir na demonstração ou venda *diretamente* para a plateia. No início, o jogador vai olhar fixamente para a plateia, ou por cima de suas cabeças. Se a entonação não amenizar isto, talvez seja necessário fazer o jogador repetir algumas vezes o exercício, até que ele realmente *veja a* plateia.
2. Será evidente no trabalho do aluno-ator o momento em que seu olhar fixo se transforma em ver (veja Ver e não Contemplar, Cap. 7). Tanto a plateia quanto o jogador irão perceber a diferença. Uma maior profundidade e uma certa calma aparecerão no trabalho, quando isto acontecer.
3. A entonação exige contato direto com os outros. Os alunos irão descobrir isto por si mesmos. Quando este ponto for compreendido, mesmo que momentaneamente, constituirá uma superação importante para muitos alunos.

Blablação n. 2 – Incidente passado

Dois jogadores.

Os jogadores estão no palco. Usando a blablação, A conta para B um incidente passado (como por exemplo uma luta, da qual ele participou ou a ida a um dentista). Depois B conta para A alguma coisa que aconteceu com ele, também usando a blablação.

PONTO DE CONCENTRAÇÃO: na comunicação de um para o outro.

AVALIAÇÃO

Pergunte a A o que B lhe contou. Depois pergunte a B o que A lhe contou. (Nenhum dos jogadores deve *presumir* o que o outro contou, pois as presunções de B não auxiliarão A a estabelecer comunicação clara, necessária para solucionar o problema.) Pergunte à plateia o que foi comunicado.

PONTOS DE OBSERVAÇÃO

1. Para evitar discussões preliminares, os dois jogadores devem ser escolhidos randomicamente, antes de subir ao palco.
2. Este exercício deve ser repetido a intervalos durante o treinamento.
3. Quando este exercício é realizado pela primeira vez, os alunos representam (contam) o incidente com muitos detalhes. Ao relatar uma visita ao dentista, por exemplo, irão abrir a boca, apontar os dentes, gemer etc. Quando o exercício é refeito, depois de alguns meses, na oficina de trabalho, a integração de som e expressão física será comunicada sutilmente. Os jogadores serão capazes de comunicar os mesmos acontecimentos com um dar de ombros, uma leve dilatação das narinas ou uma torção dos pés. Serão capazes de mostrar, em lugar de contar.

Blablação n. 3 – Ensinar

ENSINAR A

Dois jogadores.

Os jogadores estabelecem Onde e Quem. Ambos possuem o mesmo O Quê: ensinar, usando blá. O assunto pode ser ensinado como tirar fotografias, tocar violão etc.

PONTO DE CONCENTRAÇÃO: instruir outra pessoa.

ENSINAR B

Dois ou três grupos grandes.

Os grupos devem estar em uma situação de sala de aula. Cada grupo estabelece Onde, Quem e O Quê. Devem ser usadas plantas-baixas, para assegurar o detalhamento do ambiente. Os alunos fazem a cena em blá.

PONTO DE CONCENTRAÇÃO: instruir um grupo e experienciar sua resposta.

EXEMPLOS: crianças de jardim de infância, alunos de medicina, em uma aula de dissecação.

Blablação n. 4 – O jogo da blablação

Deve ser realizado da mesma forma como o JOGO DO ONDE (p.91).

Um jogador vai para o palco e estabelece um Onde, Quem e O Quê. Outros jogadores entram sucessivamente.

PONTO DE CONCENTRAÇÃO: na comunicação em blablação.

EXERCÍCIOS PARA MAIS TRÊS SESSÕES COM ONDE

Exercícios duas cenas A, B e C

Veja pág. 144.

Blablação n. 5 – Onde com blablação

O número de componentes do grupo é indiferente.

Cada grupo prepara sua planta-baixa, como sempre. As cenas são realizadas em blá. Depois da apresentação de cada grupo, os jogadores repetem a mesma cena em português.

PONTO DE CONCENTRAÇÃO: tornar compreensível para os outros atores tudo aquilo que acontece no palco.

INSTRUÇÕES: Durante a blablação: *Comunique ao outro jogador! Não espere que ele presuma! O que você está dizendo para ele?*

AVALIAÇÃO

O significado do diálogo em português era o mesmo ou era aproximado da comunicação em blá?

PONTOS DE OBSERVAÇÃO

1. Este exercício vai mostrar claramente à plateia de alunos onde a comunicação era clara e onde os atores *presumiram* ou completaram um pelo outro. Deixe claro que somente podemos ajudar uns aos outros avaliando a realidade que foi comunicada, não uma generalidade que a plateia ou os outros jogadores completaram para nós.
2. O exercício chamará a atenção do aluno para a verbalização desnecessária, quando existem palavras incompreensíveis entre os jogadores.
3. A repetição em português é realizada simplesmente para determinar a exatidão da comunicação que foi feita em blá. Durante a versão em português, interrompa continuamente a ação para perguntar à plateia e ao antagonista: "Ele comunicou isto em blá?" Quando o diálogo desnecessário ficar claro, a cena não precisa ser completada.

O que faço para viver? Repetição

O mesmo procedimento usado no exercício QUE IDADE TENHO? REPETIÇÃO.

Blablação n. 6 – Língua estrangeira

LÍNGUA ESTRANGEIRA A

Grupos de quatro jogadores.

Os grupos são subdivididos. Os subgrupos estabelecem Onde, Quem e O Quê em conjunto. Os dois jogadores que estão no mesmo subgrupo falam a mesma língua. Mas cada subgrupo fala uma língua que não é compreendida pelo outro.

EXEMPLO 1: Onde – convés de um navio. Quem – subgrupo A: garota e companheiro. Subgrupo B: marido e mulher. O Quê – relaxamento nas espreguiçadeiras do convés.

EXEMPLO 2: Onde – escritório da aduana na fronteira. Quem – subgrupo A: mãe e filha. Subgrupo B: funcionário da aduana e um camponês. O Quê – mãe, filha e camponês procurando obter vistos.

AVALIAÇÃO

Os subgrupos compreendiam um ao outro? Os jogadores que falavam a mesma língua comunicavam-se tranquilamente entre si?

PONTOS DE OBSERVAÇÃO

1. É interessante notar que se os alunos-atores estiverem trabalhando com o Ponto de Concentração (na blablação), quando os subgrupos falam um com o outro, a blablação e é muito elaborada e acompanhada de gestos largos. Mas quando estão falando dentro de seus próprios subgrupos (falando «a mesma língua»), eles se comunicam fluentemente e com pouca gesticulação. O fato de estarem usando o blá, em ambos os exemplos, não parece ocorrer a eles.
2. Peça para os jogadores não darem qualquer ritmo particular à sua blablação (como francês, inglês etc.).
3. Este exercício deve propiciar a superação completa de receios e tornar acessível a blablação mesmo para o aluno-ator mais resistente. O som deve agora ser fluente e estar completamente integrado com a expressão corporal. A blablação não deve interferir na comunicação. Se isto não acontecer, a blablação não foi apresentada adequadamente aos alunos.

LÍNGUA ESTRANGEIRA B

Dois jogadores.

O exercício é realizado da mesma forma que LÍNGUA ESTRANGEIRA A, sendo que cada jogador fala uma língua diferente.

PONTO DE CONCENTRAÇÃO: na blablação.

Blablação n. 7 – Duas cenas, com blablação

Incorpore a blablação no exercício chamado DUAS CENAS (veja Marcação de Cena Não Direcional, p. 144). Este exercício é particularmente interessante. Os grupos devem ser alertados para darem o foco (*dose*) um para o outro e, como estão falando em blá, devem estar intensamente envolvidos com a ação no palco.

EXERCÍCIOS ADICIONAIS PARA INTENSIFICAR A REALIDADE DO ONDE

PARE!

Antes de prosseguir com os exercícios seguintes, é muito importante realizar o JOGO DE PALAVRAS (Cap. 9). Os alunos podem estar necessitando material novo. Eles se cansam da sala de estar ou da sala de aula. O desenvolvimento é mais lento se eles se virem obrigados a assumir constantemente personagens de professores e apenas ocasionalmente um vendedor. Isto se refere particularmente ao ator jovem.

O JOGO DE PALAVRAS libera mais o "jogo" e gera muita excitação e divertimento. Pelo fato de dar oportunidade para cada grupo realizar duas ou três cenas, traz fluência para o seu trabalho. Além disto, mostra para o professor-diretor (da mesma forma como o ensaio corrido, ao dirigir uma peça), até onde os alunos caminharam e quais são as suas necessidades.

Também é recomendável realizar alguns exercícios dos Caps. 5 e 7, antes de voltar aos exercícios adicionais com Onde.

Verbalizar o Onde

Dois ou mais jogadores.

Estabelecem Onde, Quem e O Quê.

PARTE A

Os jogadores permanecem sentados calmamente no palco. Sem abandonar suas cadeiras, eles passam a cena verbalmente, descrevendo sua ação e relacionamento com o Onde e os outros jogadores. Em resumo, eles narram para si mesmos. Quando o diálogo for necessário, ele é dirigido diretamente ao outro jogador, interrompendo-se a narração. A cena toda, a narração e o diálogo, são realizados no tempo presente.

PONTO DE CONCENTRAÇÃO: enunciar cada envolvimento, relacionamento, observação etc., enquanto realiza a cena verbalmente.

INSTRUÇÕES: *Mantenha o tempo presente! Faça descrição detalhada deste objeto! Descreva os outros jogadores para nós! Veja a si mesmo em ação! Qual é a cor do céu?*

EXEMPLO: Jogador n. 1: Eu amarro meu avental em torno da cintura e pego o livro de culinária encapado com pano vermelho e branco, que está em cima da mesa. Sento à mesa e abro o livro. Eu procuro a seção de doces e folheio as páginas brancas, lisas e brilhantes à procura de uma receita. *Hmmmmm, doces de morango – isto parece ser muito gostoso.* Eu pondero um minuto e resolvo procurar mais um pouco. Folheio mais algumas páginas. Encontro duas páginas coladas, os cantos estão marrons. *O que será que tem nessas páginas – deve ser alguma coisa gostosa.* Eu enfio meu dedo entre as duas páginas e rasgo o canto da folha. Encontro uma receita de doces com pedaços de chocolate. *Doces com pedaços de chocolate... bem, então vejamos, será que tenho chocolate?* Eu ponho o livro de volta na mesa, levanto e vou até os armários amarelos, que estão em cima da pia. Eu pego a maçaneta que fica à direita da janela. Um dos parafusos está solto. Eu o prendo e abro o armário. Ouço a porta abrir-se e bater às minhas costas.

Jogador n. 2: Eu abro a porta e corro para dentro da cozinha. Puxa vida, eu deixo a porta bater novamente! *Olá, mamãe, estou com fome. O que tem para jantar?* (E assim por diante.)

PARTE B

Quando os atores tiverem terminado de verbalizar a cena, eles levantam e realizam a cena. Este exercício provoca material de cena.

PONTO DE CONCENTRAÇÃO: reter tanta realidade física da verbalização quanto for possível, ao realizar a cena.

AVALIAÇÃO

Aos atores: A verbalização da cena ajudou vocês a criarem a realidade no palco? A realização da cena foi mais fácil, por causa da verbalização? À plateia: Houve maior profundidade na cena por causa da verbalização? A cena teve mais vida do que teria normalmente? O envolvimento e relacionamento eram maiores do que o normal?

PONTOS DE OBSERVAÇÃO

1. Este exercício tem função semelhante ao Ensaio Relaxado (veja Dirigindo para o Teatro Formal, p. 301) pois dá a perspectiva para o

ator, introduz a "consciência do eu" novamente no quadro. Também dá vida ao palco físico.

2. Com exceção à prática das instruções e alguns dos exercícios de espelho e espaço, todos os exercícios usados até aqui visaram objetivar o aluno-ator, para torná-lo parte do grupo, do ambiente. Os exercícios visaram gerar a *perda da consciência do eu*. Neste exercício, trazemos a consciência do eu de volta para o ator. Ele é tornado consciente de si mesmo, como parte do ambiente. Isto é muito importante, pois o ator, tal como o jogador, deve saber sempre onde ele está, em relação ao que está acontecendo no palco.
3. Observe a total ausência do ato de fazer dramaturgia nestas cenas, na medida em que surge improvisação verdadeira.
4. Não é necessário que cada detalhe surgido na narração figure na realização da cena. Este exercício dá um enriquecimento de detalhe e ênfase que será atingido mesmo que a narração não seja seguida ao pé da letra.
5. Tome cuidado para que este exercício seja dado apenas para aqueles alunos que tenham atingido realmente objetividade em seu trabalho. Se for dado muito cedo – antes que os alunos tenham dominado a "perda da consciência do eu" – irá frustrar o seu objetivo, trazendo subjetividade, antes que a objetividade tenha sido dominada[6].
6. Este exercício foi realizado com sucesso até com dez jogadores em cena.
7. O problema deve ser tratado com cuidado, para evitar a dramaturgia. Se a narração versar sobre aquilo que os atores estão pensando, em lugar de detalhar as realidades físicas, à sua volta, este exercício pode transformar-se em uma série de cenas de telenovelas.
8. A VERBALIZAÇÃO DO ONDE pode ser usada durante ensaios de teatro improvisacional ou durante um ensaio corrido, quando detalhes e realidade se perderam ou se tornaram desajeitados. Também é útil para o ensaio de teatro formal.

O que está além? E

Dois jogadores.

Estabelecem Onde simples. A está no palco, B entra. A deve descobrir onde B esteve e o que fez, sem que B lhe diga. A deve, então, iniciar uma cena, relacionada com aquilo que B fez fora do palco.

PONTO DE CONCENTRAÇÃO: o que está além.

6. Os jogadores devem ter solucionado o Onde para serem beneficiados com este exercício. CONTANDO UM INCIDENTE, p. 153, é um passo preliminar para este problema.

EXEMPLO: Onde – sala de jantar. Quem – marido e mulher. O Quê – a mulher está escolhendo alimento de uma mesa servida.

A cena inicia com a mulher servindo-se de algo para beber e comer. O marido entra com um olhar muito satisfeito. Ele tira o paletó e alisa o cabelo ao ir para a frente do palco para cumprimentar sua esposa. A esposa inicia uma ação relacionada com Onde o marido esteve e o que fez.

AVALIAÇÃO

A presumiu o que aconteceu fora do palco, ou B mostrou? A descobriu o que aconteceu por meio de perguntas? A situação foi desenvolvida até tornar-se uma cena, ou terminou simplesmente quando A percebeu o que B havia feito? Os atores mantiveram o Ponto de Concentração ou começaram a interpretar?

PONTOS DE OBSERVAÇÃO

1. Este exercício, ao estender a realidade para o que está fora do palco, enriquece o trabalho no palco.
2. Quando o exercício é repetido, a intervalos, durante o período de treinamento, observe a crescente sutileza de seleção no trabalho dos alunos-atores. Nas sessões iniciais, se A entrar em cena depois de ter perdido seu dinheiro em um jogo de azar, ele irá virar suas bolsas do avesso, e abanar a cabeça tristemente, Uma apresentação futura deste mesmo problema deve comunicar a mesma cena que aconteceu fora do palco, por meio de um nível de ação muito mais sutil.
3. Se a comunicação não for estabelecida, peça para os alunos-atores repetirem o exercício depois de ter sido dada a avaliação.

O que está além? E

Dois jogadores.

Estabelecem Onde, Quem e O Quê. Os jogadores devem prosseguir com o O Quê na cena. Ou eles fizeram alguma coisa (juntos) antes de entrar em cena ou vão fazer alguma coisa ao saírem. Isto nunca deve ficar claro.

PONTO DE CONCENTRAÇÃO: naquilo que aconteceu fora da cena, ou que vai acontecer – enquanto estão totalmente envolvidos com a atividade no palco.

PONTO DE OBSERVAÇÃO

A Avaliação e as Instruções seguem os mesmos princípios de todos os exercícios com O QUE ESTÁ ALÉM? Este exercício pode ser realizado por um único ator.

O que está além? F

Dois jogadores.

Estabelecem Onde, Quem e O Quê. Os jogadores prosseguem com uma atividade em cena, enquanto que alguma coisa, envolvendo ambos, está acontecendo em algum lugar além.

PONTO DE CONCENTRAÇÃO: naquilo que está acontecendo além.

EXEMPLO 1: Onde – fábrica. Quem – trabalhadores. O Quê – trabalhando em suas respectivas profissões. O que está além – encontro da diretoria: redução do quadro de pessoal.

EXEMPLO 2: Onde – dormitório. Quem – marido e mulher. O Quê – na cama, tentando adormecer. O que está além – a filha, ainda jovem, está com o namorado na sala de estar.

A cena termina no momento em que O que está além é trazido para a cena. Isto acontece quando for mencionado ou interpretado de alguma forma. No exercício acima, o ajeitar dos travesseiros, abrir e fechar das janelas, acender e apagar das luzes, levantar-se para beber água etc., foi desenvolvido a ponto de tornar-se uma comédia deliciosa sobre a espera dos pais até que o namorado saísse da casa. Estes exercícios funcionam apenas com alunos avançados. Quando usado logo no início do treinamento, O QUE ESTÁ ALÉM? é evidenciado em cena tão rapidamente que a improvisação leva apenas alguns momentos. Quando realizado por alunos avançados, no entanto, o jogo pode ser mantido por um período de tempo bastante longo e a plateia fica totalmente envolvida com o problema.

O QUE ESTÁ ALÉM? D, E, F e todos os exercícios de PREOCUPAÇÃO não devem ser dados até que a utilização de Onde e o relacionamento com o outro ator, por meio da atividade no palco, se tornem uma segunda natureza para os jogadores. Isto só pode acontecer depois de muitas horas de trabalho com o aprimoramento de percepção. De outra forma, torna-se impossível manipular este problema bipolar onde existe atividade fora do palco e atividade no palco. Os exercícios de CONVERSAÇÃO COM ENVOLVIMENTO e DEBATE constituem passos preliminares para O QUE ESTÁ ALÉM. Depois de terem sido solucionados (são problemas de duas partes), pode-se tentar estes exercícios. Mas se os jogadores se tornarem emocionais, ou se O QUE ESTÁ ALÉM for trazido para o palco antes que a cena se inicie, simplesmente interrompa o exercício e volte a ele somente muito mais tarde.

O QUE ESTÁ ALÉM? F é excelente para desenvolver improvisação de cena.

Preocupação A

Dois jogadores.

De preferência, sentados no mesmo ambiente imediato (em um restaurante, dividindo o assento em um trem etc.). Cada um deles está totalmente preocupado com a sua própria sequência de pensamentos. Um dos jogadores verbaliza e tagarela sobre sua preocupação. O outro jogador está silencioso. Presumivelmente, um deles está ouvindo o outro.

PONTO DE CONCENTRAÇÃO: os jogadores estão totalmente preocupados com seus próprios pensamentos, enquanto usam juntos os objetos do ambiente imediato.

INSTRUÇÕES: *Mantenham a atividade acontecendo entre vocês dois! Mantenham o relacionamento!*

EXEMPLO: Onde – restaurante. Quem – duas amigas. O Que – tomando lanche juntas.

A está preocupada com um problema que ela tem com seu namorado e fala continuamente sobre o seu problema. B está preocupada com algum problema pessoal, que não precisa ser nunca mencionado. Enquanto estão ocupadas com suas preocupações, ambas estão comendo, solicitando que as travessas sejam passadas de uma para outra, acendendo cigarros etc. B somente responde para A no momento em que realmente ouve o que ela está dizendo. Mas B nunca entra no mérito ou toma parte naquilo que A está dizendo. Ela mantém a sua própria preocupação o tempo todo.

PONTOS DE OBSERVAÇÃO

1. O envolvimento somente acontece nos momentos em que uma "ponte" é estabelecida entre eles: nos momentos, ao acaso, em que B ouve A ou quando o ambiente imediato os reúne (solicitações para que as travessas sejam passadas de uma para outra etc.). Em caso contrário, cada jogador permanece preocupado consigo mesmo.
2. Não permita que os jogadores permaneçam isolados um do outro. Embora estejam preocupados, eles estão juntos em uma atividade e mantêm relacionamentos com o ambiente imediato.
3. Variação do exercício: enquanto A está falando, B está preocupado com um *objeto*, como um livro, TV etc., em lugar de um pensamento pessoal.
4. PREOCUPAÇÃO está intimamente ligado com o exercício de ser usado em conjunto com este.
5. Se este problema for solucionado, o Onde, Quem e o O Quê irão adquirir vida, e a improvisação será um fato. Não será possível fazer dramaturgia.
6. As cenas produzidas a partir deste exercício terão muita realidade no detalhe. A plateia irá conhecer tudo sobre os personagens e onde eles estão, sem que seja necessário contar. Um fragmento, sem início, meio ou fim, este exercício produz um desdobramento orgânico dos

personagens, seus relacionamentos, sua formação e suas atitudes, sem o auxílio de exposição, informação, fatos ou história.

7. Embora venha como sequência de DEBATE EM CONTRAPONTO (p. 163), este exercício não exige necessariamente conversação simultânea dos jogadores. Algumas vezes, eles irão falar ao mesmo tempo e outras vezes um deles irá falar enquanto o outro estiver ocupado, pensando e trabalhando com a atividade.
8. Os jogadores não estão em conflito. Eles estão de acordo sobre aquilo que vão falar e sobre a atividade. A preocupação resulta de seus pontos de vista, não constitui uma base para discussão.
9. Este exercício constrói cenas muito ricas e por isso é útil para desenvolver material.
10. Se o conflito surgir, interrompa a cena e peça para os atores especificarem novamente o assunto combinado. Se a especificação original implicava conflito, peça para eles fixarem um ponto de vista.
11. Atente para a preocupação durante a cena não se transformar em envolvimento entre os atores.
12. Certifique-se de que os jogadores têm uma atividade (O Quê), que os mantêm totalmente ocupados no palco em realizar atos físicos em conjunto. Estes não devem ter nenhuma relação com o ponto de vista que cada um está sustentando.
13. A resistência ao Ponto de Concentração é demonstrada quando os atores utilizam a atividade no palco ou utilizam um ao outro de forma a deslocar a preocupação. Este ponto é de difícil compreensão, particularmente para os atores que persistem resistindo ao Ponto de Concentração e se fiam em piadas, cacos e fazer dramaturgia para realizar a cena. Eles não "confiam no esquema".
14. Se os alunos-atores não conseguirem solucionar este problema, eles necessitam mais trabalho com os passos preliminares. Todos os exercícios O QUE ESTÁ ALÉM e DEBATE EM CONTRAPONTO devem ser solucionados anteriormente.
15. Os atores não devem responder um para o outro, até que a resposta signifique um "salto", como no DEBATE EM CONTRAPONTO. Neste momento, a resposta torna-se orgânica, e não simplesmente intelectual, sendo estimulante observá-la.
16. No momento em que a preocupação substitui a atividade (ocupação) como envolvimento de cena, esta termina e, em todos os casos, torna-se um final orgânico.

Começo e fim[7]

PARTE A

Um jogador.

Estabelece Onde, Quem e O Quê simples. Realiza da forma usual.

EXEMPLO: Entra no quarto. Olha em torno para certificar-se que ninguém o viu entrar. Está evidentemente tentando fazer alguma coisa que não deveria. Olha em torno. Vê o armário. Vai até o armário. Abre algumas gavetas e remexe a roupa. Corre de volta para a porta e assegura-se que ninguém se aproxima. Volta para o armário. Vasculha algumas gavetas. Finalmente encontra o que estava procurando. Rapidamente o coloca no bolso de seu paletó Lança um olhar no espelho para assegurar-se que sua aparência é tranquila. Sai pela porta.

PARTE B

O jogador deve agora desmembrar a pequena cena em uma série de cenas menores, ou "pulsações". Cada "pulsação", ou cena menor, deve ter seu próprio começo e fim. O jogador deve enunciar "Começo" no início de cada pulsação, e "Fim", quando ela termina. Ele deve construir ou intensificar cada cena/pulsação, uma depois da outra. A utilização da imagem "subir degraus" torna claro este ponto.

EXEMPLO: O jogador entra (COMEÇO). Olha em torno para assegurar-se de que não há ninguém e finalmente fecha a porta (FIM). (COMEÇO) Permanece em pé e olha em torno, vê o armário e vai até ele (FIM). (COMEÇO) Abre algumas gavetas, remexe as roupas, acha que ouviu alguma coisa, rapidamente fecha as gavetas e volta para a porta para escutar (FIM). (COMEÇO) Olha novamente para o armário, volta para ele (FIM). (COMEÇO) Abre mais gavetas, encontra o objeto que estava procurando (FIM). (COMEÇO) Olha para o objeto em sua mão e o coloca no bolso (FIM). (COMEÇO) Lança um olhar no espelho e arruma sua camisa, caminha para fora do quarto (FIM).

INSTRUÇÃO: *Dê maior energia à nova pulsação! Construa com maior intensidade a nova pulsação! Acentue o COMEÇO (vocalmente) com mais ênfase!*

PARTE C

O jogador passa a cena, como na Parte A, sem dizer "Começo" e "Fim", mas fazendo tudo o mais rápido que puder, enquanto mantém os detalhes da cena.

7. Este exercício acelera o Onde e desenvolve material de cena para apresentações.

AVALIAÇÃO

(Deve ser feita apenas da primeira e última cena.)
Ao ator: Qual das cenas foi mais real para você?
À plateia: Qual das cenas adquiriu mais vida para vocês?

PONTOS DE OBSERVAÇÃO

1. Em quase todos os casos, descobriremos que a cena final tinha mais vida, tanto para o ator como para a plateia. Isto se verifica porque a primeira cena tendia a ser generalizante, ou o jogador estava envolvido subjetivamente, usando invenção em lugar de criação. O "Começo" e "Fim" forçou o ator a um detalhamento exterior (objetivo) de seus objetos[8]. A cena em alta velocidade aproveitou-se, primeiramente, do detalhe criado por "Começo" e "Fim", e em segundo lugar do fato de o ator não ter tempo para lembrar-se dos detalhes que "Começo" e "Fim" lhe trouxeram. Ele estabelece contato imediato com os objetos.
2. O "Começo" e "Fim" pode ser um momento em cena, como colocar o objeto no bolso, ou pode ser uma série de atividades, como fechar a porta, entrar no quarto, e caminhar até o armário.
3. Este exercício é extremamente válido para aqueles que estão interessados em direção, pois dá ao diretor um desmembramento detalhado daquilo que deve surgir da cena – lhe dá as pulsações individuais dentro da cena, de forma que ele também sabe para onde ir. É igualmente válido para os atores de teatro improvisacional, quando as cenas estão sendo montadas para apresentação.
4. O processo de acelerar a velocidade das cenas, sem começo-e-fim pode ser empregado quando o professor-diretor desejar. Tende a afastar as "generalizações" de uma cena e dá detalhes para a vida da cena.
5. Começo-e-Fim é uma técnica válida para localizar o tema de uma peça ou cena.

Ruminação

(Para alunos muito avançados. Este exercício pertence ao grupo dos exercícios avançados O QUE ESTÁ ALÉM? e PREOCUPAÇÃO).

Um jogador.

Da mesma forma como em O QUE ESTÁ ALÉM?, o jogador estabelece um Onde, Quem e O Quê duplo. O primeiro consiste no ambiente da cena e atividade, o segundo é o Onde, Quem e O Quê de um incidente passado de sua vida.

8. Da mesma forma como em COMEÇO-E-FIM COM OBJETOS, p. 72, e NÃO-MOVIMENTO, p. 170, o detalhe surge porque a estaticidade exigida por COMEÇO-E-FIM "prende o momento", como se pudéssemos ver uma ação.

PONTO DE CONCENTRAÇÃO: no incidente passado.

EXEMPLO

No palco

Onde: Quarto velho.
Quem: velho de 65 anos.
O Quê: trabalhando com sua coleção de selos.

Incidente passado

Onde: no trabalho.
Quem: trabalhadores colegas.
O Quê: festa de despedida do velho.

INSTRUÇÕES: Deve ajudar os jogadores a adquirir consciência sensorial do incidente passado. *Concentre-se nos objetos que existiam naquele incidente! Veja o Onde! Como estão vestidas as pessoas à sua volta? Mantenha a atividade do palco! Não nos conte o incidente passado – deixe que ele apareça!*

PONTOS DE OBSERVAÇÃO

1. Quando aquilo que o jogador está "Ruminando" ficar claro para a plateia, a cena termina. Este problema produz material e interpretação sutil e estimulante.
2. Se a cena tornar-se emocional, ou assumir a forma de narração, sobre o incidente passado, o exercício foi dado cedo demais. Volte para exercícios anteriores.

EXERCÍCIOS ADICIONAIS PARA SOLUCIONAR OS PROBLEMAS DO ONDE

Os exercícios que seguem são problemas especiais a serem dados durante o período de treinamento do Onde. Durante estas sessões, os alunos devem continuar desenhando plantas-baixas.

O Onde específico

Dois ou mais jogadores.

Todos os grupos recebem o mesmo Onde geral (por exemplo, um quarto de hotel, uma sala de aula, um escritório etc.) Cada grupo deve desenvolver o Onde mais especificamente. Estabelecem Quem e O Quê. Os jogadores realizam a cena.

PONTO DE CONCENTRAÇÃO: mostrar o Onde específico por meio do uso de objetos físicos.

EXEMPLOS: um quarto de hotel em Paris, um quarto de hospital, um quarto de empregada etc.

AVALIAÇÃO

Havia objetos específicos que distinguiam e tornavam reconhecível ou eles precisaram contar-nos onde estavam por meio da verbalização? É possível mostrar variações diferentes do Onde apenas por meio dos objetos?

PONTOS DE OBSERVAÇÃO

1. Quando solucionado, o problema resultará em ritmos diferentes, de acordo com o Onde específico escolhido. A repartição de um corretor da Bolsa com suas explosões constantes será muito diferente do cotidiano silencioso de um hospital, uma sala de aula de uma escola rural será diferente de uma sala de aula de uma escola moderna na cidade.
2. Encoraje os atores a usarem cenários fora do comum, não realistas (por exemplo: um escritório no Céu, um hotel na selva). Se eles já tiverem realizado o JOGO DE PALAVRAS, isto não será um problema.
3. Utilize ONDE COM AJUDA e ONDE COM OBSTÁCULOS quando a atuação necessitar de auxílio do professor.

Galeria de arte

Dois jogadores.

Onde: galeria de arte ou museu. Quem: a ser desenvolvido durante o exercício. O Quê: visitando uma galeria de arte ou um museu.

A permanece sentado no palco, B entra, caminha em torno, olhando a exposição, B deve, de alguma forma, mostrar o que está pensando para A. Quando A perceber o que está aparentando, assume as qualidades de personagem que B lhe deu, caminha pela galeria e sai.

PONTO DE CONCENTRAÇÃO: mostrar características físicas.

EXEMPLOS: alto, gordo, anão.

PONTOS DE OBSERVAÇÃO

1. Este exercício é difícil, e não será solucionado por alguns alunos nas sessões iniciais. Mas eles o acharão muito interessante. O mais importante é que o exercício gera observação intensa entre os alunos.
2. O professor pode sugerir que os jogadores fantasiem o outro personagem (por exemplo, altura de dois metros, pernas grossas, leve como uma pluma etc.). Mas o professor não deve dar exemplos.

Mostrar o Quem por meio do uso de um objeto

Dois jogadores.

Os jogadores estabelecem um objeto, que vai mostrar Quem eles são. Eles usam este objeto durante uma atividade.

PONTO DE CONCENTRAÇÃO: mostrar o Quem por meio do uso de um objeto.

EXEMPLO: Quem – dois físicos. Objeto – quadro-negro, A e B permanecem sentados calmamente, olhando para algo que está a curta distância, diante deles. A levanta-se e caminha até o objeto. Pega um pedaço de giz e escreve alguns números – obviamente uma equação. B observa-o enquanto escreve, murmura sons indefinidos, balança a cabeça e murmura mais um pouco. A olha para B com interrogação. B concentra-se no quadro-negro então ergue-se, vai até ele e escreve uma outra equação. B vira-se para A com interrogação. A: "Você tem razão, esta é a solução."

AVALIAÇÃO

Eles mostram ou contaram?

PONTO DE OBSERVAÇÃO

Continue prevenindo: "Mostre, não conte! Você deve atuar, não reagir!"

ONDE COM PEÇAS DE CENÁRIO

Dois ou mais jogadores.

Todos os grupos recebem uma lista idêntica, de adereços de cena e mobília. Estabelecem Onde, Quem e O Quê. Os jogadores realizam a cena.

PONTO DE CONCENTRAÇÃO: deixar que os objetos (peças de cenário) criem a cena.

EXEMPLO

Uma lista típica de mobília e adereços seria:

janela dando para uma saída de emergência
porta de um armário de roupa
porta de um banheiro
porta de saída (exterior)
janela dando para a rua
beliche
pequena geladeira
copos, cigarros, adereços variados
prateleiras de livros
escada
elevador
fotografias

AVALIAÇÃO

Eles escreveram um roteiro em torno dos objetos ou os objetos geraram uma cena? Qual era a diferença das cenas entre si? A saída de emergência trouxe uma nova perspectiva para a cena ou era simplesmente um adereço?

PONTOS DE OBSERVAÇÃO

1. Não avalie antes que todos os grupos tenham realizado o exercício.
2. Este exercício deve auxiliar o professor-diretor a determinar se os atores estão compreendendo a frase "Deixe o Onde criar a cena". Se eles impuseram uma cena aos objetos, em lugar de permitir que os objetos criassem a cena, eles ainda não compreenderam totalmente a forma como o Ponto de Concentração funciona.

Tarefa para casa com Onde

Cada aluno faz uma planta-baixa em casa, concentrando-se no Onde, e estudando como ele poderia ser usado pelos personagens. Cada aluno faz um plano para dois personagens, montando uma cena de três minutos de duração, mais ou menos. Ele faz um roteiro, estabelecendo os personagens e a ação em relação ao Onde. Os alunos vêm para a classe com suas plantas-baixas e seus roteiros. Os membros do grupo seguem as indicações durante a realização do exercício.

PONTO DE CONCENTRAÇÃO: o diálogo e a ação devem surgir do contato com os objetos físicos.

EXEMPLO: Onde – sala de estar. Quem – menino e menina. O Quê – estudando.

O menino (focalizando uma escrivaninha) está sentado escrevendo (utiliza a caneta, a escrivaninha etc.). A menina (focalizando a porta) bate na porta (manipula a porta). O menino (focalizando a porta) vai até a porta, abre-a (manipula a porta etc.)

AVALIAÇÃO

As ações surgiram do Onde ou foram impostas a ele?

PONTO DE OBSERVAÇÃO

1. Os jogadores devem focalizar primeiramente os objetos. Este foco vai gerar uma ação em relação a ele.
2. Este exercício pode ser completado durante uma única sessão, na própria oficina de trabalho. Grupos de dois elementos podem elaborar a cena, primeiramente no papel e depois no palco.

O Onde abstrato A[9]

Alguns alunos organizam o palco, atrás de uma cortina fechada. O objetivo é criar um cenário que não seja a representação literal de um lugar particular. Eles podem usar praticáveis, peças de pano, adereços estranhos e efeitos de luz fora do comum. Quando tiverem terminado, abre-se a cortina e um outro jogador deve entrar no cenário permanecendo calmamente ali. Ele não deve desempenhar nenhuma atividade, até que o cenário o mova (inspire), a fazer alguma coisa.

INSTRUÇÃO: *Não force! Tome o tempo que for necessário! Permaneça calmo!*

AVALIAÇÃO

O cenário gerou a cena ou o ator impôs a cena ao cenário?

PONTOS DE OBSERVAÇÃO

1. Peças de cenário e iluminação reais são essenciais para o sucesso deste exercício, pois eles favorecem o clima, a percepção e a ação.
2. A necessidade de realizar atividade, muitas vezes leva o ator a iniciar a cena antes que ela se apresente para ele. Atente para isto.
3. Outro ator pode ser enviado ao palco depois de iniciada a cena. Mas ele não deve impor um clima exterior à cena, e sim subir ao palco, à espera de que o iniciador da cena o utilize de alguma forma. O ator que está no palco pode chamar outros atores – dentro do clima da cena, naturalmente.

O Onde abstrato B

O jogador A organiza um agrupamento de mobília, como por exemplo cadeiras, combinações de cadeiras, mesas, molduras de janelas etc., que sugiram alguma atividade humana. A plateia de alunos observa o cenário, e alguém entra na cena, sugerida pelos agrupamentos.

PONTO DE CONCENTRAÇÃO: no agrupamento de adereços de cena e peças de cenários; permitir que eles trabalhem pelo jogador.

AVALIAÇÃO

Os jogadores permitiram que o cenário trabalhasse por eles, ou impuseram uma história? Aquele que organizou o palco tinha uma história em mente? Uma cena? Um objetivo definido?

PONTOS DE OBSERVAÇÃO

Este problema requer peças de cenário, adereços de cenas e iluminação para ser realizado. Aquele que organiza o palco deve permitir

9. Este exercício é semelhante a EXCURSÕES AO INTUITIVO, p. 172.

que os adereços de cena trabalhem por ele. Ele não precisa ter necessariamente uma história em mente, podendo deixar que a "vida do objeto" sugira as formas de agrupamento.

Mostrando o Onde sem objetos

Dois jogadores.

Os jogadores devem mostrar o Onde a partir do seguinte:

1. olhando para alguma coisa (ver);
2. ouvindo (escutando);
3. por meio do relacionamento (quem você é);
4. por meio de efeitos de som;
5. por meio de efeitos de iluminação;
6. por meio de uma atividade.

PONTO DE CONCENTRAÇÃO: usar o equipamento sensorial e/ou relacionamento para mostrar Onde.

AVALIAÇÃO

Eles usaram um objeto para mostrar? Eles simplesmente realizaram um exercício de ver, ouvir etc. (como na Orientação), ou mostraram Onde?

PONTOS DE OBSERVAÇÃO

1. Este exercício vai ajudar a afastar a "muleta" do medo: usando apenas objetos físicos para mostrar o Onde.
2. Apesar de o exercício parecer semelhante aos exercícios dados no início da Orientação, o Ponto de Concentração agora se situa em torno do Onde – uma diferença sutil, mas muito importante.
3. Não use este exercício, até que os alunos tenham completado e automatizado MOSTRAR ONDE POR MEIO DE OBJETOS FÍSICOS.
4. Os relacionamentos de personagem adquirem intensidade durante este exercício.
5. Os alunos avançados vão achar desafiador este problema e pode-se permanecer com ele durante muitas sessões, usando todos os meios para mostrar Onde.

Enviar alguém para o palco

Dois jogadores.

Estabelecem Onde, Quem e O Quê. Outros jogadores entram em cena durante a atuação, se julgarem que podem ajudar a desenvolvê-la.

PONTO DE CONCENTRAÇÃO: entrar na cena e ajudar a desenvolvê-la e/ou terminá-la.

AVALIAÇÃO

O jogador ou os jogadores que entraram na cena ajudaram a desenvolvê-la? O jogador entrou em um momento de emergência?

PONTOS DE OBSERVAÇÃO

1. Este exercício é útil quando um grupo está trabalhando com sugestões a partir da plateia. Alerta todos os jogadores para ajudar a terminar a cena quando ela fica encalhada. Como não é possível enunciar "Um Minuto" durante uma apresentação pública, este exercício serve ao mesmo objetivo.
2. Este exercício é parecido com o JOGO DO ONDE, mas é mais avançado, na medida em que os jogadores que entram na cena, apenas o fazem se puderem ajudar a desenvolvê-la ou terminá-la.

A cena de decisão

Um jogador.

Estabelece Onde, Quem e O Quê. Realiza a cena.

PONTO DE CONCENTRAÇÃO: mostrar Quem ele é e O Quê está acontecendo, por meio do uso do Onde.

PONTOS DE OBSERVAÇÃO

Uma variação deste exercício seria acrescentar uma decisão na vida da pessoa. Exemplo: ir ou não a um encontro; desistir ou não de doar um filho; cometer ou não suicídio.

MOSTRAR ONDE POR MEIO DE QUEM E O QUÊ

Dois ou mais jogadores. Estabelecem Onde, Quem e O Quê.

PONTO DE CONCENTRAÇÃO: Usar Quem para mostrar Onde.

EXEMPLO: Onde – um orfanato. Quem – uma menina e um homem. O Quê – os pais vieram buscar a menina. Neste exemplo, todo o sentido do orfanato ficou evidente.

AVALIAÇÃO

A utilização do Quem para mostrar Onde intensifica o relacionamento? É possível mostrar Onde por meio do Quem?

PONTOS DE OBSERVAÇÃO

1. O aluno-ator nunca deve contar Onde ele está.
2. Este exercício serve ao objetivo de intensificar relacionamentos.

Onde sem usar as mãos

Deve ser realizado da mesma forma que ENVOLVIMENTO SEM AS MÃOS, p. 59.

Observe se os jogadores estão quebrando a dependência do professor-diretor e se justificam a não utilização das mãos, sem que isto lhes seja dito. Em uma cena de dormitório, por exemplo, os jogadores podem estar pintando as unhas, fazendo-se necessário fechar gavetas e armários com os pés, cotovelos e ombros. Um jogador que está passando no parque pode enfiar as mãos no bolso e chutar pedras, deixar que as folhagens rocem seus ombros e batam em sua face. Os jogadores que integrarem o não uso das mãos, irão manter o Ponto de Concentração nas mãos, lugar de usar os objetos para mostrar o Onde, o que altera completamente o problema. Deixe que os atores descubram isto por si mesmos.

5. Atuando com o Corpo Todo

O ator deve saber que ele constitui um organismo unificado, que seu corpo, da cabeça aos dedos do pé, funciona como uma unidade, para uma resposta de vida (veja Cap. 11). O corpo deve ser um veículo de expressão e precisa ser desenvolvido para tornar-se um instrumento sensível, capaz de perceber, estabelecer contato e comunicar. A frase, "Veja com o cotovelo", é uma maneira de ajudar o aluno-ator a transcender o conceito cerebral que possui de um determinado sentimento e reintegrá-lo onde pertence – no organismo total. Ele deve chorar com o estômago e digerir com os olhos.

Este capítulo contém exercícios que ajudam o aluno-ator a fisicalizar as Instruções usadas durante a oficina de trabalho: *Sinta a raiva nos rins. Ouça este som nas pontas dos dedos. Sinta o gosto do alimento durante todo o percurso que faz, até os dedos do pé.*

O ideal seria que todas as oficinas de trabalho de interpretação fossem acompanhadas por trabalho de corpo regular, dado por um especialista no campo. Aconselha-se os professores de vanguarda, que também estão investigando os problemas de movimento relacionados com o ambiente. Eles descobriram que para surgir graça natural, em oposição ao movimento artificial, é necessária a liberação do corpo, não o controle.

EXERCÍCIOS PARA PARTES DO CORPO

Estes exercícios são destinados a desenvolver o uso mais orgânico dos pés e das pernas e para despertar o aluno para a percepção de que suas pernas e pés são partes integrais de seu corpo.

Para esse exercício é necessária uma cortina no palco, erguida o suficiente para mostrar somente as pernas e os pés dos atores. Se a cortina do palco não puder ser suspensa e abaixada, pode-se facilmente pendurar um lençol na altura dos joelhos. Certifique-se apenas que a parte superior do corpo esteja oculta.

Somente pés e pernas

Jogadores individuais.

EXERCÍCIO 1

Cada jogador deve mostrar o seguinte, usando somente pés e pernas: Quem ele é? O que está Fazendo? Um estado de ânimo (impaciência, pesar etc.).

PONTO DE CONCENTRAÇÃO: Mostrar Quem, O Quê, ou um estado de ânimo somente com os pés.

AVALIAÇÃO

Veja avaliação usada no EXERCÍCIO PARA AS COSTAS, p. 134.

EXERCÍCIO 2

Dois jogadores.

Estabelecem Onde, Quem e O Quê. Sem diálogo.

PONTO DE CONCENTRAÇÃO: foco somente nas pernas e nos pés. Relacionamentos, risada, tristeza etc., devem ser comunicados somente com os pés.

EXEMPLO 1: Os pés de um garoto aproximaram-se de uma porta – eles hesitaram. Ousariam ir mais longe? Depois de um momento de indecisão, tomaram coragem e foram até o capacho da porta. Os pés, nervosos, limparam-se com excessivo zelo no capacho – obviamente, uma campainha soava dentro da casa. Os pés de uma garota, metidos em sandálias, apareceram na porta. Parecia que também eram tímidos. Eles saíram pela porta e então seguiu-se um passeio pelo jardim. Os dois amantes tímidos estavam lado a lado. Os pés facilmente contaram a história do amor que superou a vergonha.

EXEMPLO 2: Onde – um cinema. Quem – dois estranhos. O Quê – assistindo a um filme.

Primeiro vimos um par de pés avançando lentamente no corredor, e finalmente descansar, quando seus donos sentaram. A cena logo revelou que eles estavam assistindo a um filme de *bang-bang* excitante. Durante a excitação, cada ator tirou seus sapatos, para descansar melhor. E quando levantaram para sair, os sapatos foram trocados; os dois pares de pés avançaram lentamente no corredor, cada um vestindo os sapatões do outro*.

* A autora usa aqui o termo *brogam*, traduzido por "sapatão", que significa calçado grosseiro de couro cru, usado na Irlanda e Escócia. (N. da T.)

PONTOS DE OBSERVAÇÃO

1. Uma vez que o problema tenha sido resolvido em pares, qualquer número de jogadores pode ser usado eficientemente.
2. Os jogadores também devem fazer este exercício descalços. Sabendo que seus pés estão expostos, trabalharão com maior compreensão do problema, para mostrar para o público como se sentem.
3. Observe o trabalho posterior dos estudantes e veja o quanto foi absorvido por eles. Seus pés estão entrando mais em ação? As portas são fechadas com os pés? Dentro de uma cena, os pés são usados para mostrar contemplação ou raiva? Os pés têm vida? Os atores estão mostrando maior energia, da cabeça aos dedos dos pés, no seu trabalho? Os pés contaram uma história, ou foi realmente desenvolvida uma cena?

Somente as mãos

Muitos atores, que usam as mãos junto com o rosto e a voz, esquecem-se de seu valor real. Outros as movimentam com se fossem sacos, gesticulam demais ou usam-nas apenas para segurar cigarros. Alguns atores imaturos usam as mãos para acentuar cada palavra que dizem – o que constitui uma utilização fraca de uma energia muito importante. No exercício que segue, o aluno-ator aprende a mostrar o relacionamento através do uso de suas mãos.

Na preparação do exercício, o professor-diretor deve providenciar um pequeno palco, como o de marionetes, que esconda o corpo do estudante da visão do público. Pode ser usada uma mesa retangular, coberta com cortina. Talvez seja necessária uma luz para iluminar a área de atuação em miniatura. Adereços de cena são úteis, mas não imprescindíveis.

Grupos de dois jogadores. Estabelecem Onde, Quem e O Quê. Não deve ser usado diálogo e os jogadores não devem utilizar nenhuma parte do corpo, exceto as mãos e os antebraços.

PONTO DE CONCENTRAÇÃO: mostrar Onde, Quem e O Quê usando somente as mãos.

EXEMPLO 1: Primeiro vimos as mãos de alguém escrevendo em um pedaço de papel. Colocaram o papel de lado e fizeram um gesto para que alguém, que estava fora do palco, entrasse e sentasse do outro lado da mesa. O segundo par de mãos entrou. Elas estavam tensas, e pareciam tortas e deformadas, como se pertencessem a um paralítico. Elas tentavam esconder-se, depois acalmaram-se. As primeiras mãos suavemente tranquilizaram-se e ofereceram o papel para que as mãos paralisadas assinassem. Elas ofereceram uma caneta, que as segundas pegaram com grande dificuldade. Enquanto as mãos paralisadas lutavam para assinar o papel, as outras faziam gestos suaves, confiantes e amigáveis. A cena continuou por algum tempo, com toda nossa atenção voltada apenas para estas mãos. A cena era intensamente emocional e estimulante.

EXEMPLO 2: Onde – Sala de estudos de um padre. Quem – padre e criminoso. Quê – criminoso está se confessando para o padre.

INSTRUÇÕES: *Ria com os dedos! Encolha as mãos, não as costas! Lembre-se, não podemos ver o seu rosto! Ponha toda esta energia na ponta dos dedos!*

AVALIAÇÃO

Veja a Avaliação usada em EXERCÍCIO PARA AS COSTAS. Enfatize para o público: "eles comunicaram o relacionamento?" Aos jogadores: "vocês planejaram uma história?"

PONTOS DE OBSERVAÇÃO

1. O exercício também pode ser realizado por um ator, individualmente, como em SOMENTE PÉS E PERNAS. Devem mostrar: quem eles são, o que estão fazendo; estado de ânimo, como, por exemplo, sofrendo.
2. No início, os alunos terão uma forte tendência para usar o rosto ou outras partes do corpo invisíveis para o público. Ao resolverem o problema de mostrar o Onde, Quem e O Quê com as mãos, logo desenvolverão dedos articulados.
3. Evite sempre discutir o uso exagerado das mãos. Quando os alunos começarem a pensar em termos de energia, é útil usar esta terminologia porque em vez de lhes dizer para *não* usar as mãos, o professor pode sugerir que a energia seja deslocada para uma localização mais adequada. Na maioria dos casos não precisa ser nunca mencionado.
4. Os exercícios para os dedos são úteis para o desenvolvimento das mãos.
5. A tendência para planejar uma história é forte nesse exercício. Os jogadores devem ser lembrados novamente que o Ponto de Concentração deve trabalhar para eles.

Exercício para as costas

Por meio desse exercício os atores devem ser conscientizados que "não dar as costas para o público" é empregado apenas para assegurar a comunicação com o público. O ator aprende a comunicar-se com o público sem a ajuda de diálogo ou de expressão facial – em resumo, a comunicar-se com seu corpo.

Trabalho preliminar

Qualquer número de jogadores. Peça para dois alunos ficarem diante do grupo. Um deles deve ficar de frente para o público, e o outro de costas. Peça para o público enumerar as partes do corpo que podem ser usadas para comunicação, sendo que o aluno movimenta a parte mencionada.

Visão de Frente

1. Testa
2. Sobrancelhas
3. Olhos
4. Bochechas flexíveis
5. Nariz que franze
6. Boca
7. Maxilar
8. Língua
9. Dentes
10. Ombros
11. Peito que pode ser expandido
12. Mãos e braços
13. Estômago
14. Joelhos
15. Tornozelos e pés
16. Dedões

Visão de Costas

1. Cabeça (sem partes móveis)
2. Ombros (mesmo que de frente)
3. Tronco (massa sólida)
4. Braços e mãos (movimento limitado)
5. Nádegas
6. Calcanhares, tornozelos, e barriga das pernas (comparativamente imóveis)

Agora peça aos alunos que sentem individualmente ao piano, de costas para o público. Devem mostrar como se sentem, através da maneira de tocar. Deixe que descubram sua própria atitude. Alguns exemplos de atitudes poderiam ser: estudante sem vontade de estudar, dando um concerto, tocando com nostalgia.

Em seguida, os estudantes estabelecem Onde, Quem e O Quê. A cena deve ser realizada de costas para o público. Eles devem escolher um ambiente onde o diálogo não possa ser usado (por exemplo: uma igreja, diante do desastre de uma mina, um lugar onde estranhos se encontram). O Ponto de Concentração é usar as costas para mostrar ao público a ação interior – o que está sentindo. Eles devem escolher alguma coisa que tenha foco de interesse (por exemplo: pessoas observando um homem que está tentando pular do peitoril de uma janela, pessoas observando uma briga, pessoas observando um jogo de futebol).

EXEMPLO 1: Onde – sala de espera vazia, com bancos. Quem – refugiados, doutores, enfermeiras etc. O Quê – enchente. Horário – quatro horas da manhã. Tempo – Trovão e relâmpago. Problema – procurando dormir.

INSTRUÇÃO: *Não mostre com o rosto! Mostre com as costas!*

EXEMPLO 2: Uma cena na rua: uma garota de oito anos fazia uma princesinha maldosa, que exigia a expulsão de seu primeiro ministro. Por meio da Instrução, foi pedido que mostrasse sua raiva e maldade com os ombros. A ação resultante atingiu não apenas o corpo, como sua voz aumentou de volume com grande raiva, e apareceu atividade e movimentação de palco interessantes quando ela expulsou o ministro da sala. Foi-lhe dito para manter a raiva nos ombros quando ela foi saltitante para sua mesa. Ela literalmente encheu o palco como sentimento e não teve dificuldade em resolver o problema. Era compreensível e divertido para ela ficar "furiosa" com os ombros.

AVALIAÇÃO

Eles mostraram com as costas? Poderiam ter encontrado maior variedade de movimento? Difundiram ou concentraram a expressão? Que idade eles tinham?

PONTOS DE OBSERVAÇÃO

1. Variações desse exercício podem ser feitas usando um só ator.
2. Não espere demais dos alunos no início. Somente os naturalmente mais dotados serão capazes de dar uma expressão completa no começo.
3. O professor-diretor poderá ser obrigado a usar esse exercício logo no início do trabalho, quando a discussão "costas ou não costas" surge pela primeira vez.
4. Esse exercício é útil no teatro formal, para o ensaio de cenas de multidão, entre outros.

Partes do corpo: cena completa

Depois de cada exercício individual ou série de exercícios concentrando-se em partes do corpo, divida o grupo em subgrupos. Eles estabelecem Onde, Quem e O Quê. A cena é realizada normalmente pelos atores, totalmente visíveis para o público.

PONTO DE CONCENTRAÇÃO: na parte do corpo específica, anteriormente trabalhada.

PONTO DE OBSERVAÇÃO

Observe que muitos maneirismos desaparecem. Por exemplo, alunos-atores que antes faziam caretas com o rosto terão, em muitos casos, abandonado esta muleta, como um resultado desse exercício.

EXERCÍCIOS PARA ENVOLVIMENTO TOTAL DO CORPO

Envolvimento total do corpo

Dois ou mais jogadores. Para alunos adiantados.

Eles estabelecem Onde, Quem e O Quê. Devem escolher uma cena que envolva ação da cabeça aos dedos dos pés.

PONTO DE CONCENTRAÇÃO: Envolvimento da cabeça aos dedos dos pés.

EXEMPLO: Reunião para rememorar um acontecimento; peregrinos indo para o santuário; mergulhadores procurando um tesouro submarino; removendo uma pedra da entrada de uma caverna; astronave sem gravidade.

Movimento rítmico[1]

Grupo todo.

Peça aos jogadores para sentarem ou ficarem de pé num espaço amplo. Professor enuncia um objeto (trem, avião, astronave, máquina de lavar etc.). Os jogadores devem imediatamente, sem pensar, fazer o movimento que o objeto sugere.

Peça para continuarem os movimentos até que se tornem fáceis e rítmicos. Quando isso ocorrer, peça ao grupo, por meio de Instruções, para deslocar-se na área, continuando a movimentação. Coloque um disco ou peça para um pianista tocar, enquanto os alunos mantêm os mesmos movimentos.

Monte uma cena para os jogadores, enquanto estão se movimentando.

EXEMPLO: Os personagens foram rapidamente distribuídos, sem interromper os movimentos. Um aluno, que tinha desenvolvido um interessante movimento de inclinação do tronco, tornou-se um porteiro de uma casa de *shows*. Duas garotas, que tinham usado movimentos com as mãos parecidos com hélices, tornaram-se dançarinas. Uma garota, que corria rapidamente de um lado para outro do palco, tornou-se uma mãe que procurava sua criança, e assim por diante. O palco todo transformou-se num carnaval estimulante e animado.

Músculo tenso

Dois ou mais jogadores.

Estabelecem Onde, Quem e O Quê. Cada jogador deve tensionar uma parte do corpo, e mantê-la tensa durante a cena. Isto não deve fazer parte da cena, no entanto – é puramente pessoal. Embora a tensão seja quase sempre notada pelo público, o jogador deve mostrá-la ou justificá-la. Se um jogador escolher uma perna rígida, por exemplo, não deve justificá-la, mancando. Ele deve fazer a cena como se a rigidez não existisse.

PONTO DE CONCENTRAÇÃO: tensionar alguma parte do corpo.

AVALIAÇÃO

Os jogadores tentaram justificar a tensão, ou simplesmente trabalharam com ela? A sua concentração no músculo tenso gerou maior espontaneidade para o trabalho dos jogadores?

1. Veja CAMINHADA AO ACASO p. 199.

Aos jogadores: A concentração no músculo tenso deu-lhes liberdade de resposta?

PONTOS DE OBSERVAÇÃO

1. Na apresentação inicial desse exercício, observe que muitos jogadores vão tensionar o que já é um problema muscular pessoal para eles (por exemplo: uma pessoa teimosa vai fazer um pescoço rígido; o aluno que usa exageradamente a boca e a face, vai concentrar-se num músculo facial). Não aponte isto para os alunos-atores, até que todo o grupo tenha completado o exercício pela primeira vez. Então, esclarecendo por meio de uma avaliação, peça que refaçam a cena, escolhendo um outro músculo. Não é preciso dizer que isto pode levar duas ou mais sessões de trabalho.
2. A resistência ao Ponto de Concentração, que surge em todos os exercícios, será muito evidente aqui. Tensionar um músculo que já é tenso constitui resistência ao problema.
3. Este exercício mantém os jogadores intensamente preocupar dos, enquanto fazem a cena. Certa vez, um aluno-ator, que resistia a quase todos os problemas, teve uma superação dramática com este.

Bonecos e/ou automação

(Pode ser usado para desenvolver material para cenas.)

Discuta com os alunos-atores os movimentos de marionetes. Se possível, traga uma marionete, brinquedos e bonecos para serem observados na classe.

EXERCÍCIO 1

Dois ou mais jogadores.

Eles estabelecem Onde, Quem e O Quê.

PONTO DE CONCENTRAÇÃO: os personagens devem movimentar-se como bonecos.

EXERCÍCIO 2

O mesmo que o 1, exceto que agora temos uma combinação de bonecos e humanos.

EXEMPLO: Um homem, poderoso, manipula um grupo grande de pessoas que respondem como marionetes. Ou um titiriteiro dá um espetáculo.

EXERCÍCIO 3

(O exercício seguinte, destinado a crianças pequenas, é uma variação do exercício acima.)

O professor-diretor propõe a cena para a classe. Onde – loja de brinquedos – Quem – brinquedos, dono da loja, compradores. O Quê – os brinquedos estão sendo consertados, limpados e vendidos. Brinquedos sugeridos – bonecas falantes, bonecas que andam, urso que dança, caixinha de surpresa, fantoche, boneca que dá piruetas, brinquedos movidos por corda.

EXERCÍCIO 4

Varie as cenas precedentes, solicitando concentração em coisas que se movem mecanicamente, como uma máquina registradora, um relógio mecânico, uma máquina que funciona por meio de ficha etc.

6. Marcação de Cena Não Direcional

FUNDAMENTOS

Uma das marcas do ator amadurecido é a sua movimentação de cena natural e intencional. A movimentação de cena, ou marcação, deve ser compreendida como aquilo que é. O professor-diretor não deve influenciar a colocação em cena do ator ou suas entradas e saídas do palco, exceto quando a posição ressalta ou enfraquece relacionamentos, atmosfera ou caracterização.

A marcação de cena deve facilitar o movimento, enfatizar e intensificar o pensamento e a ação, e ressaltar relacionamentos. Pode ser usada simbólica ou visualmente, para sublinhar relacionamento conflitante e atmosfera. É massa equilibrando massa, massa equilibrando ação, massa equilibrando desenho. *É a integração do quadro de cena.*

A marcação deve ser compreendida desta forma. O ator deve aprender a perceber as necessidades da cena. Como um jogador de bola, ágil, ele deve estar sempre alerta para onde a bola possa cair. Enquanto se move pelo palco, deve estar consciente tanto de seus colegas atores quanto de seu lugar e sua parte dentro do ambiente total. O ator deve tornar-se a tal ponto sensível à marcação, que ele mantém o quadro de cena interessante e as linhas de visão claras em todos os momentos de seu trabalho.

Na encenação formal, a marcação não deve nunca ser imposta ou aparecer como uma resposta aprendida. O ator não deve deslocar-se do sofá para a poltrona e para a porta como um dançarino desajeitado, que aprendeu seus passos de cor. A marcação prematura, arbitrariamente imposta a atores imaturos, não apenas cria essa rigidez desagradável, como torna o ator incapaz de enfrentar crises durante as representações.

O aluno-ator que foi treinado com marcação de cena não direcional instrumenta o trabalho do diretor ao mover-se no palco, sempre consciente de seu lugar dentro do quadro. A marcação de cena não direcional gera seleção espontânea e habilidade para enfrentar crises.

Para o teatro improvisacional, a necessidade de compreender esse ponto é evidente. E, como todas as outras convenções de palco, os alunos-atores devem absorver esta consciência até que se torne intuitiva ou uma segunda natureza para eles. A marcação espontânea parece estar cuidadosamente ensaiada quando os atores estão *verdadeiramente* improvisando.

A marcação não direcional dá para o ator e o diretor o mesmo relacionamento que eles devem ter quando estão desenvolvendo cenas para apresentações de teatro improvisacional. Significa dar e tomar entre ator e diretor. Pelo fato de o diretor ter uma visão diferente e estar vendo a cena do ponto de vista do observador, ele pode (observando o que foi realizado espontaneamente pelo ator) tirar do ator aquilo que pode ser mais bem aproveitado para a cena, e devolvê-lo para ele. O diretor desta forma seleciona, rejeita ou acrescenta ao que está sendo feito em cena, somado às sugestões do dramaturgo. Dessa maneira, atores e diretor trabalham como uma unidade, intensificando a peça com a totalidade de sua energia criativa individual.

A crescente habilidade para ver a cena do ponto de vista do público, enquanto está atuando, dá ao ator consciência de ação em relação aos outros e desta forma torna-se um grande passo em direção à sua identidade, livrando-o dos efeitos perniciosos do egocentrismo e da exibição.

MOVIMENTAÇÃO DE CENA

A movimentação de cena está intimamente ligada com a marcação e ambas crescerão juntos. Mesmo diretores ou atores mais habilidosos não encontram sempre uma movimentação de cena interessante intelectualmente. Como a marcação, a movimentação de cena deve ser oportuna e espontânea na aparência. Isto só pode acontecer quando cresce do relacionamento de cena. A movimentação de cena não deve ser apenas uma atividade para manter os atores ocupados. Além do método óbvio de adotar movimentação de cena sugerido na própria peça, o diretor de peças formais vai descobrir que, usando os exercícios de atuação que seguem, ele vai criar mais movimentação de cena do que poderia encontrar em muitas horas de trabalho com a peça.

COMPARTILHE COM O SEU PÚBLICO

As frases "Compartilhe com o seu público" e "Você está afundando o barco" darão aos atores sensibilidade para o problema da marcação. A palavra "marcação" é deliberadamente evitada nas oficinas de trabalho, porque é um rótulo. "Compartilhe com o seu público" deve tornar-se um problema pessoal para o aluno-ator. Quando isto é compreendido, então a palavra "marcação" pode ser introduzida, embora mesmo para atores profissionais a frase "Compartilhe com o seu público" suscite uma resposta mais natural do que o comentário sobre sua marcação pobre. Pois, às vezes, atores profissionais precisam ser lembrados que estão no palco por alguma razão.

Muitos momentos interessantes acontecem em cena quando os atores, procurando compartilhar o quadro de cena, precisam movimentar outros atores. Quando o diretor dá a Instrução, "Compartilhe o quadro de cena", não deve nunca enunciar o nome de um ator particular. *Todo* ator em cena é responsável por tudo o que acontece. Se alguns atores não estão conscientes do quadro de cena, outros atores devem movimentá-los. Se isto não pode ser feito, então todos devem movimentar-se e formar um novo quadro de cena em torno do ator inconsciente.

Quando os atores trabalham para a cena total, só podem ficar agradecidos por uma ajuda como esta. Por exemplo, a situação se passa em um escritório. Eduardo está diante da secretária, de forma que não podemos vê-la. Eduardo esqueceu-se que está "bloqueando" a visão* e não responde à Instrução: "Compartilhe o quadro de cena". A secretária simplesmente diz, "O Senhor poderia sentar-se, por favor?" Ou, "O Senhor poderia vir aqui?" Ou, se ainda não houver resposta, ela pode movimentá-lo fisicamente para uma posição mais satisfatória; ou, se isto não é possível, ela poderá recolocar-se** em relação a ele.

Quando os alunos-atores compreendem perfeitamente o significado de "Compartilhe com o seu público", então eles estão realmente livres. Não existe ninguém para ser culpado.

EXERCÍCIOS

Preocupação B

Dois jogadores avançados. (Ótimo para desenvolver cenas para representações, mas inútil se os jogadores não souberem usar o Ponto de Concentração.)

Estabelecem Onde, Quem e O Quê. O O Quê deve ser uma atividade que envolva totalmente os dois jogadores, como por exemplo, preparando-se para um piquenique, vestindo-se para sair etc. Os jogadores combinam também um assunto ou ponto de vista a ser discutido durante essa atividade. Eles devem estar totalmente ocupados (fisicamente) um com o outro e totalmente preocupados com o assunto (mentalmente) (Veja NÃO MOVIMENTO, p. 170).

* Na língua inglesa, existem o verbo *blocking*, aqui traduzido por "obstruindo a visão" e o substantivo *blocking* aqui traduzido por "marcação". A transposição literal não é possível pura o português. (N. da T.)

** O mesmo problema encontramos com o termo *re-block*, traduzido por "recolocar-se". (N. da T.)

PONTO DE CONCENTRAÇÃO

Cada jogador deve verbalizar e estar totalmente preocupado com o seu próprio ponto de vista sobre o assunto que combinaram. Ao mesmo tempo, cada jogador deve permanecer totalmente ocupado com a atividade que o envolve com o outro, de forma que durante toda a cena eles necessitem constantemente da ajuda um do outro – como, no caso do piquenique, a preparação do alimento, ajudando um ao outro a encontrar as coisas etc. – mantendo ao mesmo tempo a fluência do diálogo concentrado na preocupação, enquanto se relacionam um com o outro, através da ação e do diálogo, que acontecem no presente (no palco).

INSTRUÇÕES: *Passem coisas para o outro! Mantenha o seu próprio ponto de vista! Mantenham a atividade acontecendo entre vocês! Encontrem-se um com o outro apenas por causa da atividade que está acontecendo no palco!*

EXEMPLOS: Onde – cozinha. Quem – duas irmãs. O Quê – ajudando uma à outra a preparar um piquenique. Assunto combinado – direito ao divórcio. Onde – gramado. Quem – namorados. O Quê – jogando croqué. Assunto combinado – beijar-se em público. Onde – cancha de boliche. Quem – marido e mulher. O Quê – jogando e marcando os pontos. Assunto combinado – o que fazer com a mãe dele. (Uma vez, quando esta simples situação produziu conflito real, foi interrompida e combinou-se outra coisa. A nova situação, "o que fazer com pessoas idosas", era mais apropriado. E "o que fazer com a mãe" surgiu naturalmente.)

AVALIAÇÃO

Eles se preocuparam totalmente com os seus pontos de vista? Eles trabalharam em conjunto na atividade? Eles usaram o Onde continuamente? A preocupação com o ponto de vista era separada, de forma a não interferir um sobre o outro? A preocupação os manteve separados um do outro em um dos níveis, enquanto o Onde, Quem e O Quê os mantinham totalmente envolvidos e relacionando-se com o presente da cena? Eles verbalizaram as coisas do ambiente imediato sem deslocar a preocupação?

Duas cenas

DUAS CENAS, que requer também dar e tomar, relaciona-se intimamente com os problemas de ouvir e falar e deve ser explorado com estes objetivos. As primeiras quatro partes deste exercício, A até D, devem ser usadas para os problemas de audição e de fala. Embora os exercícios subsequentes se destinem mais diretamente à marcação de cena, os exercícios A até D devem precedê-los, para esclarecimento.

Sem ouvir, um grupo não pode dar nem tomar. Enquanto um grupo está tomando a cena, o outro não pode dar a cena até que a voz corte sua cena com ênfase, ressonância e clareza. Por esta razão, dar e tomar (escolha dos atores) é especialmente útil para a projeção da voz. Quando os grupos estão atentos em dar e tomar, o diálogo surge com clareza. Para dar e tomar, a voz deve, como um instrumento, fazer com que o seu som seja audível. Os atores podem desenvolver isto a tal ponto que às vezes os grupos dão ou tomam a cena com uma única palavra, DUAS CENAS foi criado quando se notou que os atores tinham dificuldade de relacionamento, quando havia quatro ou mais jogadores no palco e mais de um centro de atenção, como por exemplo: um restaurante, cena de uma festa etc.

A. DAR E TOMAR (com direção)

Divida em grupos de quatro. Os grupos se subdividem em grupos de dois. Coloque duas mesas em cena, sendo que cada subgrupo fica em uma delas. Os membros de cada subgrupo estabelecem relacionamento entre si (exemplo: subgrupo A, marido e mulher, discutindo sobre o divórcio; subgrupo B, empresários tentando entrar em um acordo sobre um contrato). Em nenhum momento, durante o exercício, os subgrupos podem interagir. Cada subgrupo trabalha com uma cena independente.

Ambos os subgrupos iniciam suas cenas ao mesmo tempo. Quando tiverem iniciado, o professor-diretor enuncia o nome de um dos subgrupos, digamos A. O subgrupo B deve, então, sair de foco e dar foco para o subgrupo A. Em outras palavras, quando o subgrupo A é chamado, a sua cena torna-se o foco da cena, como no *dose* de uma câmera. Ao mesmo tempo, o subgrupo B deve cessar toda atividade visual e sonora. O subgrupo B, no entanto, não deve congelar, e sim continuar trabalhando com o problema e relacionamento, embora tenha saído de foco. Quando o professor chama o subgrupo B, ele deve voltar a ser foco de atenção e compartilhar seu problema e voz com o público, sendo que o subgrupo A sai de foco e interrompe toda atividade sonora e visual.

O problema a ser resolvido aqui reside na habilidade do aluno-ator em continuar com o problema e o relacionamento, embora interrompendo todo movimento físico e visual... *Não congelar* quando os subgrupos saem de foco.

EXEMPLOS: Quando o subgrupo A é chamado, o subgrupo B (os empresários tentando entrar em um acordo sobre um contrato) poderiam, embora interrompendo toda ação visual e sonora, permanecer com o relacionamento, relendo o contrato, descansando a cabeça sobre a mão contemplativamente, olhando um para o outro como que especulando.

Quando o subgrupo B é chamado, o subgrupo A (marido e mulher discutindo sobre o divórcio) poderiam, por exemplo, virar as costas um para o outro com raiva, chorar, abraçar etc.

Estas técnicas servem para manter os subgrupos fora de foco, embora ainda relacionando-se um com o outro e com o problema.

PONTOS DE OBSERVAÇÃO

1. Se um dos subgrupos estiver obviamente "esperando pela sua vez", se congelar o problema não foi resolvido. Muitos alunos-atores acham difícil manter relacionamento e tensão em silêncio. Eles procurarão manter-se em constante atividade, não importando quão diminuta seja. Se isto for um problema com o seu grupo, dê-lhe o exercício denominado CENA DE SILÊNCIO/ TENSÃO (p. 169), junto com o presente.
2. Atente para a superação espontânea de atores que lutam com o problema de sair de cena sem congelar e sem depender do professor dando exemplos. Se este exercício for usado para representações públicas, deve ser explorada a verbalização de todas as possibilidades de sair de cena.
3. Neste livro existem exemplos que clarificam e demonstram, mas o professor não deve nunca dar exemplos aos alunos durante as oficinas de trabalho. Aqueles que resistem a um exercício, podem afirmar que ele é "bobo", "impossível" etc. Encoraje-os apenas a trabalhar com o problema, tentando resolvê-lo, mesmo que não consigam.
4. Dê DUAS CENAS pela primeira vez durante uma sessão do Onde, quando cinco ou mais atores estiverem em cena e todos estiverem se movimentando e falando ao mesmo tempo.

B. USANDO "DAR"

Os subgrupos seguem os mesmos princípios de A, exceto que em lugar de serem chamados pelo diretor, são os subgrupos que devem agora dar o foco de um para o outro. Quando e como isto é feito, só pode ser determinado pelos próprios subgrupos.

C. USANDO "TOMAR"

Siga os mesmos princípios. No entanto, os subgrupos devem agora tomar o foco um do outro. Isto vai transformar-se muitas vezes em gritaria e confusão, mas mantenha a proposta. Quando a seleção espontânea é forçada pelos problemas colocados pelas cenas, os alunos cantarão, saltarão sobre cadeiras, plantarão bananeiras etc., caso estas táticas sejam necessárias para tomar o foco. Observe um crescimento extraordinário de energia e impacto quando os alunos tentam resolver o problema de tomar o foco um do outro.

D. ESCOLHA DOS ATORES

Repita o mesmo exercício, mas desta vez os subgrupos devem dar e tomar um do outro, da forma como as situações aparecerem.

AVALIAÇÃO

Houve algum problema em dar o foco? A resposta em quase todos os casos é "sim". Por quê? Não conseguíamos ouvir o outro subgrupo e, portanto, não sabíamos quando dar o foco.

Em que momento vocês podiam dar o foco? Quando o outro subgrupo entrava com força.

Vocês tiveram algum problema em tomar o foco? Sim. Por quê? Porque não conseguíamos entrar com força suficiente para tirar o foco deles.

A avaliação vai levar a maioria dos atores a perceber que, seja dando ou tomando a cena, o relacionamento está implícito em ambos os casos e deve existir antes de uma cena entrar em foco. O aluno-ator de teatro improvisacional deve saber quando dar o foco e quando tomá-lo. Em ambos os casos, o mesmo resultado será evidente: energia de cena intensificada e quadro de cena mais claro.

PONTOS DE OBSERVAÇÃO

1. Quando a cena se torna confusa, sendo que todos falam ao mesmo tempo, dê a Instrução DUAS CENAS. Os atores irão dar e tomar quando necessário.
2. Este exercício deve ser repetido continuamente durante o treinamento. O termo *dose* pode ser usado alternadamente com o termo "foco".
3. Este exercício é de grande valor para o estudante-diretor.

Convergir e redividir

Se possível, este exercício deve ser usado imediatamente após DUAS CENAS. Ele é muito estimulante quando usado com estudantes avançados em blablação.

O grupo se divide em grupos de quatro, seis ou oito. O grupo estabelece Onde, Quem, O Quê e então se divide em subgrupos. Passam pela cena, dando e tomando o foco um do outro, como em DUAS CENAS.

Quando a cena estiver acontecendo, o diretor diz "Convergir". Os subgrupos devem, então, iniciar alguma ação com o outro subgrupo. Quando o diretor diz "Redividir", os subgrupos devem separar-se e os atores continuam suas cenas com novos parceiros, usando novamente a técnica de dar e tomar.

O diretor pode dizer "Convergir" e "Redividir" tantas vezes quantas desejar. No entanto, perto do final do exercício, o diretor deve dizer "Como estavam no início", de forma que os atores terminem a cena voltando aos relacionamentos de seu subgrupo original.

EXEMPLOS: Onde – parque. Quem – fotógrafo e freguês (subgrupo A). Babá e um faxineiro (subgrupo B). Onde – cabines separadas em um estúdio de dança. Quem – professor e adolescente (subgrupo A), professor e velho (subgrupo B), entrevistador e freguês (subgrupo C).

AVALIAÇÃO

Os subgrupos deram e tomaram? Quando o subgrupo A estava em foco, os subgrupos B e C encontravam formas interessantes de ficar fora de evidência? Eles justificaram convergir e redividir? Eles deram e tomaram para o enriquecimento da cena total?

Lobo solitário

Subgrupos desiguais.

Este exercício é quase igual a CONVERGIR E REDIVIDIR. No entanto, em lugar de ser dividido em subgrupos, com duas pessoas cada, o grupo deve incluir um subgrupo com um único ator. Em outras palavras, se houver cinco pessoas no grupo, os subgrupos devem consistir de dois, dois e um.

O problema torna-se interessante para o ator que está sozinho, ao tentar ganhar o foco ou *dose* sem ter outro ator com quem trabalhar. Não é preciso dizer "Convergir" e "Redividir" neste exercício.

EXEMPLOS: Dois e um. Onde – um asilo, no jardim. Quem – dois velhos (subgrupo A). Uma senhora de idade (subgrupo B). Dois, dois e um. Onde – redação do jornal. Quem – dois repórteres (subgrupo A), editor e fotógrafo (subgrupo B), garoto de recados (subgrupo C).

PONTOS DE OBSERVAÇÃO

1. Até que se diga "Convergir", os grupos permanecem ocupados com seu próprio envolvimento e relacionamento. Durante a convergência, o diálogo e a ação de todos os jogadores se misturam. Quando eles se redividem, os grupos novamente se relacionam com um novo ator.
2. Este exercício pode ser feito com grupos de quatro ou mais atores dentro de uma unidade (exemplo: grupos de pessoas reunidas em torno de um acidente, de um encontro político, de um piquenique etc.).
3. Quando os grupos estabelecem Onde, Quem e O Quê, devem estar separados dos outros em relação a Quem e a O Quê, mas todos os subgrupos devem estar no mesmo lugar (Onde), sob o mesmo teto, por assim dizer.

Trocando de lugares

Qualquer número de jogadores.

Durante a atuação, os jogadores devem estar em constante reformação. Qualquer um dos jogadores pode iniciar o movimento. Se algum dos jogadores se movimentar, os outros jogadores devem instantaneamente fazê-lo também. Se um jogador vai para o fundo do palco, por exemplo, os outros jogadores devem encontrar uma razão para irem para o fundo (ou para a direita e esquerda).

Na versão para dois atores, um dos atores deve entrar na posição de palco exata que o outro ator acabou de deixar.

Outra versão exige um grupo grande com uma série de subgrupos. Grupos de dois são colocados dentro de um agrupamento maior de pessoas, como ocorre durante um coquetel. Se houver dez pessoas em um grupo, por exemplo, deve-se formar cinco subgrupos (dois em cada) e estes subgrupos trocam de lugar entre si, sempre que um deles se movimentar, enquanto todos os jogadores permanecem com Onde, Quem e O Quê (ao mesmo tempo).

PONTO DE CONCENTRAÇÃO: observação constante dos colegas atores.

AVALIAÇÃO

Para o público: o movimento era justificado? Os atores encontraram formas que não fossem óbvias para entrar na posição dos atores que lhes eram opostos?

PONTOS DE OBSERVAÇÃO

1. Os jogadores podem se conhecer ou não dentro da situação. Em uma cena de festa, por exemplo, presume-se que os personagens se conheçam. Mas isto não é necessário quando se trata de uma cena que se passa em uma estação de trem.
2. A concentração exigida para observar os movimentos do colega e ao mesmo tempo iniciar o movimento, cria uma cintilação interessante na cena, quando os jogadores estão alerta um para o outro.
3. Não permita que os grupos selecionem situações de movimento "construídos", como seria o caso de uma galeria de arte. Lembre aos alunos-atores que eles devem manter desafiadores os problemas de atuação.
4. Todas as trocas de posição e ritmo de movimento devem ser determinados dentro da limitação da estrutura estabelecida. (Onde, Quem e O Quê.)

Linhas de visão

Talvez compartilhar o quadro de cena se torne um processo orgânico para o aluno-ator. No entanto, esse exercício é especialmente útil para enfatizar a ligação visual entre o jogador e o público. Também tem valor por estimular desenho e movimento fora do comum do quadro de cena.

Praticáveis e rampas são particularmente úteis para ajudar a descobrir usos interessantes e diferentes dos níveis de palco.

1. Usando um quadro-negro, desenhe um diagrama da linha de visão que vai do ator individual no palco até o indivíduo no auditório.

2. Para aumentar a consciência de perspectiva, peça que os alunos coloquem suas mãos a alguma distância do rosto e notem como os objetos atrás de suas mãos, embora maiores, quase são perdidos de vista.

3. Discuta o uso de blocos e rampas para tornar mais claras as linhas de visão. Os níveis criam quadros cênicos interessantes.

4. Peça que os grupos realizem cenas como de costume, tendo em mente as linhas de visão entre público atores e utilizando os níveis de palco.

5. Por meio de uma série de chamados de "Mudança!", os jogadores continuamente transformam o quadro cênico. Ou então são os jogadores quem iniciam a mudança. Em ambos os casos, as mudanças não devem ser premeditadas.

PONTO DE OBSERVAÇÃO

Atores profissionais podem usar esse exercício como revigoramento e lembrete. Eles também devem esforçar-se por obter quadros de cena interessantes e estimulantes para compartilhar com o público.

Cenas de multidão

Para dar vida e vitalidade a cenas de multidão, cada indivíduo dentro da multidão deve ter uma realidade pessoal. Improvisações em torno da vida destes personagens, antes de entrarem na cena, podem dar substância à sua participação como multidão. Nas cenas de multidão, é importante que as linhas de visão sejam mantidas claras para indivíduos ou agrupamentos. As cenas de multidão se tornam revigorantes para a vista, quando se usam linhas quebradas. A utilização de costas cria linhas quebradas (veja Cap. 5).

EXEMPLO: Para criar uma cena de multidão na qual muitas pessoas se aglomeravam em torno de um desastre, a improvisação foi usada da seguinte forma: antes de ir para o palco, cada indivíduo ou grupo familiar que deveria entrar em cena, foi colocado em uma "casa", que lhe pertencia. Cada grupo estabeleceu Onde, Quem e O Quê. Foi usada uma sala ampla fora do palco, e mais ou menos quinze destas unidades (casas) foram montadas simultaneamente. Todos estavam ocupados com a sua vida particular. Alguns faziam visitas, outros conversavam por cima do muro com seus vizinhos etc. O diretor desceu a "rua", dando foco para as diversas casas. Cada grupo chamado mostrava seus relacionamentos. Quando o alarme do desastre soou, o tumulto irrompeu e houve algumas cenas realmente estimulantes: pessoas correndo de uma casa para outra, recolhendo crianças que estavam brincando etc. Depois, em massa, os atores correram para a cena do desastre – para o palco. Desta forma, a multidão tornou-se um grupo de pessoas excitadas e que realmente tinham vida.

AVALIAÇÃO

Este exercício tem valor especial para os atores sentirem que são mais do que uma multidão – como de fato são. Ao individualizá-los, eles percebem que são parte essencial da peça, e a cena ganha profundidade.

PONTO DE OBSERVAÇÃO

O diretor de peças formais não deve permitir que indivíduos dentro de multidões façam sons incoerentes. Todos devem falar e gritar observações com pleno significado. Para conseguir isto, o diretor pode pedir que cada um fale uma linha individualmente. Depois, como condutor, ele pode aumentar ou diminuir o tom das vozes individuais, para criar a composição da multidão.

Saídas e entradas[1]

O ator deve ter uma razão para entrar em cena e uma razão para sair dela. Deve haver foco claro sobre ele, mesmo que seja por um rápido momento. É a exatidão em dar foco nestes detalhes que dá clareza e brilhantismo à cena.

Em peças formais, o dramaturgo e o diretor geralmente cuidam da colocação de foco, mas muitos atores negligenciam este ponto sutil. No teatro improvisacional, os detalhes são muitas vezes negligenciados, sendo que as saídas e entradas tornam-se vagas para o ator. Este exercício, portanto, é destinado a tornar nítidas as saídas e entradas que devem ser automatizadas pelo aluno-ator.

EXERCÍCIO A

Primeira cena.

Dois ou mais jogadores.

Estabelecem Onde, Quem e O Quê. Peça ao grupo para escolher um Onde que necessite de muitas saídas e entradas – como uma festa ou uma sala de espera. Cada jogador em cena deve, em um momento ou outro de sua atuação, fazer pelo menos uma saída e uma entrada – mais, se a cena o permitir. Os jogadores podem formar duplas para isto, se quiserem.

PONTO DE CONCENTRAÇÃO: O ator deve dar foco em sua saída ou entrada da forma que desejar. Está limitado apenas, como em todos os exercícios, pelo Onde, Quem e O Quê. Ele pode voar para dentro da cena, caminhar, dançar, cair, cantar, rir, gritar ou conversar. A frase "entre para ganhar a plateia", que geralmente é colocada como uma regra necessária para estudantes de teatro, é usada simplesmente para

1. Cf. O QUE ESTÁ ALÉM?, p. 91.

evitar que o ator "se esconda" quando entrar em cena. Este exercício sugere que existem ainda muitas outras formas de encontrar-se com o público.

EXERCÍCIO B

Segunda cena.

Inverta a ênfase. Agora os outros atores devem dar foco no ator quando ele sai ou entra em cena.

Começo e fim

Este é o momento de repetir o COMEÇO E FIM, das sessões do Onde (p. 121), no desenvolvimento das oficinas de trabalho. Este exercício delimita claramente o que está fora e o que está dentro da cena e marca o momento de entrada e saída.

7. Aprimorando a Percepção

O ator de teatro improvisacional deve ouvir seu colega ator e escutar tudo o que ele diz, para improvisar uma cena. Deve olhar e ver tudo o que está acontecendo. Esta é a única forma pela qual os jogadores podem jogar o mesmo jogo em conjunto.

Os exercícios que seguem servem também como instrumental para os atores de teatro formal. Eles livrarão o ator de rigidez e movimentos afetados. Quando um ator vê outro ator e ouve o seu diálogo, em lugar de ficar pronunciando ou lendo subvocalmente as linhas do outro, memorizadas junto com as suas, seu trabalho adquire naturalidade no palco. Se os atores, no teatro formal, vissem um colega de jogo diante de si, e não um personagem, seu trabalho também ficaria livre da atuação.

É evidente que são necessários exercícios de agilidade verbal para o ator improvisacional. Além disso, aprender a comunicar-se no silêncio pode levar a momentos intensos em cena.

Os jogos de ver e ouvir devem ser usados no decorrer das oficinas de trabalho. Alguns recomendados são: ARREMESSANDO LUZ, TROCA DE NÚMEROS, CANTANDO SÍLABAS, TOCAR COM UMA CORDA SÓ, QUEM INICIOU O MOVIMENTO – todos podem ser encontrados em *Handbook of Games*, de Neva Boyd.

OUVIR

Contando um incidente

Exercício de aquecimento. Dois jogadores.

Os jogadores estão no palco. *A* conta uma história para *B*, que repete a mesma história, colocando cores.

EXEMPLO: *A* narra: "Eu estava caminhando por uma rua onde parecia ter acontecido um acidente de automóvel. Havia um grupo de pessoas em volta do carro. Eu quis ver o que tinha acontecido, por isso usei minhas mãos para passar pela multidão." *B* narra: "Eu estava caminhando por uma rua cinza onde parecia ter acontecido um acidente com um automóvel verde e preto. Havia um grupo de pessoas usando roupas de cor de rosa e azuis e casacos escuros, em volta do carro. Usei minhas mãos cor de carne, com o anel dourado, para passar pelo aglomerado de mulheres e homens loiros e morenos."

Inverta a narração. Agora *B* conta uma história para *A*, e *A* repete, colocando cores.

PONTO DE OBSERVAÇÃO

1. Talvez o diretor-professor precise insistir para que os atores estabeleçam contato pelo olhar. Concentrando-se nas cores, eles se desviam daquele que está falando, enquanto ouvem. Às vezes, é melhor pedir que os atores tomem nota de cores enquanto ouvem, para evitar que fiquem memorizando cores até o momento de contar novamente a história. O objetivo deste exercício é levar o ouvinte a ver o acidente em pleno colorido no momento em que está ouvindo.
2. O mesmo exercício pode ser feito com concentração em outro aspecto visual (exemplo: várias formas de objetos), enquanto se ouve.
3. Este exercício pode ser um passo preliminar para VERBALIZAR O ONDE, p. 114.
4. Os atores não devem embelezar a história ao contarem pela segunda vez. Simplesmente relatam o que ouviram, introduzindo as cores.

Duas cenas

Repita este exercício que está no capítulo anterior (p. 144). É de grande valor para levar os alunos-atores a ouvirem um ao outro.

Cego básico

Grupos de dois ou mais. Material necessário: vendas, grande abundância de adereços e peças de cenário reais, e um telefone.

Depois de preparar o Onde, Quem e O Quê, deve-se vendar os olhos dos membros do grupo. Eles devem inventar um O Quê no qual muitas coisas sejam passadas de uma pessoa para outra – pessoas tomando chá, por exemplo. A cena deve ser realizada com adereços e peças de cenário reais. Não podem ser usadas cenas onde esteja implícito o "não ver" (como, por exemplo, personagens cegos em uma sala escura).

PONTO DE CONCENTRAÇÃO: os atores, com os olhos vendados, devem movimentar-se em cena como se pudessem ver.

INSTRUÇÕES: *Justifique este agrupamento! Prossiga nesta ação! Encontre a cadeira que você estava procurando! Pendure seu chapéu! Seja ousado!*

AVALIAÇÃO

Eles se movimentaram naturalmente? O tatear e os movimentos eram justificados pelo Onde, Quem e O Quê? A justificativa era interessante? (Se um ator estava procurando uma cadeira, ele pode ter balançado a mão ou rolado o corpo, como parte de seu personagem, para justificar o que de outra forma seria tatear). Eles foram ousados?

PONTOS DE OBSERVAÇÃO

1. Todo tatear para procurar assentos, adereços etc., deve ser justificado por meio do Quem (uma qualidade física do personagem que estão interpretando) ou O Quê (parte da atividade da cena). Se, por alguma razão, um dos atores abandonar a área de atuação, ele deve permanecer de olhos vendados até o final da cena.
2. No início, a perda da visão produz grande ansiedade em alguns atores. Frequentemente os alunos-atores não ousarão aventurar-se no exercício, permanecendo colados ao assento, pendurando-se em outras pessoas ou imobilizando-se em algum lugar. As Instruções e o uso do telefone ajudarão. O telefone vai ajudar a afastar o aluno assustado e aferrado à sua "insignificância". O professor simplesmente toca a campainha e pede para o aluno que atender chamar ao telefone o aluno que necessita de ajuda. O exercício tem também sobre alguns alunos efeito oposto. Uma vez um aluno observou, depois de uma sessão cega: "Eu me senti muito mais livre fazendo o cego". Isto mostrou para ô professor que este aluno ainda não tomava parte no jogo e ainda tinha medo de expor-se no palco. Quando um aluno articula um sentimento, é certeza que fala por outros também.
3. A não ser que crianças menores de dez anos estejam fazendo este exercício, mantenha os sexos opostos em grupos separados. Pelo fato de não poderem ver, o medo de contato físico mantém os atores tensos, presos, sem poderem resolver o problema. O estabelecimento de contato, como passar coisas de um para outro, é necessário para que este exercício surta efeito.
4. Se possível, realize este exercício em uma área plana, onde os atores não corram o perigo de cair do palco. Isto vai afastar o medo real. Evite usar adereços afiados, pontudos ou quebráveis.

5. Atente para atores que possam estar espreitando, movendo-se espertamente de um lugar para outro. Suba ao palco e altere algumas coisas aqui e ali, para verificar se as vendas estão seguras[1].

Cego para alunos avançados A

Os alunos realizam o CEGO BÁSICO da forma regular. No entanto, devem dizer o que vão fazer antes de iniciar as ações. Por exemplo, "Eu acho que quero um doce" deve ser afirmado, e depois o doce deve ser procurado. O grupo precisa ter alguma habilidade para fazer isto.

Cego para alunos avançados B

Dois ou mais atores.

Este exercício incorpora novamente a plateia. É estruturado como o primeiro exercício do Onde.

Dois ou mais alunos, de olhos vendados, reúnem-se no palco vazio, sem adereços. A planta-baixa foi desenhada em um quadro-negro que é visível para a plateia, com palavras (escritas com letras suficientemente grandes para que possam ser lidas), em lugar dos símbolos usuais.

PONTO DE CONCENTRAÇÃO: Os atores devem usar todos os objetos que estão no quadro-negro e proceder como se pudessem ver – eles devem *compartilhar com a plateia.* Se um ator atingir comunhão íntima com a plateia, ele saberá quando se perdeu.

INSTRUÇÕES: *Compartilhe o quadro de cena! Compartilhe seu rosto!*

SUMÁRIO DOS EXERCÍCIOS DE CEGO

Ao quebrar a dependência do aluno do sentido da visão, a energia é liberada para novas áreas – as mais importantes das quais são ouvir e escutar. Este exercício força o aluno-ator a estar atento da cabeça aos pés para o que está acontecendo no palco e cria consciência corporal dos objetos e colegas atores. Por causa do envolvimento total com o Ponto de Concentração neste exercício, o CEGO desenvolve a consciência do espaço e do som no espaço, tornando esse espaço uma substância viva e palpável para o ator.

Os atores devem realizar cada ação tendo em mente o contato e intercâmbio entre as pessoas. Se um personagem oferece chá ao outro, ele deve localizar o ator para dar-lhe a xícara de chá; o outro ator, por sua vez, deve encontrar a xícara que lhe está sendo oferecida. Ou, no caso de um ator

1. Veja comentários sobre a criança incerta, p. 258.

entrar numa cena como hóspede e for recebido pela dona da casa, eles devem cumprimentar-se, entregar e receber os agasalhos e pendurá-los.

Se a cena se passar durante um coquetel, um dos atores pode "ficar bêbado" e desta forma justificar o tatear e os encontrões. Mas, se ele pensar nisto antes de entrar em cena, terá perdido a espontaneidade e portanto é inútil. Para o desenvolvimento do aluno, torna-se um trecho ensaiado (representação), em lugar de significar trabalho para resolver o problema durante a ação[2]. Outro ator, procurando um objeto de arte que sua anfitriã lhe está estendendo, pode dar alguns passos para trás, como se estivesse vendo o objeto criticamente, à distância. Esta interrupção, início e continuação do diálogo em torno do objeto vai ajudá-lo a localizar tanto a anfitriã quanto o objeto que ele deve manipular, justificando a sua "procura". Ou então, um ator que está tendo dificuldade em localizar coisas pode desenvolver uma qualidade física (personagem), como por exemplo andar afetado, ou braços que balançam.

Todas as falhas em justificar relacionamentos entre um e outro devem ser observadas. Se *A* entra em cena dizendo "Olá!" e estendendo as mãos, *B* pode naturalmente não perceber. *A* deve continuar com a sua ação – fazendo *B* perceber que sua mão está estendida para um cumprimento; e *B*, por sua vez, se falhar em dar a mão, deve ter uma razão por não ter percebido ou aceito a mão estendida imediatamente. Deve-se usar grande quantidade de adereços e peças de cenário reais; os atores devem vestir chapéus, carregar malas etc., para tornar mais desafiador o problema de passar coisas de um para outro.

VER E NÃO FITAR

Os exercícios que se seguem enfatizam o envolvimento visual entre os atores colegas. O aluno não pode apenas olhar. Para "resolver o problema" ele deve *ver*. Os exercícios que seguem podem ser usados durante as oficinas de trabalho, precedendo exercícios de relacionamentos de natureza mais complexa. O diretor de teatro formal pode introduzi-los durante os ensaios, usando o diálogo e as ações da peça.

Fitar é ter uma cortina diante dos olhos, é como se os olhos estivessem fechados. É um espelho refletindo o ator para si mesmo. É isolamento. Os alunos-atores que apenas *fitam* e não *veem*, ficam privados de experienciar diretamente o seu ambiente e estabelecer relacionamentos.

O fitar pode ser facilmente detectado observando-se certas características físicas: principalmente o olhar insípido e a rigidez do corpo. Blablação vai mostrar rapidamente para o professor-diretor até que ponto este problema existe para os alunos-atores. Um ator adulto, que resistia

2. Para usar o CEGO durante o ensaio de uma peça formal, veja p. 311. Os atores que continuam a tatear com suas mãos possuem pouca ou nenhuma consciência corporal. Repita o exercício SUBSTÂNCIA DO ESPAÇO (p. 73), como aquecimento para os exercícios de CEGO.

continuamente ao Ponto de Concentração e evitava contato com seus atores colegas de todas as formas, interpretando "personagens", conseguiu superar-se com este problema[3]. Quando foi observado que ele estava trabalhando com o personagem e não com o problema, ele respondeu: "Como posso ver, sem ser o personagem?" "Muito bem, como você poderia fazê-lo?", perguntaram-lhe. Ele pensou nisto seriamente e ficou perplexo. Colocaram-lhe mais uma pergunta: "O que você faz quando vê? "Ele não conseguia responder mas a resposta foi: "Você simplesmente vê." "Isto é tudo o que o problema está exigindo de você, ver simplesmente."

Quando o professor-diretor consegue induzir o ator a *ver*, mesmo que momentaneamente, vai observar como o rosto e o corpo se tornam mais flexíveis e naturais ao desaparecerem as tensões musculares e o medo de estabelecer contato. Quando um ator vê, o resultado é o contato direto com os outros. Isto pode ser traduzido por aquilo que normalmente chamamos "sentimento".

Exercício de espelho n. 4

Este exercício deve ser normalmente usado algum tempo depois do JOGO DE PALAVRAS. Pode ser usado mais cedo, quando o professor-diretor sente que os alunos têm uma boa compreensão de Onde, Quem e O Quê.

Agora os alunos já aprenderam e respondem ao significado de compartilhar com a plateia. A plateia perdeu o papel de "juiz" para eles e tornou-se parte da experiência. No entanto, ainda pode haver forte resistência ao envolvimento, por parte de alguns alunos, evidenciada por seletividade, julgamento e dramaturgia, que ainda persistem em seu trabalho. Neste caso, é bem possível que o ator esteja sendo a sua própria plateia. Este exercício vai ajudar a eliminar o "último juiz" – o próprio ator.

O exercício é realizado da mesma forma que o ESPELHO N. 2 (p. 60), exceto que aquele enfatizava atividade simples, enquanto que agora os atores devem procurar espelhar os sentimentos dos outros atores. Peça aos grupos que acrescentem Onde, Quem e O Quê (ou problema) a uma cena entre duas pessoas. Sugira uma cena de natureza íntima ou pessoal, onde não haja muita movimentação (exemplo: namorados assistindo a um filme, dentro de um *drive-in*; marido e mulher fazendo o orçamento doméstico; tarde da noite). Como os atores estão tentando atingir uma observação mais complexa de relacionamentos, a movimentação excessiva pode impedir a realização do objetivo do exercício.

PONTO DE OBSERVAÇÃO

Depois deste exercício, deve haver maior intensidade e envolvimento com o quadro de cena total no trabalho do aluno-ator. Se isto não acontecer, repita o exercício mais adiante: provavelmente foi usado muito cedo.

3. Veja Cap. 12.

Blablação n. 1

BLABLAÇÃO N. 1, que foi descrito na p. 114 (vender ou demonstrar alguma coisa para o público), pode ser usado para enfatizar ver e não fitar. Provavelmente este exercício já foi realizado na nona ou décima sessão do Onde.

Para o diretor de teatro formal, BLABLAÇÃO N. 1 vai ser muito útil se os atores estiverem fitando.

Contato através do olho n. 1

Um jogador.

Cada aluno-ator deve vender, demonstrar ou ensinar alguma coisa para o público. O seu Ponto de Concentração consiste em estabelecer contato físico, através do adereço ou do olho com cada membro da plateia, no decorrer de seu discurso.

AVALIAÇÃO

O ator estabeleceu contato físico e contato através do olho com a plateia? Ele entrou em contato com cada membro da plateia, de alguma forma?

Vendedor

Um jogador.

Cada aluno deve vender ou demonstrar alguma coisa para a plateia. Depois de terminar o seu discurso pela primeira vez deve repeti-lo – desta vez, ele deve realmente ser um vendedor.

AVALIAÇÃO

Discuta a diferença entre os dois discursos. Por que o vendedor fez com que a cena adquirisse vida? A plateia vai reconhecer que um vendedor precisa convencer o seu público e por isso envolve-se com ele.

PONTO DE OBSERVAÇÃO

O vendedor também pode ser realizado com BLABLAÇÃO N. 1

Contato através do olho n. 2

Dois ou mais jogadores. Estabelecem Onde, Quem e O Quê.

Este exercício deve vir em seguida de CONTATO (p. 165) e deve ser repetido, com intervalos, durante o treinamento.

PONTO DE CONCENTRAÇÃO: o ator deve estabelecer contato direto, por meio do olho, com os outros atores e dirigir seus olhos para o adereço ou área do palco a que está se referindo.

EXEMPLO: Maria entra no quarto para visitar João. João: "Olá, Maria" (contato através do olho com Maria). "Você não quer entrar no quarto?" (contato através do olho com o quarto). Maria: "Olá, João" (contato através do olho com João). "Aqui está o livro que eu disse que ia trazer" (contato através do olho diretamente com o livro). "Você quer?" (contato através do olho com João).

AVALIAÇÃO

Eles resolveram o problema? Nos momentos de contato através do olho havia foco especial (energia)?

PONTO DE OBSERVAÇÃO

Para conseguir a energia intensificada ou foco especial, o professor-diretor deve sugerir que os olhos dos alunos façam um *close*, como uma câmera. É bom atingir este foco intensificado no momento do exercício de contato através do olho, mesmo que resulte exagerado. Com o tempo os alunos vão aprender a integrar o contato através do olho com o seu trabalho global (sutilmente).

Fazendo sombra[4]

Quatro ou mais jogadores.

(Este exercício não deve ser realizado antes do quinto ou sexto mês de treinamento e deve ser repetido, com intervalos variáveis.)

Os grupos se subdividem. Estabelecem Onde, Quem e O Quê. O subgrupo A faz a cena e o subgrupo B faz a sua sombra. Todos devem conhecer a planta-baixa, tanto os atores quanto as sombras. As sombras fazem continuamente comentários sobre os atores.

PONTO DE CONCENTRAÇÃO: no Onde, Quem e O Quê.

EXEMPLO: Onde – dormitório. Quem – marido e mulher. O Quê – vestindo-se para sair.

Enquanto o subgrupo A faz a cena, um membro do subgrupo B faz a sombra do marido e o outro faz a sombra da mulher. As sombras devem permanecer próximas do ator e falar baixinho de forma que o outro ator e a outra sombra não possam ouvir.

"Por que ele sempre toma para si o espelho? Você está vendo as manchas marrons em seus olhos? Você vai deixar que ele use esta gravata? O quadro de sua mãe na parede está quebrado. Por quê você não a ajuda a fechar o vestido?"

4. Veja DUBLAGEM, p. 205, e VERBALIZAR O ONDE, p. 114, para material a ser usado junto com este exercício.

PONTOS DE OBSERVAÇÃO

1. As sombras não devem dirigir ou assumir a ação e sim instrumentar e intensificar a realidade física do ator discretamente, na sua condição de sombra.
2. Cuidado: este problema é bastante avançado e não deve ser dado até que os membros do grupo tenham demonstrado um certo grau de superação e compreensão em problemas anteriores.
3. As sombras podem comentar a ação interior, se quiserem. Se a cena se tornar uma telenovela, no entanto, interrompa o exercício e peça que as sombras comentem os objetos físicos do ambiente. Pode ser usado deliberadamente desta forma, quando se deseja uma cena de telenovela para um espetáculo.

AGILIDADE VERBAL

Os exercícios que seguem visam a ajudar o aluno ator a atirar as frases do diálogo de um lado para o outro como se fossem uma bola, para continuar constantemente construindo a cena. Como o ator de teatro improvisacional deve verbalizar fluentemente, os exercícios que seguem visam facilitar a agilidade verbal e o lugar do diálogo na cena.

O diálogo deve ser usado para favorecer a tensão entre os atores e não para impedi-la. A construção do diálogo caminha lado a lado com a construção *de* ação.

Jogo de arremessar luz[5]

Quatro ou mais jogadores.

Dois jogadores combinam secretamente um assunto de conversação. Começam a discutir o assunto na presença dos outros jogadores. O seu Ponto de Concentração consiste em desviar os outros da identidade do assunto que estão discutindo. Não devem fazer afirmações falsas durante a discussão.

Os outros atores não devem fazer perguntas nem adivinhar o assunto em voz alta. Mas quando um ator achar que sabe qual é o assunto, deve entrar na conversação. A qualquer momento, depois de ter entrado na conversação, ele pode ser recusado. Quando isto ocorrer, ele deve sussurrar o que acredita ser o assunto para um dos líderes da conversação. Se ele tiver adivinhado corretamente, ele continua a participar da conversação. Se ele estiver errado, ele está fora do jogo e deve tornar-se novamente observador, até adivinhar novamente e juntar-se à conversação. O ator pode entrar na conversação por algum tempo sem levantar suspeita e sem ser recusado.

5. Adaptado de *Handbook of Games*, de Neva L. Boyd (Chicago: H. T. Fitzsimons Co., 1945), p. 87.

O jogo continua até todos os atores adivinharem corretamente e entrarem na conversação ou fazerem três adivinhações erradas e estiverem fora do jogo.

Contar histórias

Use aqui o exercício descrito na p. 279.

Construir histórias

Quatro ou mais jogadores.

HISTÓRIA

O primeiro jogador inicia uma história sobre qualquer coisa que desejar. Enquanto o jogo progride, o orientador aponta diversos jogadores, que devem entrar imediatamente e continuar a história a partir do ponto em que o último jogador parou. Isto deve ser continuado até que a história termine ou até que o orientador peça para parar.

RIMA

O primeiro jogador diz uma frase, o segundo jogador acrescenta outra frase e assim por diante. Todas as frases devem rimar. O orientador pode apontar randomicamente qual jogador vai dizer a próxima frase, para acrescentar um desafio suplementar ao exercício. O jogo também pode ser realizado de forma que todo jogador que erre a rima caia fora.

CANÇÃO

A utilização da rima como um veículo para cantar foi realizada de forma fascinante em Second City, em Chicago, durante as férias de Natal, utilizando-se a forma do madrigal. Pediu-se à plateia para enunciar um objeto ou acontecimento. E este objeto ou acontecimento foi cantado, sendo que cada pessoa dizia uma frase que era retomada em coro de trá-lá-lá pelo grupo todo. A forma da cantata ou oratória pode ser também usada.

CONSTRUINDO POEMAS

Grupos de quatro ou mais.

Cada pessoa do grupo escreve o seguinte em pedaços de papel individuais: um adjetivo, um substantivo, um pronome, um verbo e um advérbio.

Os pedaços de papel são colocados em pilhas separadas, de acordo com sua classificação, e estas pilhas são misturadas. Os atores devem escolher cinco pedaços e construir um poema a partir das cinco palavras que escolheram, acrescentando preposições e outras partes do discurso, se necessário.

Quando terminarem, os grupos comparam seus poemas.

Debate em contraponto A

Dois jogadores, uma pessoa que marca o tempo e uma pessoa que marca os pontos.

Os jogadores iniciam um debate que envolve ambos, sendo que cada um desenvolve e desdobra seu próprio argumento, Devem falar simultaneamente e sem pausa. O objetivo de cada jogador é evitar que o outro interrompa sua argumentação. Os pontos devem ser contados com base nas paradas dadas por cada jogador. Perde-se pontos com hesitação, quando se fala "sim" ou "não", quando se repete frases do outro jogador, com paradas de qualquer espécie, quando se fica "driblando a bola" ou simplesmente "enrolando" em lugar de continuar a desdobrar um ponto de vista. Exemplo: marido e mulher discutindo a festa da noite anterior. Deve-se decidir o limite de tempo, de um a dois minutos.

Debate em contraponto B

Dois jogadores.

Os jogadores simultaneamente mantêm uma discussão ou debate, onde cada um mantém o seu ponto de vista.

Os pontos devem ser contados com base em quantas vezes cada um dos jogadores conseguiu fazer com que o outro captasse o seu ponto de vista.

PONTO DE CONCENTRAÇÃO: cada jogador evita captar e repetir o assunto do outro, ao mesmo tempo em que procura fazer o outro captar o teor de seu próprio ponto de vista.

Debate em contraponto C

Dois jogadores.

Neste exercício (que exige transformação do ponto de vista) os atores mantêm o seu ponto de vista, como nos debates de contraponto anteriores, mas ao mesmo tempo captam um do outro. Eles devem "explorar e intensificar" (como no exercício com este título, p. 212 aquilo que receberam. Devem falar simultaneamente. Não é necessário estabelecer limite de tempo.

INSTRUÇÕES: *Falem um com o outro! Mantenham o seu próprio ponto de vista! Vocês estão juntos!* (Ao procurar concentrar-se, alguns atores trabalham "sozinhos", o que impede a resolução do problema.) *Penetre o ponto de vista dele! Prolongue o seu próprio ponto de vista! Prolongue o ponto de vista de seu colega!*

PONTOS DE OBSERVAÇÃO

1. Da forma como está sendo usada aqui, a argumentação sé refere ao discurso ou ponto de vista, e não ao debate ou conflito. Às vezes, é

difícil fazer os alunos-atores perceberem que as pessoas podem manter pontos de vista diferentes, sem imposição ou conflito (e têm o direito de fazê-lo).

2. Os atores devem falar um *com* o outro e não um *para* o outro.
3. Como em todos os exercícios de transformação, não deve tornar-se um trabalho de associação ou inventividade, oriundos de uma visão limitada ou preconcebida de alguma coisa. Sugira que os atores evitem todas as palavras que se referem ao sujeito, seja "Eu", "Você" ou mencionando o próprio sujeito. Assim evita-se que o acordo ou desacordo do debate deslizem para o mero bate-papo. Quando eles fizerem penetração aguda dos pontos de vista um do outro e os prolongarem, os termos "Eu", "Você" e o "sujeito" são introduzidos como parte do conteúdo e não como simples "apoio". Neste momento, os atores transcendem o seu ponto de vista e um salto intuitivo acontece entre eles (veja os Pontos de Observação em USANDO* OBJETOS PARA DESENVOLVER CENAS, p. 191).
4. Se os atores não resolverem este problema, volte a ele depois de usar TRANSFORMAÇÕES DE RELACIONAMENTO (p. 245). Neste exercício a "transformação" é mais compreensível porque acontece no nível físico. É interessante notar que quando os exercícios de DEBATE EM CONTRAPONTO se realizam com sucesso, os atores fisicalizam, pois torna-se impossível permanecer simplesmente sentado e verbalizar. O ponto de vista toma conta do ator, da cabeça aos pés.
5. É interessante experimentar este exercício com atores individuais, sendo que cada ator transforma o seu próprio material. Para alunos avançados.
6. Tarefa de casa sugerida: peça que os atores escrevam uma série de transformações. Deve ficar claro que ação ou mudança só podem surgir quando se apreende e esgota cada momento presente.

Discurso que vagueia A

Dois jogadores.

Estabelecem Onde, Quem. Uma pessoa não consegue obter informação ou completar uma atividade por causa do falatório da outra pessoa, que mantém a conversação, mudando de assunto e divagando.

Inverta, de forma que ambos os atores possam fazer o papel do falador. Eles podem mudar o Onde e Quem neste momento, se quiserem.

PONTO DE CONCENTRAÇÃO: não permitir que o outro complete a atividade que deseja, por meio de um discurso aleatório.

EXEMPLOS: Quem – vendedor e freguês falador. Onde – loja. O Quê – freguês veio comprar presente de Natal para sua esposa. O freguês é o

falador. O vendedor procura vender alguma coisa, mas o freguês continua divagando.
Quem – ajudante de enfermagem falante e visitante no hospital. Onde – balcão de informações do hospital. O Quê – o visitante precisa de uma permissão para entrar no elevador. A ajudante de enfermagem usa o telefone, dá ordens aos outros etc., enquanto o visitante espera, tentando receber a permissão.

PONTOS DE OBSERVAÇÃO

1. A hostilidade não deve fazer parte deste exercício. A pessoa faladora não deve deliberadamente colocar um obstáculo. A digressão deve ser inocente, amigável.
2. Se o Ponto de Concentração for mantido, o humor será desenvolvido. O exercício é muito útil para o desenvolvimento de material de cena.

Discurso que vagueia B

Três jogadores.

Um jogador (A) está no centro. Os outros dois jogadores (B e C) estão absortos com o seu próprio pensamento e/ou atividade. Eles solicitam comentários, conselhos etc., do jogador que está no centro, ignorando totalmente um ao outro.

EXEMPLO: Onde – sala de estar. Quem – dona-de-casa, dois convidados. O Quê – fazendo visita.

O convidado B está examinando o álbum de família e fazendo comentários e perguntas para a dona-de-casa A. O convidado C está conversando sobre os problemas de um amigo mútuo.

PONTOS DE OBSERVAÇÃO

1. O ator que está no centro (A) deve ser igualmente atencioso e responder para B e C.
2. Este exercício pode ser realizado com muitos atores. Evite situações onde múltiplas situações de atenção estejam implícitas e, portanto, não são desafiadoras (como professor e alunos). Troque os papéis para permitir que cada membro do grupo seja o ator que está no centro.

CONTATO

O contato pode provocar muitas cenas altamente dramáticas. Como os atores não conseguem verbalizar tudo, eles permanecem parados e pensam. Desta forma, a separação entre expressão e pensamento começa a dissolver-se e os alunos-atores descobrem maior economia de diálogo e movimento.

Embora seja verdade que o medo de estabelecer contato físico se ligue provavelmente a problemas psicológicos, não nos compete lidar com isto. Se apresentarmos apenas problemas objetivos, que podem ser resolvidos, muitas resistências subjetivas podem ser eliminadas.

O complexo EXERCÍCIO DE CONTATO significou um ponto de mudança dramático para muitos alunos-atores. Cria uma comunicação mais próxima e relacionamento mais profundo com os colegas atores por causa da necessidade de contato físico.

No exercício de contato, a necessidade absoluta de permanecer com o Ponto de Concentração, cria uma intensidade maior de cena. Quando o aluno pensa a sua maneira no palco, a sua concentração é colocada mais diretamente em seus próprios recursos e à atividade é dada variedade infinita, na medida em que maiores nuanças sutis são trazidas para o seu trabalho.

O contato também intensifica as cenas de peças escritas e é extremamente útil para o diretor que está ensaiando uma peça formal. Ensina o aluno-ator que ele pode tomar parte da cena, mesmo que não seja o centro da ação. O aluno-ator excessivamente verborrágico é forçado a interromper o falatório ocioso para resolver o problema: se não houver contato, não há diálogo.

Exercício de contato

Dois jogadores.

Estabelecem Onde, Quem e O Quê. O aluno-ator deve fazer contato físico direto (tocar) cada vez que é introduzido um novo pensamento ou frase do diálogo. Em cada mudança do diálogo deve ser feito um contato físico diferente.

O ator que inicia o diálogo, deve fazer o contato; cada ator é responsável pelo seu próprio diálogo e contato. Apenas a comunicação não verbal (acenos com a cabeça, assobios, dar de ombros etc.) é aceita sem contato. Se o contato não puder ser feito, não deve haver diálogo. O professor-diretor diz aos alunos-atores que quando ele chamar "Contato", é porque eles usaram o diálogo, sem tocar fisicamente o outro ator. (Pode ser útil fazer uma demonstração deste exercício para os alunos-atores, antes de iniciá-lo.)

PONTO DE CONCENTRAÇÃO: estabelecer novo contato físico direto a cada novo pensamento ou frase do diálogo.

EXEMPLO: A campainha toca e João abre a porta para o seu amigo Pedro. "Olá, Pedro, que bom que você veio" (contato ao darem-se as mãos). Esta é uma frase, um pensamento inteiro. Se João quiser dizer mais, como "Entra e senta aqui", ele deve estabelecer novo contato (exemplo: ele pode colocar seu braço em torno de Pedro e conduzi-lo até a poltrona). "Que camisa bonita você está usando", diz Pedro (contato ao tocar o peito ou os ombros, não a camisa). Pedro senta-se e João vai até a mesa que está no meio do palco.

Parece que eles estão imersos em pensamentos e concentração. Existe no ar até mesmo uma vaga sugestão de alguma emoção intensa – na realidade eles estão apenas pensando em como estabelecer o próximo contato.

Pedro levanta-se da poltrona, com o livro na mão, e vai até João cutucando-o no joelho, para fazê-lo virar-se. "Me diga uma coisa, você viu esta história?" João pega o livro (isto não é contato, a não ser que as mãos se toquem). Ele folheia algumas páginas, e Pedro volta para a sua poltrona. Como pode João responder a Pedro, que está do outro lado do palco, e manter a realidade da cena? João continua a manusear as páginas do livro, enquanto trabalha com o problema de contato. Ele se entrega ao Ponto de Concentração, levanta os olhos do livro, dá um longo assobio, ri e estala a língua para comunicar sua resposta sobre o livro que João lhe deu. Não havia como estabelecer contato físico.

Atores que ainda não estão acostumados com contato, perceberão repentinamente que uma boa luta resolve todos os seus problemas o que realmente ocorre. O que não terão descoberto ao empurrar um ao outro no palco, é que o conflito intensifica qualquer situação de contato. A luta, como qualquer cena amontoada, é uma solução fácil. Os atores não devem procurar as formas mais óbvias para estabelecer contato.

INSTRUÇÕES: *Use o palco todo! Movimente-se pelo palco! Procure maior variedade de contato! Estabeleça contato! Não fale se você não encontrar forma de estabelecer contato – não é necessário falar! Mantenha o seu Ponto de Concentração!*

Este exercício pode ser variado, pedindo que cada grupo estabeleça contato duas vezes. Na primeira vez, ajudam um ao outro a estabelecer contato. Na segunda vez colocam obstáculos um ao outro. No primeiro caso (ajuda), os atores se aproximam uns dos outros, sentam-se agrupados etc. No último caso (obstáculos), os atores distanciam-se uns dos outros, encontram razões para afastar-se etc.

AVALIAÇÃO

Às perguntas regulares que envolvem a cena, algumas questões relacionadas especificamente com CONTATO podem ser acrescentadas: Você perguntou a si mesmo, «Como posso estabelecer contato»? O contato era justificado? O contato era acrescido ao diálogo? Você trabalhou com o Ponto de Concentração ou a cena foi imposta ao problema? Você se preocupou com a atividade ou com o problema? Você criou diálogo e ação?

O novo contato era estabelecido a cada novo grupo de pensamento ou frase do diálogo? O que eles poderiam ter feito para dar mais vida ao contato? O envolvimento entre os atores era maior por causa do contato?

PONTOS DE OBSERVAÇÃO

1. O contato deve ser sutil e referir-se aos relacionamentos entre os personagens, não apenas ao diálogo. Deve ser natural e espontâneo, não forçado.
2. Mantenha o problema desafiador. Faça os atores evitarem cenas onde estejam todos amontoados.
3. Permita ao aluno-ator descobrir suas próprias maneiras de estabelecer contato de formas variadas. Os dedos podem cocar o cabelo, os pés podem chutar, pode haver cotoveladas, empurrões, encontrões, abraços etc.
4. Se os alunos reclamam que não conseguem descobrir variedade para estabelecer contato, lembre a eles que existem outras formas de comunicação, além do diálogo (veja Cap. 5).
5. Não é necessário estabelecer contato se não houver diálogo, mas não permita que os atores façam uma cena completamente silenciosa, evitando assim o problema. Lembre a eles (somente se for absolutamente necessário) que podem comunicar-se cantando, rindo, chorando, tossindo – qualquer som pode ser usado, sem que seja necessário estabelecer contato.
6. Não permita que os alunos-atores planejem o contato durante a preparação da cena ("Quando eu bater nas suas costas, você...").
7. Os alunos-atores que resistem a estabelecer contato geralmente têm medo pessoal de tocar outras pessoas. Voltar atrás e fazer um trabalho intenso com os problemas anteriores de relacionamento, trabalho corporal e substância do espaço deve ajudar os alunos-atores a superar este medo. Estas resistências se evidenciam da seguinte forma:

A. Irritação geral por se ver obrigado a descobrir variedade. Eles continuarão usando as mãos e solicitando contato um do outro, em lugar de estabelecê-lo ativamente. Eles empurram os outros para longe de si, o oposto daquilo que estamos procurando atingir.

B. Procuram estabelecer contato por meio de adereços.

C. Usam apenas o contato mais acidental, socialmente restrito (batendo nas costas etc.)

8. Aqui, a tarefa de casa é de grande valor. Peça aos alunos para passarem cinco minutos por dia estabelecendo conscientemente contato com quem estiverem. Não devem dizer à pessoa o que estão fazendo. No próximo encontro do grupo dedique algum tempo para debater o que foi observado.
9. Se os alunos-atores não deixarem que o Ponto de Concentração trabalhe por eles e continuarem apressados, tentando fazer acontecer alguma coisa, cairão na invenção irrelevante, estarão dando empurrões em lugar de estabelecer contato real, e inventarão ati-

vidade inútil. Quando isto acontecer é sinal de que ainda não estão prontos para estabelecer contato. Passe para o próximo exercício, sobre o silêncio, e volte ao contato em outro momento.

10. Quando os alunos-atores conseguem tornar o contato físico uma parte integrada e orgânica da cena e não simplesmente algo "acrescido", o seu trabalho revela sutileza de relacionamento e riqueza de conteúdo.
11. Quando os atores trabalham totalmente com o Ponto de Concentração, o riso, o choro, o canto, o tossir etc., entram como usos singulares, como formas de resolver o problema. Então teremos um grupo avançado de atores competentes.
12. CONTATO é um problema excelente para observar os alunos-atores que ainda estão resistindo ao envolvimento e relacionamento.

SILÊNCIO

Nos exercícios de silêncio, o aluno-ator não deve substituir palavras subvocais ou não pronunciadas, e sim concentrar-se no silêncio em si e aprender a comunicar-se por meio dele. O silêncio verdadeiro cria abertura entre os atores e fluência de energia muito evidente, tornando possível aprofundar recursos pessoais mais profundos. Estes exercícios, realizados com grupos adiantados, muitas vezes resultam em clareza inexplicável, dentro de um nível não verbal de comunicação.

Tensão silenciosa

Dois ou mais atores (de preferência, dois).

Estabelecem Onde, Quem e O Quê. A cena é realizada. A tensão entre os atores é tão forte que eles não conseguem falar. Como resultado, não haverá diálogo durante esta cena. Onde, Quem e O Quê devem ser comunicados por meio do silêncio.

PONTO DE CONCENTRAÇÃO: um momento de envolvimento intenso com os atores colegas, onde a comunicação se faz através do silêncio.

EXEMPLOS: Dois atores. Onde – restaurante. Quem – dois namorados. O Quê – romperam seu noivado. Três atores. Onde – dormitório. Quem – velho que está morrendo, filho, nora. O Quê – o casal está esperando pela morte do velho e ele sabe disto. Quatro ou mais atores. Onde – área com minas. Quem – homem, mulher e crianças. O Quê – esperando notícias de homens desaparecidos.

AVALIAÇÃO

Eles sabiam onde estavam, quem eles eram? Eles fizeram uma cena silenciosa ou uma cena sem palavras?

PONTOS DE OBSERVAÇÃO

1. Este exercício geralmente produz cenas altamente dramáticas, pois exige contato muito próximo com os atores colegas.
2. Quando os alunos compreendem o Ponto de Concentração, este problema produz grande quantidade de contato através do olho, sendo por isso útil para alunos que ainda estão "se escondendo".
3. Às vezes é bom dizer "Dar e Tomar" durante este exercício.
4. Tome cuidado para não dar este exercício muito cedo.
5. Muitas vezes, estas cenas terminam com um único grito, uma risada ou algum som. Não diga isto aos alunos. Se eles resolverem o problema, surgirá espontaneamente. Se um ator disser "Eu queria gritar, mas pensava que você queria que o fizéssemos", ele não está trabalhando com o problema e sim procurando a aprovação do professor.

Os exercícios NÃO MOVIMENTO, que seguem, oferecem outras formas de interromper atividade cerebral compulsiva, expressa por meio de perguntas e verbalização, que não permitem aos atores estabelecer contato e relacionamento. Não Movimento é o estático, usado dinamicamente, para salientar cenas e aumentar a tensão no palco. É uma maneira de comunicar processo e suspense, tanto para os atores como para a plateia. É a preocupação que mantém o conteúdo energético da cena.

Deve ser precedido de um aquecimento com SUBSTÂNCIA DO ESPAÇO (p. 73), atendo-se em particular ao Aquecimento sem Movimento. Desta forma, os alunos saberão que todo movimento necessário surge quando eles se concentram no Não Movimento.

Não movimento n. 1

Dois jogadores.

Os jogadores estabelecem um ambiente imediato, como restaurante, carro, cama etc., e combinam o Quem, de forma que o relacionamento entre eles exista em duas áreas: aquela sobre o palco, onde os encontramos e vemos, e uma outra, sobre a qual nós (a plateia), nada sabemos; o O Quê, ou ocupação no palco, também é panejado. Eles trabalham como sempre, usando diálogo, e quando a ação progride, usam NÃO MOVIMENTO, para acentuar a comunicação e revelar o relacionamento. A plateia deve conhecer tudo a seu respeito por meio desta comunicação não verbal.

PONTO DE CONCENTRAÇÃO: os atores devem enviar uma mensagem de Não Movimento ao seu organismo total, como em QUE IDADE TENHO? REPETIÇÃO e EXCURSÕES AO INTUITIVO.

PONTOS DE OBSERVAÇÃO

1. Não Movimento não significa congelar. O objetivo é criar uma área de repouso, ou de não pensamento, entre as pessoas, exatamente no momento em que elas estão ocupadas com o diálogo e a atividade no palco. Se for realizado corretamente, a energia explode por esta área de repouso ou de não pensamento e se expressa por meio do uso singular de adereços, diálogo, intensifica relacionamentos de personagens e gera tensões crescentes na cena.

2. Alguns atores acham as palavras "silêncio", ou "calma", ou "espera", mais eficazes para atingir o sentimento físico necessário para o exercício.

3. Como o objetivo do exercício é parar o pensamento conceitual e a verbalização de relacionamento, evite explicá-lo demasiadamente. Seus atores, que neste momento já devem ter feito O QUE ESTÁ ALÉM e, em alguns casos, PREOCUPAÇÃO, vão saber como resolvê-lo. Foi feito um experimento, usando este exercício com um grupo que tinha pouca ou nenhuma experiência de teatro, e que tinha feito apenas seis sessões de oficina de trabalho. Havia sido dado para eles trabalho intenso sobre todos os aspectos de SUBSTÂNCIA DO ESPAÇO, e trabalho repetido com O QUE FAÇO PARA VIVER? REPETIÇÃO, QUE IDADE TENHO? REPETIÇÃO e exercício de espelho N. 3. Pediu-se simplesmente para pensarem em Não Movimento, ou Repouso. O resultado foi surpreendente. Os objetos do ambiente imediato adquiriram vida até o mínimo detalhe, fosse para alcançar o cinzeiro e deixar cair a cinza, ou para juntar as migalhas da toalha de mesa. Houve trechos de improvisação verdadeira, o que é raro neste primeiro momento do treinamento. Havia muita animação e o ambiente era estimulante na oficina de trabalho. No início, os atores acharam difícil olhar um para o outro, havia muito riso reprimido. Neste caso, no entanto, era mais timidez do que afastamento, pois o contato e o reconhecimento tinham sido estabelecidos entre eles. É interessante observar que quando este problema foi realizado com atores profissionais de improvisação, a sua "timidez" também era evidente.

4. Não Movimento não significa sustar ou inibir a emoção ou verbalização, nem é um mecanismo de censura. Isto tornaria a cena toda uma cena de "representação". Ao manter ocupação completa no palco, a preocupação de Não Movimento desdobra a cena passo a passo. Os atores estão caminhando à beira de um penhasco, e tanto a plateia quanto os atores envolvem-se intensamente com o problema. Este elemento de suspense deve existir em todos os problemas bipolares.

Não movimento n. 2

Um jogador.

Estabelecer Onde, Quem e O Quê. O ator está a ponto de tomar uma decisão.

PONTO DE CONCENTRAÇÃO: Não movimento sobre o que o ator está pensando ou decidindo.

Não movimento n. 3

Dois jogadores.

Estabelecem Onde, Quem e O Quê. Devem usar um ambiente geral. Realizam a cena normalmente.

PONTO DE CONCENTRAÇÃO: Não movimento, para intensificar o relacionamento.

Não movimento n. 4

Grupo grande de jogadores.

Estabelecem Onde, Quem e O Quê.

PONTO DE CONCENTRAÇÃO: Não movimento, para intensificar o relacionamento, como em NÃO MOVIMENTO N. 3.

Excursões ao intuitivo

Um experimento de tensão dramática, sem usar o conteúdo.

Os alunos permanecem sentados em cadeiras. Instrua-os para sentarem como se suas pernas fossem um prolongamento das nádegas. Isto vai fazer a espinha tornar-se uma linha reta, relaxada. As costas devem ficar livres de tensões, e as mãos devem descansar sobre as coxas. Todos devem concentrar-se no som levemente sibilhante da expiração[6]. Com os olhos abertos, eles permanecem sentados, olhando para o palco. Não devem forçar nada, e não pensar em nada. Quando alguém sentir necessidade de subir ao palco e fazer alguma coisa, deve ir.

PONTO DE CONCENTRAÇÃO: no som sibilante que sai do fundo da garganta.

INSTRUÇÕES: *Relaxe suas costas! Concentre-se na expiração! Olhe para o palco! Confie em você mesmo! Pare de pensar no que vai fazer!*

6. "Na fase de expiração reside a renovação do vigor por meio de alguma forma de relaxamento muscular" (*The Thinking Body*, p. 261).

EXEMPLO: o ator A vai para o palco, caminha por ele, olha por sobre a borda, como se fosse muito alta. Ele agarra uma cadeira, sobe em cima dela. O ator B vai até ele e diz "Torna um cigarro" o ator A para e olha para ele "Obrigado". O ator B acena ao ir embora; o ator C entra e anda lentamente de um lado para o outro, como se estivesse em profunda meditação. O ator faz o espelho dele etc.

PONTOS DE OBSERVAÇÃO

1. Este exercício pode ser extremamente interessante com um grupo avançado, pois invariavelmente leva a um tipo de cena de vanguarda. Muitas vezes tem pouco diálogo quando a cena, plena de tensões, adquire vida.
2. Deixe claro que os alunos não devem pensar em nada exato, nem devem "fazer alguma coisa", simplesmente por fazer.
3. Depois de realizar uma cena, é interessante ler algo que tenha encadeamento exato, ou uma história, e acrescentar à atividade acidental, que aconteceu no palco. Repita a cena com a "história".
4. QUE IDADE TENHO? REPETIÇÃO, e exercícios similares, são passos que antecedem este.
5. Este exercício não deve ser usado, até que os alunos-atores constituam um Grupo e portanto não se sintam "ridículos" (expostos).

Silêncio antes de cenas

Se os alunos estiverem ansiosos, apressados, superativos, entrarem em cena sem pensar, peça para sentarem calmamente no palco antes de iniciar. Devem concentrar-se na expiração, apagar todas as imagens, e permanecer sentados o tempo que for necessário. A ação vai iniciar quando um dos alunos levantar e começá-la.

8. Dicção, Rádio e Efeitos Técnicos

DICÇÃO

Os alunos não devem ficar demasiado conscientes das variações de sua dicção. Ao enfrentarem sozinhos seus problemas de palco, sua dicção será limpada organicamente, e esta clareza irá sendo transposta para os seus padrões cotidianos de dicção. Citando Marguerite Hermann, coautora, com seu marido Lewis, de manuais sobre dialeto, "A não ser que um aluno tenha problemas básicos de dicção, não se deve forçar mudanças na pronúncia". Necessárias são apenas "limpeza" e "revigoramento".

Exercício de gritar

Dois ou mais jogadores.

Estabelecem Onde, Quem e O Quê.

O Onde deve ser um ambiente no qual os atores precisem necessariamente chamar um ao outro a longa distância.

EXEMPLO: Onde – caverna. Quem – guia e turista. O Quê – turistas estão separados do guia. Onde – topo da montanha. Quem – escaladores de montanha. O Quê – os escaladores, ligados por uma longa corda, estão escalando uma montanha.

PONTO DE CONCENTRAÇÃO: manter contatos vocais a longas distâncias.

AVALIAÇÃO

O contato vocal era realista dentro da situação?

PONTO DE OBSERVAÇÃO

Atente para que os alunos deem realidade à distância, por meio do uso da voz.

Sussurro no palco

Realize este exercício da mesma forma que o EXERCÍCIO DE GRITAR, sendo que desta vez os atores combinam um Onde no qual sejam forçados a sussurrar um para o outro, como, por exemplo, em uma sala de aula, escondendo-se de alguém etc.

AVALIAÇÃO

Eles falaram baixo ou sussurraram?
Os atores compartilham o sussurro no palco com a plateia?

PONTO DE OBSERVAÇÃO

Use este exercício no momento em que ocorrer sussurro durante a oficina de trabalho, e não se conseguir ouvir os atores. Daí para a frente, é suficiente o professor-diretor dar a instrução "Sussurro no palco!", para que os atores respondam.

Leitura coral

Dois grandes grupos. (Este exercício deve ser dado depois que os alunos tenham recebido uma introdução elementar à leitura coral.)

Estabelecem Onde, Quem e O Quê. Divida a oficina de trabalho em dois grandes grupos. Dentro dos grupos, cada ator escolhe um parceiro, e uma pessoa deve ser o "condutor" do grupo coral. O grupo permanece sentado ou em pé no palco, à direita e à esquerda, ou sobre rampas, se for possível. Dois atores fazem a cena, sendo que o grupo coral fornece a música de fundo, efeitos de som etc.

PONTO DE CONCENTRAÇÃO: o grupo coral deve prestar atenção para as deixas de seu condutor.

PONTO DE OBSERVAÇÃO

Útil para apresentações públicas.

Coro grego

Dois grupos grandes. (Este exercício é usado principalmente com atores muito jovens.)

A mesma estrutura de LEITURA CORAL. Escolha um jogo infantil e peça que o grupo cante os versos, enquanto os atores os interpretam. O coro também pode fazer efeitos técnicos, como vento, pássaros etc.

EXEMPLOS: Passa passa Gavião. Senhora Dona Santa*.

PONTO DE OBSERVAÇÃO

Útil para apresentações públicas. Variação do exercício: Monte a estrutura da maneira usual, usando um Coro Grego para sublinhar (por meio do canto) a ação no palco – semelhante a FAZENDO SOMBRAS e CONTANDO HISTÓRIAS.

Duas cenas

Repita DUAS CENAS, p. 144. Excelente para desenvolver clareza e projeção de voz.

Exercício de sussurrar-gritar

Dois ou mais jogadores.

Estabelecem Onde, Quem e O Quê. Os atores realizam a mesma cena três vezes. Na primeira vez, *sussurram-*, na segunda vez, *gritam* e, na terceira, falam com voz normal. Pode-se fazer uma variação, pedindo ao grupo para escolher um ambiente onde sussurrar, gritar e pronúncia normal possam ser integrados na mesma cena.

PONTO DE CONCENTRAÇÃO: garganta relaxada.

EXEMPLO: Onde – cela de prisão. Quem – prisioneiros. O Quê – planejando fugir. Esta cena dava possibilidade a todos os três registros de voz, e resultou numa apresentação.

AVALIAÇÃO

Siga as frases usuais de avaliação. Inclua a pergunta: A voz era mais clara antes ou depois de sussurrar-gritar?

PONTOS DE OBSERVAÇÃO

1. A necessidade de ser ouvido nas sequências de sussurro ajudam os alunos-atores a perceber que o corpo todo é envolvido pela voz. Se ele sussurrar corretamente sua voz será projetada e livre de sons guturais. O professor deve ouvir cuidadosamente e observar gargantas tensas – estas tensões significam que o problema ainda não foi resolvido.
2. Para gritar com a garganta relaxada, o aluno-ator terá que manter os tons cheios, redondos e extensos. Em lugar de um "Olá, como está?" cortado, o resultado geralmente é "Ooooooláááááá, cooooomooooo eeestáááááá". Se ele apenas gritar, estará usando tensão na garganta, e não terá resolvido o problema.

* A autora cita aqui jogos infantis americanos, que na tradução foram substituídos por jogos brasileiros. (N. da T.)

3. Quando os atores fizerem a terceira cena, usando a dicção normal, peça que a plateia ouça atenciosamente, para determinar se os membros do grupo estão mantendo a garganta relaxada.
4. As três cenas não devem levar mais de quinze minutos. Para assegurá-lo dê avisos de tempo.

RÁDIO E TV

O objetivo dos exercícios de rádio e televisão não é treinar o ator especificamente para o rádio ou a televisão, e sim focalizar sua energia dentro das limitações de um mídia. Recomenda-se que a oficina de trabalho de rádio seja realizada pelo menos uma vez por mês. Não deve ser iniciada até que os alunos tenham realizado improvisações suficientes para usar o Ponto de Concentração da forma que o problema de atuação exige.

O ator trabalha aqui com o problema de mostrar para a plateia, apenas por meio da voz. Deve ser capaz de selecionar aquilo que permita a plateia ver a história "apenas com seus ouvidos".

Nos exercícios de rádio, as cenas acontecem atrás da cortina, já que estamos interessados apenas nas vozes. O Ponto de Concentração é mostrar Onde e Quem apenas por meio da voz e do som, sem usar muitas palavras. Cada improvisação deve ter um ou dois técnicos de som que apenas abrem e fecham portas, arrastam cadeiras, tocam sinos, fazem uivar o vento etc., os efeitos de som não devem ser planejados, nem tampouco o diálogo.

No teatro formal, às vezes é bom usar a técnica do microfone para limpar um problema de voz do personagem. Isto dá foco ao problema, sem lhe dar atenção crítica indevida.

Entre os materiais úteis para os exercícios de rádio estão um gravador e uma cortina, para separar os atores da visão da plateia. Recomenda-se equipar uma mesa de som com campainhas, cigarras*, uma pequena máquina de vento, uma caixa de chuva, uma porta, uma caixa de vidro quebrado, um prato para tocar discos, alguns discos, jornal, giz, lousa etc.

Como trabalho preliminar deve-se fazer um breve debate sobre o rádio, para que os alunos conscientizem o que vão fazer. O problema de mostrar e não contar por meio deste mídia é bastante desafiador.

Quando você ouve rádio, o quê acontece? A resposta vai surgir por acaso: "O ouvinte vê a história".

Então, quando você faz uma improvisação para rádio, o que está tentando fazer? "Permitir que o público veja a história em sua mente."

Como podemos mostrar que estamos numa sala de aula, usando apenas o som e a voz, sem contar para o público onde estamos? "Usando objetos físicos diante do microfone."

* "Cigarra" tem aqui o significado de "campainha elétrica que produz som surdo". (N. da T.)

Dê alguns exemplos de objetos físicos que fazem sons apropriados a uma sala de aula. "O giz pode chiar no quadro-negro... alguns atores podem utilizar o apontador de lápis... as carteiras podem ser empurradas, quando tocar o sinal do lanche..."

Quanto aos problemas de relacionamentos, que também aparecem nas cenas de rádio: *Como podemos mostrar uma mãe e um filho?* "O filho poderia falar/Olá, mamãe. Já voltei do supermercado. Posso sair para brincar agora?5"

Pode-se propor este tipo de debate durante as sessões do Onde, que irão estimular os atores a encontrar, por si mesmos, muitos sons especialmente pertinentes a uma sala de aula, uma cozinha, ou uma sala de estar.

Primeiro exercício de rádio

Três ou mais atores.

Combinam Quem. Cada ator faz uma lista das características que quiser transmitir: idade, peso, temperamento, cor etc. Os membros da plateia devem fazer suas próprias listas das características dos personagens enquanto a ação se desenvolve. Quando a cena termina, as listas são comparadas.

PONTO DE CONCENTRAÇÃO: mostrar Quem. Através do mesmo procedimento, mas com um mínimo de som e diálogo, o Ponto de Concentração pode ser modificado: mostrar Onde.

EXEMPLO: Onde – uma escola de interior. Quem – a professora e sua classe, a professora tem mais ou menos quarenta e cinco anos, e detesta ensinar. Um garoto do quarto ano é "atrasado". Depois do inevitável comercial, o programa inicia:
Professora: Três vezes três é igual a?
Classe: (em uníssono) Nove.
Professora: Três vezes quatro é igual a?
Classe: Doze.
Professora: Três vezes cinco é igual a?
Classe: Quinze.
Professora: Você não abriu a boca, João. Você sabia a resposta ou não? Fale alto.
João: Não senhora.
Professora: Faça o favor de levantar e escrever todas as respostas que a classe está dizendo.
Som: O técnico de som arrasta a cadeira e deixa pronto o giz no quadro-negro.
Professora: Novamente... onde estávamos? Ah, sim. Três vezes seis é igual a?
Classe: Dezoito.
Som: Giz no quadro-negro.

Professora: Isto é um oito mal escrito e ridículo. Três vezes sete?
Classe: Vinte e um.
Som: Giz no quadro-negro.
Professora: João! O que você tem no bolso?
Som: O técnico de som faz uma voz fina como um pintinho.
Classe: Risada.
Professora: João! Eu perguntei o que você tem no bolso!
Som: O técnico de som faz uma voz fina como um pintinho.
Classe: Mais risada.

AVALIAÇÃO

Após a improvisação, a plateia compara suas impressões sobre cada personagem, para ver até que ponto coincidem com as listas dos atores.

Que idade tinha a professora? Qual era a sua aparência? Quantos alunos havia na classe? Que idade tinham? Era uma escola da cidade ou do interior? Como ficamos sabendo?

Eles mostraram Onde e Quem apenas com a voz e o som? Muitas vezes algumas coisas são mostradas e outras contadas. Como eles poderiam ter deixado claro este ponto, sem contar?

PONTOS DE OBSERVAÇÃO

1. Evite o narrador onipotente. Quando os alunos resolvem Onde e Quem, não necessitam dele.
2. Os problemas de atuação, JOGO DE PALAVRAS e CENA COM TEMAS, também podem ser usadas para improvisações com rádio, mas os problemas de Onde e Quem manterão o grupo ocupado por mais tempo.

Improvisações com animais

Veja PERSONAGEM, p. 236

As improvisações com animais, usadas na construção de personagens, também podem ajudar a dicção. Um garoto que tinha uma voz alta e fina recebeu a imagem animal de um hipopótamo, para ajudá-lo a desenvolver um personagem. Ao trabalhar esta visualização em cena, foi capaz de baixar sua voz consideravelmente.

INTRODUÇÃO DE CRIANÇAS AO RÁDIO

As crianças de sete a nove anos gostam de trabalhar com rádio (usando gravador) e ouvir sua gravação. Esta é a melhor forma de trabalhar a dicção de crianças pequenas. Como é necessário falar claro, para compartilhar com a plateia, elas aprendem a apurar a dicção. O exercício do tipo "Homem na rua" introduz esta faixa etária aos exercícios de rádio, permitindo que mesmo a criança mais tímida fale e ouça sua voz gravada.

Homem na rua A

O "homem na rua", em todos esses exercícios, deve ser um assistente do professor, pois tem mais habilidade do que outra criança para estabelecer conversação com os mais tímidos.

Entrevistador: "Olá... olá... e quem é você menina?" A criança dá seu nome e endereço etc.

Homem na rua B

Depois da entrevista inicial sobre nome e endereço o assistente pode sugerir outros personagens, e os estudantes respondem.

Entrevistador: "Muito bem... aí vem um senhor de idade. Olá, senhor de idade."

Homem na rua C

Agora o entrevistador sugere imagens animais, que as crianças devem assumir ao falar.

Entrevistador: "Olá... aí vem um gatinho. Olá, gatinho. Como vai?"
"Miaaauuu, miauuuu... estou bem."

Muitas crianças vão responder, inicialmente, desta forma estereotipada. Sugira que falem com o som do animal real em mente. Peça que se lembre do ritmo da dicção do animal – isto é, o cachorro fazia um som *staccato*; a vaca, um som longo e pesado etc.

Como variação, peça que a criança sugira o animal, por meio da alteração da dicção. O entrevistador deve adivinhar qual animal está entrevistando.

Entrevistador: "Muito bem, aqui vem vindo alguém. Como está?"
Criança: "Eeeeeuuuu voooouuuu beeemmmm."

Quando o entrevistador não consegue identificar o animal, a criança é forçada a tornar sua dicção mais clara. É interessante observar o rápido desenvolvimento da dicção e dos usos de tons de voz dos alunos jovens, quando este exercício é dado.

Exercício de televisão

Quatro ou mais atores. (Um diretor, um operador de câmera e um ator.)

O diretor distribui o elenco e dá a cena a ser realizada. Deve haver um Onde definido; a cena deve ser simples, (talvez parte de uma cena maior) e ela não deve durar mais de três ou quatro minutos.

A câmera de filmar pode ser simulada com um refletor grande de teatro, colocado sobre rodas, uma lâmpada com um cordão longo, ou mesmo uma lanterna. Importante é que a luz possa ser acendida e apagada. Microfones e fones de ouvido podem ser facilmente imitados, com pilhas e arames. Não são indispensáveis, embora ajudem a tornar o exercício mais divertido.

O operador de câmera acompanha a cena com a luz, entrando para dar *doses*, saindo para fazer planos gerais etc. A plateia só poderá dizer quais tomadas foram feitas, a partir do lugar onde a luz reincidir. A luz é o olho do operador de câmera – a foto que que está sendo tomada.

Os atores fazem um ensaio rápido, sem câmera. O diretor faz algumas mudanças aqui e ali. O operador de câmera pode entrar e sair, para aquecimento. Quando a câmera estiver ligada, eles estão no ar.

EXEMPLO: Cena de sala de jantar. A família está jantando. A menina não quer comer espinafre. Os pais suplicam, adulam, ameaçam. Finalmente, ela come o espinafre. Final da cena.

AVALIAÇÃO

Os atores receberam a direção do diretor? Discuta isto exaustivamente. Todos terão oportunidade para serem diretores, e logo compreenderão a necessidade de obedecer à direção no teatro. Os atores mais jovens são facilmente conduzíveis durante o ensaio de uma peça, depois de terem sido "Diretores".

O operador de câmera escolheu as tomadas mais interessantes? Primeiro, pergunte ao operador de câmera e, depois, aos alunos. Em que momentos o operador de câmera poderia ter realizado tomadas mais interessantes? Ou mais claras? Como?

PONTO DE OBSERVAÇÃO

Antes de iniciar o exercício, deve-se fazer uma rápida discussão sobre as tomadas de câmera básicas (plano geral, plano médio, *dose*).

EFEITOS TÉCNICOS

É muito importante que todos os alunos aprendam a improvisar, usando os efeitos técnicos do teatro.

Nas sessões iniciais da oficina de trabalho, o professor deve fazer uma demonstração do funcionamento dos equipamentos de luz e som, com ênfase especial sobre os efeitos e atmosferas resultantes. Os alunos devem se alternar na manipulação do equipamento e produção de efeitos, até que estejam familiarizados.

Quando tiverem uma compreensão básica, designe uma equipe técnica entre os membros de cada grupo, solicitando que improvisem os efeitos de luz e som que a cena solicitar. Ou cada grupo escolhe um ou dois de seus membros, para manipular luz e som.

No teatro improvisacional, a necessidade de usar habilidade técnica nas improvisações, é evidente. Luzes, som, música e diálogo devem tornar-se parte orgânica da cena que está sendo desenvolvida. Esta seleção espontânea de efeitos e sua colocação na cena, enquanto se realiza a improvisação, dá aos alunos-atores maior vigilância e sensibilidade para o que está acontecendo. Como no exercício ENVIANDO ALGUÉM PARA O PALCO, os atores que estão no palco devem responder e atuar sobre cada novo elemento introduzido em cena.

Integração da atividade no palco e atrás do palco A

Dois ou mais atores no palco. Dois ou mais atores atrás do palco.

Estabelecem Onde, Quem e O Quê. Onde deve oferecer muitas oportunidades para efeitos (floresta, deserto, casa, fazenda etc.).

Os atores que estão no palco devem fazer a cena e dar deixas de efeitos para os atores que estão atrás do palco ("Está ficando escuro lá fora... você acha que vai haver uma tempestade? É hora de o galo cantar..."), por meio de frases ou de fisicali-zação. Inverta os grupos.

PONTO DE CONCENTRAÇÃO: integrar a ação no palco com efeitos técnicos apropriados.

PONTOS DE OBSERVAÇÃO

1. Este exercício pode ser realizado com crianças de cinco anos. Se os efeitos de som forem facilmente manipuláveis e houver um equipamento de luz simples, qualquer criança pode realizar tecnicamente as deixas dadas.
2. Este exercício tem grande valor para a maturação do ator muito jovem que, repentinamente, se vê manipulando o efeito de uma cena, ao responder às necessidades que os outros estão sentindo.
3. Muitos outros problemas de atuação podem ser adaptados ou desenvolvidos, com este objetivo em mente.

Integração da atividade no palco e atrás do palco B

O mesmo que A, exceto que, neste exercício, a equipe que está atrás do palco inicia os efeitos de luz e som, e os atores no palco devem improvisar em torno destes efeitos.

PONTO DE CONCENTRAÇÃO: os atores devem realizar a cena, de acordo com os efeitos técnicos fornecidos pela equipe que está atrás do palco.

Criar atmosferas no palco

Três ou mais atores no palco. Dois ou mais atores lia equipe atrás do palco.

Diversos Ondes são escritos em pedaços de papel. O grupo escolhe um pedaço de papel e deve criar a atmosfera deste Onde, Os atores combinam Quem e O Quê, ou simplesmente entram em cena, deixando que Quem e O Quê surjam a partir dos efeitos.

A cena inicia, sendo que a equipe que está atrás do palco fornece efeitos de som e luz para criar a atmosfera, e os atores no palco incorporam a atmosfera.

Uma vez que a atmosfera tenha sido atingida, a cena pode ser interrompida ou continuada, segundo a vontade do diretor.

PONTO DE CONCENTRAÇÃO: criar a atmosfera do Onde, por meio de efeitos técnicos e respostas dos atores no palco.

AVALIAÇÃO

Os efeitos de som e luz eram adequados à atmosfera escolhida? Os atores no palco incorporaram a atmosfera, ou se distraíram?

PONTOS DE OBSERVAÇÃO

1. Este exercício mostra rapidamente quais atores são capazes de deixar que os efeitos os atinjam, sem manipulá-los.
2. Este exercício é parecido com ONDE ABSTRATO (p. 127) e pode ser usado conjuntamente com ele. Como em EXCURSÕES AO INTUITIVO, pode-se montar uma cena com iluminação e adereços, acrescentando mais tarde o conteúdo da história.

Efeitos de sons vocais

Dois ou mais atores.

Estabelecem Onde, Quem e O Quê. Os atores são escondidos da visão da plateia. Usam microfone.

O Onde deve ser criado apenas por meio de efeitos de som. Os sons não devem ser produzidos mecanicamente, e sim vocalmente, pelos atores – isto é, pássaros, vento, sirenes, campainhas etc., devem ser produzidos apenas por meio de vocalização.

PONTO DE CONCENTRAÇÃO: produzir vocalmente sons, que são geralmente obtidos por meio de gravação.

AVALIAÇÃO

Os sons vocais foram tão efetivos quanto os sons gravados?

PONTOS DE OBSERVAÇÃO

1. Os atores devem trabalhar com o som da mesma forma como trabalhariam com outros atores.

2. Quase sempre um ou mais alunos terão muito prazer com este exercício e desenvolverão tão bem habilidades e efeitos de som, que tornam desnecessários ou auxílios mecânicos.
3. Como tarefa de casa, peça para os alunos ouvirem os sons à sua volta e procurar reproduzi-los.
4. Alguns exemplos nos quais o som é inerente são estações de trem, selva e porto. O uso de material que possa ser facilmente adquirido, para criar efeitos de som, também pode ser sugerido. A palha pode ser agitada na água, o celofane pode crepitar, lápis podem ser batidos contra copos vazios etc.

9. Desenvolvimento Material para Situações

Os exercícios deste capítulo pretendem ampliar a descoberta de material de cena. Depois de algumas experiências com o JOGO DE PALAVRAS (abaixo), por exemplo, as ideias devem brotar literalmente, fazendo o aluno transcender a órbita do cotidiano. Aqueles que estiverem preocupados com o teatro em comunidades ou interessados em desenvolver material em torno de determinado acontecimento, descobrirão que o JOGO DE PALAVRAS é particularmente de grande utilidade[1].

Para serem efetivos, estes exercícios devem ser complementados com iluminação, música, material de cena, som e figurinos. Em resumo, toda a técnica do teatro deve ser utilizada.

Embora estes exercícios sejam especificamente úteis para lidar com material para desenvolver situações – e possam ser usados para apresentações, – muitos exercícios deste manual podem realizar este objetivo. Se o Ponto de Concentração for compreendido pelos alunos-atores e o foco for mantido sobre o problema (objeto) que o Ponto de Concentração apresenta, qualquer pessoa pode desenvolver cenas.

Jogo de palavras A[2]

Dois ou mais grupos.

Cada grupo seleciona uma palavra e a divide em sílabas. Desenham plantas-baixas e estabelecem Onde, Quem e O Quê para cada

1. Veja Desenvolvimento Cenas para Teatro Improvisacional, Cap. 16.

2. O JOGO DE PALAVRAS deve ser introduzido na oficina de trabalho depois da décima segunda ou décima terceira sessão do Onde.

sílaba. Cada grupo distribui os personagens para as situações e seleciona a equipe que trabalha nas coxias.

O grupo então atua as sílabas das palavras. Em nenhum momento devem mencionar verbalmente a palavra (ou sílaba) que está sendo atuada. Devem esforçar-se para ocultar a sílaba (e consequentemente a palavra) durante a ação no palco.

PONTO DE CONCENTRAÇÃO: ocultar a palavra escolhida durante a realização das cenas.

EXEMPLO*: Tomemos a palavra ÁRVORE, que podemos dividir em ÁR-VO-RE. O que podemos fazer com a sílaba AR? Podemos estabelecer que o Onde se passa em um balão. Se houver quatro ou cinco pessoas no grupo, será que é interessante que todos estejam dentro do balão? Quais são as possibilidades de Quem e O Quê?

Isto pode levar os alunos a um debate sobre uma situação na qual o balão será, por exemplo, atingido pelas intempéries da natureza. Ao lembrar aos alunos que eles não precisam levar em conta a pronúncia exata da sílaba, pensando apenas no sentido que ela sugere a partir do som, alguém pode sugerir uma cena a partir de VOO para a segunda sílaba. Qualquer uma destas sugestões pode criar uma cena completa.

Ajude os grupos a perceber as implicações cênicas de cada sílaba. O "voo" pode acontecer em uma floresta à noite, com personagens que vão desde um corvo ou uma coruja até uma bruxa. Pode haver um encantamento que a bruxa está preparando contra um inimigo. Ou talvez o "voo" seja um avião que passa sobre uma floresta e assusta uma tribo primitiva que nunca viu nada semelhante. Toda ação que ajudar a disfarçar a sílaba e tornar mais difícil a adivinhação da plateia, deve ser encorajada.

O que podemos fazer com RE? O que associamos com RE? A sílaba pode sugerir a escala musical, ou pode ser referida à «marcha-a-ré» ou ainda ter o significado de algo que é realizado pela segunda vez. De que forma isto poderia ser desenvolvido em uma cena completa, com Onde, Quem e O Quê?

AVALIAÇÃO

Antes de Avaliação dos aspectos teatrais da cena, deixe a plateia de alunos adivinhar a palavra. É recomendável que o professor-diretor conheça antecipadamente a palavra para que o período de adivinhação possa ser abreviado.

Eles solucionaram o problema? As sílabas estavam ocultas? Eles conseguiram colocar na cena uma distração maior que ocultasse a palavra?

A seleção dos adereços de figurino fez com que os personagens adquirissem foco bem definido? Eles poderiam ter usado mais as luzes e os sons?

* Este Jogo e o "Jogo de Palavras 3" foram recriados visto que a língua portuguesa tem uma articulação diferente da inglesa. (N. da T.)

Jogo de Palavras B

Dois ou mais grupos.

Este exercício geralmente produz muito material satírico. O grupo seleciona uma palavra, da mesma forma que no JOGO DE PALAVRAS A. Em lugar de dar-lhes rédea solta para criar suas cenas, o professor-diretor fornece temas específicos, sobre os quais devem basear-se as cenas. Os temas podem ser, como segue:

1. religioso
2. político
3. sociológico
4. científico
5. histórico
6. fantasia
7. acontecimentos atuais
8. *blackout*
9. automação
10. transformação
11. educacional
12. problemas específicos da comunidade ou escola
13. palhaçadas

Não é necessário determinar que os grupos trabalhem com um tema para cada sílaba. No entanto, se os grupos quiserem trabalhar com mais de um tema por sílaba, podem desenvolver grande seletividade, ao procurar encontrar material para cinco ou seis situações diferentes.

O Onde, Quem e O Quê são estabelecidos, a equipe técnica é escolhida, os figurinos são selecionados. E os jogos se iniciam.

EXEMPLO: Suponhamos que o grupo escolha a palavra CARROSSEL. Para os seus propósitos, ela é dividida em duas partes: CARROSSEL. Os atores devem criar uma cena em torno da primeira sílaba, CARRO, usando um dos temas acima mencionados.

Uma cena religiosa, usando o termo CARRO, poderia retratar a importância do carro nos desfiles alegóricos. Ou uma cena sociológica, mostrando as diferenças sociais em relação aos indivíduos que possuem e aqueles que não possuem o carro. Ou ainda uma cena histórica pode ser realizada, desfilando a evolução do carro e suas funções. As possibilidades são infinitas.

A segunda sílaba SSEL, pode ser transformada em CÉU, por exemplo, e manipulada da mesma forma. Tema político: o significado que o termo "céu" tem para o João da Silva, que mora no interior do Nordeste; tema científico: um pesquisador descobre qual é a composição verdadeira do céu; tema da transformação: aquele que vai para o céu após a morte e o que lhe acontece.

PONTOS DE OBSERVAÇÃO

1. Explique para os grupos que eles podem usar o sentido sonoro da palavra em lugar da pronúncia real. (Exemplo: a palavra VIVACIDADE pode ser usada como VIVA-CI-DADE, ou como VIVAZ-IDADE. Ou, fazendo uso de maior licença poética, podemos usar a palavra SAPIÊNCIA como SAPO-CIÊNCIA.) Como todos estão

à busca de fantasia e voos, deve ser dada a maior liberdade possível com as palavras, desde que elas não seja totalmente distorcidas.

2. Peça à plateia de alunos para sugerir outras situações em torno das sílabas e palavras encenadas. Leve-os a fazer sugestões de ideias com possibilidades transcendentes. O aluno-ator deve aprender que ele pode fazer o que bem entender com a realidade teatral. Quando existe consenso de grupo, a cena pode acontecer na porta do céu ou nas entranhas da terra. Traga adereços e figurinos inócuos.
3. Palavras de duas sílabas são mais adequadas em uma situação de sala de aula do que palavras de três sílabas, por causa do limite de tempo. O JOGO DE PALAVRAS toma mais tempo para preparação do que os outros problemas de atuação. As indicações das palavras e temas podem ser dadas com antecedência para que os alunos possam estabelecer o Onde, Quem e O Quê, antes de chegar na classe. Mas deve-se tomar cuidado para eles não planejarem o Como.
4. Este exercício foi desenvolvido em apresentações e divertiu muito o público. É particularmente útil em situações como acampamentos de férias, onde o fator tempo não permite formar oficinas de trabalho e fazer apresentações mais formais. Nestes casos, os cursos de artes plásticas e artes industriais podem auxiliar, construindo adereços etc.
5. Verificou-se que o JOGO DE PALAVRAS não é adequado para crianças abaixo de nove anos de idade. O significado das palavras ainda é por demais literal e conotativo para ser usado com sentido abstrato.
6. Quando duas ou três cenas são realizadas ao mesmo tempo, como aqui, a fraqueza e a força dos atores se evidencia, da mesma forma como ocorre no ensaio corrido de uma peça formal. Esta evidência dá ao professor-diretor uma indicação excelente sobre os indivíduos que necessitam de ajuda e os tipos de problemas que devem ser colocados para eles. É recomendável dar um tempo suplementar para o JOGO DE PALAVRAS, acrescido à oficina de trabalho regular. Se os alunos-atores mostrarem falta de envolvimento com os objetos, se eles não estabelecerem contato e não desenvolverem Onde, Quem e O Quê, se o quadro de cena for confuso e sem sentido, está na hora de voltar a exercícios anteriores. Neste momento, o professor também saberá quais exercícios devem ser dados.
7. As semelhanças entre este jogo e o velho jogo de charadas são evidentes, embora tenham sido feitas adaptações, que vão ao encontro de nossos objetivos. O professor-diretor deve esforçar-se para intensificar a seletividade do aluno e expandir sua experiência não para produzir especialistas em charadas.
8. Ficou claro a esta altura, provavelmente, que basta o professor e os alunos vasculharem o dicionário para encontrar material suficiente para manter classes em andamento durante anos a fio. Quando os alunos fizerem o jogo pela primeira vez, o professor deve trazer

uma lista de palavras para a classe para o caso de os alunos estarem perdidos. Deixe eles darem vida às sílabas. As palavras compostas mais simples são mais fáceis de usar e tornam o JOGO DE PALAVRAS rapidamente compreensível para os alunos.

9. Os alunos-atores devem ter trabalhado com alguns problemas técnicos antes de fazer este exercício.
10. Depois que o JOGO DE PALAVRAS tiver sido realizado quatro ou cinco vezes durante as sessões das oficinas de trabalho, abre-se uma consciência, para o aluno-ator, da amplidão e variedade de material possível a ser usado para solucionar os problemas de atuação.
11. Se as situações se transformarem em história e dramaturgia, sugira que os alunos acrescentem um problema de atuação (de sua livre escolha) à sílaba que estão encenando.

Era uma vez

Aqui o exercício descrito na p. 274 deve ser usado.

Usando objetos para desenvolver cenas A

Um jogador.

Este exercício deve ajudar o aluno-autor a aumentar sua consciência do objeto mais simples – um ponto de partida para desenvolver cenas. Constitui um passo inicial para excursões ao intuitivo.

O ator está sentado no palco. O professor-diretor sussurra o nome de um objeto. Deve permanecer sentado calmamente, até que a concentração no objeto o movimente.

O professor-diretor pode escolher entre categorias como: vegetação (crescimento), carteira, lareira, janela, portas, luz, um lugar para sentar-se, caixa (recipiente), arma.

PONTO DE CONCENTRAÇÃO: no objeto, que movimenta o ator.

AVALIAÇÃO

Ao ator: Você permaneceu sentado, calmamente, até que alguma coisa acontecesse, ou você planejou o uso do objeto antes de movimentar-se?

À plateia: O objeto foi usado de uma forma óbvia? (Colocando lenha na fogueira, ou Satã surgindo do fogo?)

PONTOS DE OBSERVAÇÃO

1. O jogador deve manter os olhos abertos enquanto olha para o palco em silêncio, concentrando-se no objeto. Os olhos fechados podem afastá-lo de seu ambiente imediato, e isto deve ser evitado.

2. Dê a instrução para que os atores não se sintam ansiosos ou apressados, ao permitirem que o objeto os movimente. Sugira que se concentrem na expiração.
3. Observe a capacidade crescente dos alunos-atores para intensificar o objeto. A vegetação referia-se apenas a alguém que estava regando um jardim, ou tornou-se uma planta-carnívora?
4. Se a concentração for completa, ao permitir que o objeto os mova, os alunos farão cenas com muita fantasia, ou intensamente dramáticas, e não apenas uma atividade relacionada com o objeto.
5. Se os atores permanecerem presos a atividades desinteressantes, interrompa o exercício e passe rapidamente para os exercícios seguintes. Quando tiver feito isto, volte a este exercício para levar o ator a movimentar-se individualmente, a partir do objeto.

Usando objetos para desenvolver cenas B

Dois jogadores (apenas para alunos avançados).

Estabelecem Onde, Quem e O Quê. Os jogadores devem manter o objeto constantemente em foco por meio de manipulação etc., enquanto jogam a partir da estrutura previamente estabelecida.

PONTO DE CONCENTRAÇÃO: foco total e exploração do objeto estabelecido.

INSTRUÇÃO: *Permaneça com o objeto! Descreva o objeto! Veja-o em detalhe! Coloque-o em movimento!*

PONTOS DE OBSERVAÇÃO

1. Certifique-se de que os jogadores permanecem no ambiente do palco imediato e com o objeto e não fogem do problema elaborando história, informação ou quaisquer associações livres.
2. A preocupação com o objeto cria uma modificação de relacionamento, personagem e até do próprio objeto. É difícil dizer por que isto acontece, mas como em ARGUMENTO DE CONTRAPONTO e todos os exercícios de preocupação, parece ocorrer um salto intuitivo entre os atores por meio deste envolvimento total com o objeto. O objeto derrete, por assim dizer, e surge uma transformação, desenvolvendo-se às vezes fantasias deliciosas ou mudanças de relacionamento dramático. Para atingir isto, é importante penetrar o objeto de todas as formas possíveis. A solução do problema exige absorção intensa no objeto dentro do presente imediato, em conjunto com um outro ator.
3. Se este exercício for realizado com alunos não avançados servirá, no melhor dos casos, como uma ajuda para dirigir o foco: será gerada apenas atividade em torno do objeto. O presente problema só

pode ser solucionado (de forma a ocorrer realmente uma transformação) por alunos mais avançados. Ele mostra claramente a potencialidade do Ponto de Concentração, quando compreendido e manipulado adequadamente.

Exercício do herói

Dois ou mais jogadores.

Decisão de grupo sobre o objeto. Estabelecem Onde, Quem e O Quê.

PONTO DE CONCENTRAÇÃO: tornar o objeto o herói da cena. A situação deve girar em torno do objeto e a cena desenvolve-se a partir dele. Muitos contos de fada usam esta forma.

Transformação do objeto[3]

Grupo completo de atores. (Semelhante a CONSTRUIR HISTÓRIAS, p. 162, e ACRESCENTAR UM OBJETO NO ONDE, p. 78).

O primeiro jogador cria um objeto e o passa para o segundo jogador; o segundo jogador toma o objeto e o manipula, transformando-o em outro objeto. Passa o objeto para o terceiro jogador. O terceiro jogador usa o objeto quê o segundo lhe deu e altera sua forma. Assim continua até que tenha passado por todos os jogadores[4].

Uma variação consiste em realizar o jogo com apenas dois jogadores. Para ajudar os jogadores muito jovens a compreender este problema, traga argila e peça aos alunos para moldarem um objeto a partir de um outro objeto. Durante a TRANSFORMAÇÃO DO OBJETO, os atores "fazem o jogo do objeto" entre si. Desta forma, uma cena em miniatura se desenvolve com cada objeto, antes que ele seja transformado.

Jogo do Vídeo

Grupos de dois ou mais jogadores.

Monte uma tela para fazer sombras, de 1,80 m por 1,20 m (pode ser feita de lençol esticado); dois *spots*; suporte para figurinos bem suprido e uma mesa com adereços.

3. Veja SUBSTÂNCIA DO ESPAÇO, p. 73.

4. Os atores de Second City usaram uma versão do exercício acima com muito sucesso durante SUGESTÕES DADAS PELA PLATEIA. A plateia dava dois objetos. Os atores iniciavam com o primeiro e o transformavam em muitos outros, até que chegassem ao segundo objeto mencionado pela plateia.

Um dos grupos será composto de atores; o outro grupo será a família.

Os atores vão para detrás da tela. A família permanece sentada na "sala de estar", olhando para o vídeo.

Cada membro da família enuncia o seu programa preferido, vai até o vídeo e liga o aparelho. Quando fizer isto, a intensidade das luzes na sala de estar deve diminuir, as luzes que ficam atrás do aparelho de TV são ligadas e os atores devem representar o programa solicitado.

A família pode "mudar de canal" ou pedir um novo programa a qualquer momento. Os atores nunca sabem quando vão ser "desligados",

PONTO DE CONCENTRAÇÃO: agilidade em mudar de personagem, figurinos e conteúdo.

PONTOS DE OBSERVAÇÃO

1. Uma variação deste exercício pode ser usada cortando-se uma abertura grande em uma caixa de papelão ou construindo-se uma forma de TV para o ator trabalhar por detrás. Nesta variação pode ser usada grande variedade de adereços e figurinos[5].
2. As coxias devem ser muito bem organizadas para que os atores possam alcançar seus próprios figurinos e adereços.
3. Depois de algum tempo, inverta os grupos para que todos os alunos possam trabalhar tanto como atores quanto como família.
4. As cenas, na maioria das vezes, giram em torno de tomadas de programas de TV atuais.
5. Se o professor estiver trabalhando com adultos, ele pode excluir a parte de "família" do exercício e estabelecer apenas uma ou duas pessoas no palco, que solicitem programas, troquem de canal etc.

Um elemento que permanece no palco

Dois ou mais jogadores (para alunos avançados).

Estabelecem Onde, Quem e O Quê. Fazem uma cena na qual um objeto, um som, uma luz ou um pensamento permanecem no palco depois que eles saíram de cena. Não deve haver atores no palco quando a cena termina, ali apenas permanece um elemento.

PONTO DE CONCENTRAÇÃO: aquilo que permanece no palco.

EXEMPLO A (realizado por adultos): Ponto de Concentração era a praga. Onde – o quarto de uma casa. Quem – um homem e seu empregado. O Quê – evitando contato com o povo.

5. Uma variação deste exercício, usando atores ao vivo para TV, foi incluída num espetáculo do Playmakers sob o título de ERA UMA VEZ, apresentação esta realizada no Children's Theater em Second City, Chicago.

A cena desenvolveu-se mostrando os personagens que, com medo de morrer por causa da praga, nunca abandonavam a casa. Quando eles saíram de cena, recolhendo-se para dormir, o esvoaçar de uma cortina perto da janela aberta no quarto vazio foi o elemento que permaneceu no palco – o conceito da praga.

EXEMPLO B (realizado por adultos): O Ponto de Concentração era uma execução. Onde – escritório do diretor da prisão. Quem – garota, assistente social, guarda, padre, prisioneiro. O Quê – um casamento.

A cena aconteceu no escritório do diretor da prisão. Foi permitido a uma garota casar-se com o prisioneiro, antes de sua execução, para legitimar o filho de ambos. Depois que todos tinham saído da sala, houve um *blackout* no palco vazio – o momento da eletrocutação.

EXEMPLO C (realizado por adolescentes): O Ponto de Concentração era um holofote. Onde – cerca de arame farpado, de um campo de concentração. Quem – dois prisioneiros. O Quê – fugindo.

Os dois prisioneiros estavam fugindo do campo de concentração, rastejando e arrastando-se pelo solo, tentando passar pelo arame farpado. Um enorme holofote varria o teatro quando os fugitivos achatavam-se ao solo (era um refletor móvel de 100 watts, que ficava nos fundos do teatro). Quando se acreditou que os prisioneiros haviam finalmente escapado, ouviu-se um grito de "Alto lá!", uma rajada de metralhadora. O holofote permaneceu fazendo círculos pelo palco vazio e pelo teatro todo.

EXEMPLO D (realizado por crianças): o Ponto de Concentração era o choro de um bebe. Onde – prédio bombardeado. Quem – mulher, crianças e velhos. O Quê – tentando escapar de bombas que estão sendo atiradas.

O grupo de pessoas teve que abandonar o abrigo porque as bombas estavam caindo próximas. Quando todos saíram e o bombardeio silenciou, ouviu-se o choro de uma criança.

PONTOS DE OBSERVAÇÃO

1. Este exercício é ótimo para desenvolver a compreensão da construção de uma cena e intensificar a resposta teatral.
2. Para realizar este exercício é necessário um palco bem equipado, pois a iluminação e o som geralmente têm um papel importante para o desenvolvimento da cena. Um teatro-estúdio com equipamento simples e adereços possibilita montar estas cenas em curto período de tempo. Já foram realizadas três ou quatro cenas como estas em apenas um dia de oficina de trabalho.
3. Este exercício não deve ser dado até que o grupo esteja preparado tecnicamente e já com certa habilidade em montar rápida e eficientemente o Onde, Quem e O Quê com adereços reais.

4. A cortina que esvoaçava, no Exemplo A, foi confeccionada com um ventilador dirigido para a janela que tinha cortinas.

Cena sobre cena

Grupos de quatro ou mais alunos avançados (relaciona-se intimamente Com CONTAR HISTÓRIAS, p. 279).

Cada grupo é dividido em dois subgrupos. O subgrupo A monta uma cena no presente e, durante a realização da cena, por meio de conversação, sugere uma outra cena (exemplo: *flashback*, um momento histórico, especulações sobre o futuro etc.). O subgrupo B deve representar a cena sugerida.

Pode haver qualquer número de participantes nestas cenas encaixadas, nas quais o grupo B completa a cena e a devolve para o grupo A e para o presente. O grupo A, então, sugere uma outra situação, o grupo B realiza etc. O grupo A pode tirar a cena do grupo B a qualquer momento, interrompendo e entrando com o presente.

PONTO DE CONCENTRAÇÃO: atenção para o momento em que vai entrar em foco.

EXEMPLO: Duas senhoras de idade (subgrupo A) estão conversando e tomando chá. Uma delas lembra-se da época em que era jovem e daquela noite maravilhosa quando ela e Jorge fizeram o seu primeiro passeio de barco juntos. Neste momento, o subgrupo A fica fora de evidência, e o subgrupo B entra em foco, fazendo a cena. Quando completar a cena, sai de evidência e o subgrupo A – as duas senhoras de idade – retomam a cena no presente. E assim por diante.

PONTOS DE OBSERVAÇÃO

1. Neste exercício devem ser usados adereços, luzes, som e música.
2. Este problema é complexo, pois os subgrupos estão trabalhando a partir de seu próprio ponto de vista. A atenção constante para o momento de entrar em cena requer um envolvimento intenso com tudo aquilo que está acontecendo.
3. Ambos os subgrupos devem ter uma oportunidade para controlar as cenas.
4. Este exercício deve ser dado apenas para grupos avançados.

Cena-Tema

Dois ou mais grupos.

Este exercício é recomendado para alunos que trabalharam durante alguns meses com os problemas de atuação mais avançados. Exige o uso mais complexo de dados experimentais é útil como passo preparatório para sugestões dadas pela plateia. Como no JOGO DE PALAVRAS, devem ser usados recursos técnicos completos.

Neste exercício, o "tema" é uma frase motivadora, tal como "Peixes grandes comem peixes pequenos" ou "Mesquinharia leva ao remorso". A "cena" pode acontecer em qualquer lugar: telhado, caverna, nuvem, no alto da torre Eiffel etc.

Metade do grupo escreve ideias para temas em pedaços de papel individuais, enquanto a outra metade escreve ideias para cenas também em pedaços de papel. Os temas são remexidos em um chapéu e as cenas são remexidas em outro. Cada grupo escolhe cegamente um tema e uma cena e então elabora a cena-tema, usando Onde, Quem e O Quê. Em seguida fazem a cena-tema.

PONTO DE CONCENTRAÇÃO: repetição constante do tema.

EXEMPLO A: O Amor está onde Você o Encontra. Cabana.

Um casal foi para as montanhas com o objetivo de remediar o seu casamento. Um condenado fugitivo e seu companheiro irrompem na cabana e aprisionam o casal. A mulher mostra aos ladrões como fugir e volta para o seu marido. Depois foi sugerido que a esposa poderia (já que o casamento era fracassado) fugir com os homens. Desta forma, o tema seria solucionado de forma mais acurada.

EXEMPLO B: A Sociedade deve me sustentar. Telhado.

Dois namorados no telhado de um prédio em São Paulo. Noite quente de verão. Eles estão tensos porque ela está grávida e ele não quer assumir a responsabilidade do casamento e da paternidade. Ele se crê um artista e não está disposto a aceitar um emprego de oito horas por dia. Acredita ser um "caso especial" e acha que "a sociedade deve me sustentar". A jovem se suicida, saltando do telhado.

PONTOS DE OBSERVAÇÃO

1. Este exercício pode ser alongado e variado infinitamente. Qualquer combinação de tema e cena funcionará. As variações de caracterização que aparecem quando um tema é usado com diversas cenas diferentes, é impressionante.
2. TEMA-CENA tende a tornar-se a estrutura para uma história e degenerar em fazer dramaturgia. O que procuramos atingir é a preocupação total dos atores com o tema, de forma que ele os mova (como objeto) e não a manipulação do tema.

Súplica

Grupos de três ou mais alunos avançados.

Os atores são divididos em três partes, como em um triângulo: (1) suplicante (que implora por alguma coisa); (2) acusador (que faz a acusação): (3) juiz (que faz a escolha e determina se o suplicante obteve êxito).

Tanto os indivíduos quanto os grupos podem fazer qualquer um dos cantos do triângulo. Por exemplo, em uma cena de julgamento haveria um Defensor, um Réu e um Juiz (o público seria o Júri, uma extensão do Juiz).

PONTO DE CONCENTRAÇÃO: cada canto do triângulo tem um Ponto de Concentração diferente (suplicar, acusar, determinar o sucesso da súplica).

EXEMPLOS: Um julgamento de uma bruxa; um julgamento de contravenção; um julgamento de assassinato; uma discussão do problema do índio; algum ponto importante; deliberações com prisioneiros durante uma fuga da prisão.

PONTO DE OBSERVAÇÃO

O suplicante deve ser encorajado a trabalhar com a plateia de alunos (que seria o júri, a multidão etc.).

Orquestração

Quatro ou mais jogadores.

Cada jogador decide quais instrumentos musicais ele vai assumir. Os jogadores estabelecem Onde, Quem e O Quê, dentro dos quais possam ser os instrumentos. Os atores não devem transformar-se literalmente nos instrumentos, como acontece na imaginação, mas devem "atuar" como se tivessem assumido as qualidades de seus instrumentos. Isto pode ser feito por meio da qualidade de voz, movimento corporal etc.

Em diversos momentos, durante a cena, o professor-diretor deve dar a instrução "façam a orquestra!" Todos os atores devem então "tocar" juntos.

PONTO DE CONCENTRAÇÃO: assumir as qualidades de um instrumento musical e tocar, como parte da "orquestra".

EXEMPLO: um coquetel onde diversos "instrumentos" podem tocar em harmonia uns com os outros.

PONTO DE OBSERVAÇÃO

Como variação interessante, peça ao grupo para escolher um "regente". No exemplo precedente, ele poderia ser o anfitrião. Durante o desenvolvimento da cena, ele deve fazer com que os "instrumentos" (convidados) toquem juntos, em duetos, solos ou na orquestra completa. Isto dá ao ator que está sendo o anfitrião a visão de diretor, ao mesmo tempo em que está trabalhando dentro da cena. O exercício constitui uma utilização avançada de uma técnica semelhante usada com crianças pequenas, para motivá-las dentro de uma cena.

Caminhada ao acaso

Qualquer número de jogadores. Requer um pianista capaz de improvisar.

Os jogadores caminham ao acaso pelo palco, saindo e entrando dele. O clima, ritmo etc. são geralmente dados pela música. A intervalos, durante a caminhada, são enunciadas atividades de diversos tipos para os atores, que passam a realizar a atividade. Este exercício é muito estimulante, pois gera liberdade, alegria e espontaneidade durante as atividades. O final da caminhada é dado pela música, que diminui lentamente, até parar.

CAMINHADA AO ACASO é de grande valor em ligação com os exercícios de ver. Enquanto os atores estão caminhando ao ritmo do piano, simplesmente enuncie várias coisas para as quais eles devem olhar – uma partida de tênis, uma tourada etc. Isto deve ser feito sem interromper o ritmo gerado pelo caminhar.

Problema oculto

Grupos de dois ou mais jogadores avançados.

Estabelecem Onde, Quem e O Quê, como de costume. Eles determinam uma categoria ou emoção, mas nunca devem evidenciá-la. As categorias devem ser: ensino, imaginação, amor, ódio.

EXEMPLO A (ensinar): Onde – cozinha. Quem – sogra e nora. O Quê – uma visita que a primeira está fazendo à segunda. Problema oculto: ensinar.

PONTO DE CONCENTRAÇÃO: manter o problema oculto.

INSTRUÇÃO: *Mantenham a atividade acontecendo entre vocês!*

PONTOS DE OBSERVAÇÃO

1. No exemplo precedente, a sogra ocultou os seus ensinamentos, por meio de insinuações, sugestões, oferecendo ajuda etc. A cena ficou muito interessante e o "ensinar" nunca ficou evidente. Veja Conflito, p. 224.
2. O Onde, Quem e O Quê não deve ser relacionados com o problema oculto. Ensinar, por exemplo, não deve ser situado em uma sala de aula.
3. Variante: os atores atuam com o objetivo de alterar a atitude do outro ator.

EXEMPLO B (fantasia): O exemplo que segue é uma improvisação, usada em apresentações em Second City, que tinha por título "A Laranjeira". Onde – sala de estar e sala de jantar combinadas. Quem – marido e esposa. O Quê – aniversário da esposa (o marido lhe traz uma laranjeira em miniatura). Problema oculto – fantasia.

A cena transformou-se em uma peça fantástica sobre o crescimento desta pequena árvore dentro da casa e seu crescimento dentro do prédio de apartamentos. O casal passou a sobreviver de suco de laranja.

EXEMPLO C (amor): Dois atores estabelecem Onde, Quem e O Quê. Entre estas pessoas existe uma emoção muito forte, que nunca é expressa, pois por alguma razão ela é impossível, ou não própria ou desconhecida. O Ponto de Concentração consiste em manter uma atividade mútua, sem nunca mencionar a emoção. Veja NÃO MOVIMENTO, p. 170. Onde – casa de um casal de velhos. Quem – homem e mulher com mais de oitenta anos. O Quê – cuidando do jardim.

Um deslocamento interessante seria estabelecer uma diferença de idade grande entre os dois. Por exemplo, um médico jovem e uma senhora de idade, ou um velho e uma enfermeira muito jovem – qualquer situação onde a diferença de idade, raça, classe etc., torne impossível a consumação ou declaração do amor. Por exemplo: Onde – pescando no cais. Quem – veterano de guerra e garoto. O Quê – pescando.

EXEMPLO D (ódio): Onde – dormitório. Quem – marido e mulher. O Quê – preparando a celebração de seu quinquagésimo aniversário de casamento.

Sugestões da plateia

As sugestões dadas pela plateia podem ser uma parte deliciosa de um programa de teatro improvisacional, fazendo a plateia tornar-se rapidamente parte do jogo.

A organização para SUGESTÕES DA PLATEIA tem muitas variações. Alguns teatros improvisacionais baseiam toda a sua estrutura sobre esta técnica. Isto é perigoso no entanto, pois torna-se facilmente um truque que mata a forma da arte. Seguem-se algumas ideias para estruturar esta forma.

1. Cenas de momento, desenvolvidas sem preparação fora do palco.
2. Utilização de membros individuais da plateia como atores[6].
3. Preparação fora do palco.
4. Utilização de uma pessoa de fora, que pode assumir a posição de narrador ou contador de histórias ou ser simplesmente um ator a mais, quando a cena o exige. Veja ENVIAR ALGUÉM PARA O PALCO, p. 128.

Os jogadores devem estruturar uma ação ou problema, e não uma história ou piada, caso contrário muitas sugestões da plateia fracassam quando os atores se esforçam para ser "engraçados". Os atores tanto

6. Isto foi realizado com grande sucesso no Second City's Children's Theatre Playmakers. Veja ERA UMA VEZ, p. 272, onde são indicadas as técnicas.

podem deixar o público participar dos problemas de atuação, como podem usar os problemas apenas como Ponto de Concentração para elaborar as sugestões dadas. O tipo de categoria que o público vai sugerir depende dos atores. Onde, Quem e O Quê, Objetos, Acontecimentos, Emoções e Estilos de Interpretação podem ser variados e combinados. Se for sugerido o Onde, por exemplo, ele pode tornar-se ONDE COM OBSTÁCULO OU ONDE COM AJUDA. Se forem sugeridos objetos, TRANSFORMAÇÃO DE OBJETOS OU DEIXAR QUE O OBJETO O MOVA OU DAR VIDA AO OBJETO podem tornar-se o problema de atuação usado para colocar em movimento as sugestões dadas pela plateia.

As sugestões de objetos podem ser usadas com Onde, Quem e O Quê, ou manipuladas simplesmente como objetos em si, usando-se atores individuais ou um número maior de atores. Muitas combinações são possíveis.

Os problemas de atuação são válidos quando os atores estruturam cenas, com ou sem o conhecimento da plateia. Quando a plateia sugere o problema de atuação, são os atores quem fornecem o Onde, Quem e O Quê; quando a plateia sugere o Onde, Quem e O Quê, os atores fornecem o problema. Seja fazendo improvisações de momento ou com preparação fora do palco (durante o intervalo ou enquanto os outros atores estão representando), o que vai determinar a qualidade das cenas e libertar todos para atuar é a habilidade para solucionar problemas e escolher rapidamente um exercício. Se as cenas não redundarem em "história", a atuação em si torna-se interessante para ser observada, da mesma forma como acontece durante as oficinas de trabalho.

Para esta atividade são necessárias agilidade e rapidez em criar personagem, estabelecer o Onde e selecionar problemas de atuação. Todo estes exercícios devem ser usados continuamente durante as oficinas de trabalho, ONDE COM TRÊS OBJETOS e todos os exercícios para adquirir agilidade na criação de personagens são especialmente úteis. Grande parte dos exercícios do livro podem ser usados exatamente da mesma forma como são realizados durante as oficinas de trabalho com resultados surpreendentes.

Segue-se um exercício de agilidade para pensar rapidamente problemas que podem gerar ação de palco. Papel e lápis. Os alunos-atores escrevem o número de respostas possíveis ao seguinte, dentro de um limite de tempo estabelecido. O professor-diretor pode acrescentar as categorias que desejar:

1. Livrando-se de alguma coisa.
2. Livrando-se de alguém.
3. Saindo de alguma coisa.
4. Querendo a mesma coisa que outra pessoa possui.
5. Um momento de indecisão.

Sugestões da plateia	*Estrutura dos jogadores*
Onde: embaixo da água	Onde: usar o exercício ONDE COM TRÊS OBJETOS.
Quem: mergulhadores	Quem: escolher um personagem, selecionando uma imagem rítmica, como no jogo AGILIDADE DE PERSONAGEM.
O Quê: procurando tesouro	O Quê: Este é o problema de atuação do O Quê, a ser usado (exemplo: "emoção em salto", "problema desconhecido", "ensinar" etc.).

Desta forma, os jogadores colocam sua própria organização dentro da estrutura dada pela plateia e continuam solucionando as sugestões dadas, exatamente como fariam com qualquer problema na oficina de trabalho. Quando os jogos teatrais se tornam "carne e osso", os problemas de atuação se tornam desnecessários, pois as ações serão espontaneamente selecionadas durante a própria atuação.

10. Exercícios de Afinação*

DISCURSO

Diálogo cantado[1]

Dois ou mais jogadores. Estabelecem Onde, Quem e O Quê.

PONTO DE CONCENTRAÇÃO: os jogadores devem Cantar o diálogo, em lugar de dizê-lo.

AVALIAÇÃO: Eles exploram todas as áreas para as quais o som poderia se dirigir?

PONTOS DE OBSERVAÇÃO

1. Não é necessário ter boa voz para realizar este exercício. Da mesma forma como temos movimento expandido do corpo, este exercício é uma *extensão do som.*
2. Se houver um pianista disponível, peça a ele para acompanhar o grupo e improvisar melodias durante o exercício.

Telefone

Um jogador.

O telefone toca. O jogador responde. A conversação deve ser resguardada (da plateia) e deve ser oculta. O jogador não precisa contar

* O *Pequeno Dicionário de Teatro*, de Ubiratan Teixeira, na p. 18, define *q* vocábulo "Afinar (a representação): harmonizar coerentemente todo o espetáculo nivelando os seus valores dramáticos desde a voz dos intérpretes até o último detalhe de movimentação e uso de um objeto." (N. da T.)

1. Veja também madrigal para canto improvisado, p. 162.

para a plateia quem está do outro lado da linha. O jogador pode chamar, se desejar.

EXEMPLO: Uma garota telefona para um rapaz, mas tem medo de ir direto ao assunto, marcando um encontro.

AVALIAÇÃO

Quem estava do outro lado da linha? Qual era a opinião que tinha aquele que respondia sobre a outra pessoa? Ele contou para nós? Ele usou o corpo?

Blablação n. 8 – Fazer uma conferência

Um jogador.

O jogador deve escolher uma conferência. Será uma conferência longa sobre o assunto que desejar – literatura clássica, segurança social, geologia etc.

PONTO DE CONCENTRAÇÃO: em comunicar.

PONTOS DE OBSERVAÇÃO

1. Este exercício destina-se apenas a alunos avançados. A comunicação feita sobre estes assuntos sérios e extensos é quase completa, quando o problema é solucionado.
2. O POC deve ser mantido firmemente. Na *comunicação*. Se isto acontecer, havendo apenas a ação que todo conferencista faz quando pronuncia um discurso, os jogadores terão comunicado uma conferência.

Blablação n. 9 – Ritmos de línguas estrangeiras

Este exercício exige o conhecimento de ritmos das línguas. Até agora mantivemos a Blablação livre de ritmos de línguas particulares. Agora os alunos trabalham deliberadamente com estes ritmos: blablação que soa como inglês, francês, alemão etc.

O exercício pode ser integrado com BLABLAÇÃO N. 6, mas é preciso tomar cuidado para manter os ritmos distantes nos exercícios n. 1 a n. 5.

FISICALIZAÇÁO

Plateia surda[2]

Dois ou mais jogadores.

Estabelecem Onde, Quem e O Quê. Os membros da plateia devem tapar os ouvidos ao observar as cenas. Os jogadores devem fazer a cena normalmente, usando diálogo e ação.

2. Esse exercício está relacionado e pode ser usado em conjunto com os exercícios de BLABLAÇÃO.

PONTO DE CONCENTRAÇÃO: comunicar uma cena para uma plateia surda.

AVALIAÇÃO

A cena estava animada? Mesmo sem ouvir, você sabia o que estava acontecendo? Em que momento eles poderiam ter fisicalizado a cena?

PONTOS DE OBSERVAÇÃO

1. O exercício dá aos alunos-atores (ao serem plateia) consciência da necessidade de mostrar, não contar.
2. A falta de vida de uma cena torna-se evidente, mesmo para o aluno-ator mais resistente, quando os jogadores falam em lugar de jogar.
3. Este exercício é particularmente bom para revitalizar atores improvisacionais que estão representando e se prendem a piadas e inventividade para transmitir suas cenas.
4. Variante: peça à plateia para fechar os olhos em lugar de tapar os ouvidos.

Dublagem

Quatro jogadores.

O exercício de DUBLAGEM é eficiente para criar relacionamento íntimo entre os colegas atores. Um microfone ligado acrescenta muito ao impacto do exercício mas não é imprescindível para o seu sucesso.

Subdivida o grupo em dois subgrupos. Os subgrupos escolhem juntos Onde, Quem e O Quê.

O subgrupo A vai para o palco. O subgrupo B fica em uma posição de onde possa ver o palco e ser visto pelo subgrupo A. Se possível, o subgrupo B deve ter o microfone.

O subgrupo B deve atuar como se estivesse fazendo a sonorização em português de um filme estrangeiro – como se eles estivessem dublando o diálogo em português. Os elementos do subgrupo A devem atuar como se eles fossem os atores do filme estrangeiro fornecendo toda a ação visual. Usam apenas ação e não devem falar em momento algum, mas podem soletrar silenciosamente o diálogo.

PONTO DE CONCENTRAÇÃO: manter o diálogo e a ação tão inter-relacionados quanto possível.

EXEMPLO: A cena é geralmente iniciada pelos atores, sendo que aqueles que fazem a dublagem começam depois que a ação já está iniciada. Um casal entra no palco como se estivesse chegando em casa, leva alguns minutos para tirar o chapéu, os sobretudos etc. – os atores que fazem a dublagem talvez murmurem ou assobiem, ou algo deste tipo – de repente eles iniciam uma discussão, sobre um assunto que era íntimo do casal. Neste momento entram os atores que fazem a dublagem, fornecendo as vozes e diálogo para completar a ação. No início, os atores e aqueles que fazem a dublagem podem trabalhar separadamente – sendo que os atores alteram a ação cada vez que falarem aqueles que fazem a dublagem, e aqueles que fazem a dublagem modificam seu discurso cada vez que uma ação for realizada. Mas, depois de algum tempo, os dois grupos trabalham juntos, e a combinação de ação e diálogo resultará em uma cena integrada e viva. Para uma variação deste exercício, o diretor pode desviar a iniciativa do diálogo de um para outro por meio da instrução: "Atores!", "Dublagem!" etc. Uma outra variação consiste em pedir ao subgrupo B para seguir o subgrupo A pelo palco (sombra). Os atores iniciam o diálogo e a dublagem deve ser o mais simultânea possível[3].

AVALIAÇÃO

Aos jogadores: Vocês acham que modificaram sua ação no palco em consequência do diálogo?

À equipe de dublagem: Vocês seguiram a ação à medida em que ela surgia no palco, ou inseriram outras ações no seu diálogo?

À plateia: O diálogo e as ações estavam integrados?

PONTOS DE OBSERVAÇÃO

1. Este exercício só deve ser usado com alunos avançados. Pode ser usado para representações.
2. O professor-diretor, ou líder do grupo, ou mesmo o próprio grupo podem acrescentar variações.

Exercício do metronomo

Dois jogadores.

Estabelecem Onde, Quem e O Quê. Os atores repetem a cena quatro vezes. O ritmo e tempo de cada cena são determinados pela velocidade de um metronomo. As primeiras três cenas são realizadas com o metronomo. O metronomo deve ser colocado em velocidade normal da primeira vez, rápida na segunda e lenta na terceira. (Se não for possível conseguir um metronomo, peça para alguém bater em um tambor ou alguma coisa semelhante). Na quarta vez, é o ator quem escolhe a velocidade – eles podem escolher qualquer uma das velocidades –, mas devem realizar a cena sem o metronomo, lembrando da batida que havia quando realizaram o exercício pela primeira vez. O POC é captar a batida do metronomo.

3. Este exercício é semelhante à técnica do teatro grego, onde o ponto mantém fluente o diálogo dos atores. Nesse caso, no entanto, o diálogo feito pelo ator original é inventividade, o que torna o papel daquele que faz a dublagem desafiador. Como no caso do espelho e da sombra, os exercícios de dublagem desenvolvem contato intenso com o ambiente.

AVALIAÇÃO

Aos atores: O metrônomo lhes deu uma consciência maior dos relacionamentos no palco? A batida do metrônomo afetou vocês física e individualmente?

À plateia: Embora a cena fosse basicamente a mesma, os vários tempos alteraram o conteúdo e o clima? Quais foram as qualidades de personagem que surgiram com cada batida?

PONTOS DE OBSERVAÇÃO

1. Peça aos atores para escolherem uma velocidade que não seja a normal na quarta apresentação.
2. Deixe os atores experimentarem velocidades diversas: não os limite aos extremos de rápido, lento e normal. Faça experiências com velocidades mais sutis.
3. Como variação, modifique as batidas durante a cena. Como em todos os exercícios, cabe ao professor-diretor determinar em que ponto os seus alunos lucrarão o máximo com este problema.
4. Este exercício deve dar mais experiência em usar a atenção para fenômenos exteriores (ritmo) e para a forma que a cena vai assumindo à medida em que progride.

Dar e tomar

Dois ou mais jogadores (de preferência, dois).

Estabelecem Onde, Quem e O Quê, tempo, horário etc. A cena é realizada. Durante a cena, deve ser usada a orientação. Quando o professor der a instrução para os atores, eles devem responder adequadamente.

INSTRUÇÃO: *Dê! Tome! Dê e Tome!*

PONTO DE CONCENTRAÇÃO: estar atento para a orientação e dar foco total ao outro ator ou tirar o foco dele, ou dar e tomar quando é solicitado pela orientação.

AVALIAÇÃO

Aos atores: Você sentiu um aumento de energia quando estava sendo dirigido? O problema (material na cena) entre vocês tornou-se mais intenso?

À plateia: Os relacionamentos humanos ficaram mais nítidos? Apareceu tensão de cena? Houve desenvolvimento de traços de personagens? A cena manteve um desenvolvimento de improvisação? (A construção da cena deve surgir por meio do envolvimento direto e não por meio de história ou trama exteriores).

Ao grupo todo: Vocês vivenciaram improvisação verdadeira?

PONTOS DE OBSERVAÇÃO

1. Alguns atores trocam abruptamente o tom do personagem durante este exercício e tornam-se permissivos ao dar e muito agressivos ao tomar. Isto não é necessário para solucionar a estrutura básica do exercício, pois o que procuramos atingir é a passagem do foco ou da intensidade de um para o outro (como no EXERCÍCIO DE CÂMERA, *que segue*) e tirar o foco um do outro[4]. Deve-se observar se a expressão da emoção emergiu do problema ou se foi meramente acrescida à cena no momento de dar e tomar. Qualquer transformação emocional, que aparecer genuinamente por meio de dar e tomar, deve ser discutida. A intensidade física vai produzir transformações emocionais no personagem. Este exercício muitas vezes produz traços de personagem fortes, como resultado da intensidade de foco.
2. Se os atores ainda parecerem isolados ou ainda estiverem usando artifícios exteriores, se eles demonstrarem pouca energia no palco, o professor terá dado este problema cedo demais.

VER

Câmera

Este é um ótimo passo introdutório para DAR E TOMAR e pode ser dado em conjunto com os exercícios do Onde.

Dois jogadores.

Os jogadores combinam uma atividade simples, como comer, estar sentado no banco de uma praça etc.

Durante a cena, o professor-diretor enuncia o nome de um e outro jogador. Quando o nome do jogador é chamado, ele deve colocar o foco no outro jogador, da cabeça aos pés. A cena não deve ser interrompida. Ela deve continuar com estas "mudanças de câmera".

PONTO DE CONCENTRAÇÃO: Colocar foco e energia no outro jogador.

AVALIAÇÃO

Os jogadores manifestaram atenção corporal? Eles viram os seus colegas atores com os pés?

PONTO DE OBSERVAÇÃO

Ao explicar o problema, use a imagem de "tornar-se uma câmera" ou um grande olho (da cabeça aos pés) para ajudar a concentração e focalização de energia dos jogadores.

4. Veja DUAS CENAS, p. 144, que emprega uma mudança de foco semelhante.

Ver a palavra[5]

Um jogador.

O ator vai para o palco e descreve uma experiência, como por exemplo fazer uma viagem, assistir a um jogo de futebol ou visitar alguém. Diga a ele para manter seu discurso, mas desviar o Ponto de Concentração, de acordo com a orientação que receber.

O ator deve continuar narrando a cena, não importa o que o professor-diretor enunciar. Ele *não* deve desviar a narração para ir ao encontro do Ponto de Concentração.

INSTRUÇÃO: *Concentre-se nas cores que existem na cena! Concentre-se nos sons que existem na cena! Concentre-se na forma como se sente dentro do jogo! Concentre-se no aluno que está sentado na segunda fileira! Veja a si mesmo!*

Se a conversa for sobre um jogo de futebol, a instrução será: *Qual é a cor da camisa do goleiro? O vento está soprando! O céu é azul ou cinzento?*

PONTOS DE OBSERVAÇÃO

1. Na medida em que é despertada no aluno uma percepção maior por meio da instrução, observe em que momento ele começa a abandonar o *mundo* e a se relacionar com a cena sobre a qual está falando. A sua voz vai se tornar natural, seu corpo relaxa e as palavras fluem. O artificialismo e discurso afetado desaparecem quando um aluno não depende mais das palavras e se concentra no ambiente que está descrevendo. Este exercício não deve ser feito muitas vezes pois utiliza a lembrança, devendo ser manipulado cuidadosamente.
2. No teatro formal, este exercício é muito útil para os atores que têm falas longas. Ao dividir as falas em uma série de Onde, Quem e O Quê, aparecem os objetos físicos necessários para tornar orgânico e diálogo (Veja VERBALIZAR O ONDE, p. 114).

DESENVOLVIMENTO DE CENAS A PARTIR DE SUGESTÕES DA PLATEIA

Improvisação de momento – A

Grupos de quatro ou mais.

Este exercício treina os atores a desenvolver resposta imediata às sugestões da plateia. É um dos passos preliminares para a improvisação de fato a partir de sugestões dadas pela plateia, em representações públicas.

5. Este exercício é útil para treinar os alunos-atores a usar as palavras com mais dimensão. Estimula cenas com percepção sensorial e é também de grande valor para corrigir hábitos de leitura artificiais no teatro. Veja as notas sobre diálogo e palavra no Cap. 2.

Os alunos-atores escrevem em pedaços de papel individuais Onde, Quem, Tempo, Horário etc. Os papéis são colocados em pilhas, de acordo com categorias e cada grupo pega um papel de cada pilha.

Cada grupo desenvolve uma cena, combinando a informação colocada nestes papéis.

AVALIAÇÃO

A cena foi montada calmamente? A cena poderia ter sido organizada mais rapidamente?

Pergunte aos atores: O que poderia ter sido feito para facilitar a organização? Faça a mesma pergunta para a plateia.

PONTO DE OBSERVAÇÃO

O método de escrever em pedaços de papel e deixar que os alunos escolham ao acaso pode ser usado em muitos outros exercícios. Os jogadores gostam desta forma de selecionar problemas, problemas. Veja SUGESTÕES DA PLATEIA, p. 200.

Improvisação de momento – B

Grupos de quatro ou mais.

Este exercício vai ajudar os alunos-atores a desenvolver maior capacidade de organização e maior rapidez em preparar suas cenas. A plateia vocalmente dá Onde, Quem, O Quê, Tempo, Horário etc. para o grupo que está no palco. O grupo prepara a cena diante da plateia

AVALIAÇÃO

Eles poderiam ter distribuído os papéis com maior eficiência? Eles trabalharam como uma unidade cooperativa ao planejarem? Eles deram e tomaram com eficácia (construindo a partir do material do outro)? O grupo improvisou uma cena ou fez um roteiro? A organização do material, arranjo do cenário e tempo de preparação para as cenas devem ser discutidos.

PONTOS DE OBSERVAÇÃO

1. O professor-diretor deve prestar atenção para descuidos por parte dos atores. As cenas devem ser montadas calma e rapidamente. Não admita que esperteza e cacos substituam disciplina e integridade.
2. Os exercícios de espelho continuam sendo estimulantes para os estudantes e um instrumento valioso para fazê-los trabalhar intimamente com o outro. Também são fascinantes ao serem usados para espetáculos.

Exercício de espelho n. 4

Quatro ou mais jogadores.

Devem usar um espelho que reflita três vezes. EXEMPLO: homem experimentando roupas.

Exercício de espelho n. 5

Cinco ou mais jogadores.

Estabelecem Onde, Quem, O Quê. Três jogadores fazem o espelho e dois fazem a cena, ou um é jogador e quatro são espelhos, ou a combinar como se desejar.

Exercício de espelho n. 6

Muitos jogadores.

Estabelecem Onde, Quem e O Quê, usando as combinações que desejarem. Os "espelhos" deformam, como em um parque de diversões.

Exercício de espelho n. 7

Muitos jogadores.

Os jogadores fazem o espelho e olham no espelho alternadamente, sem especificar quando a mudança de um para outro vai ocorrer.

Exercício de espelho n. 8

Grupos com qualquer número de jogadores.

Peça aos jogadores para solucionarem um problema em torno de qualquer tipo de imagem refletida.

PONTO DE OBSERVAÇÃO

O exercício n. 8 irá produzir uma série de novos problemas, que podem ser transformados em exercícios posteriormente.

A plateia dirige

Grupo completo (depois que os alunos estiverem familiarizados com problemas de atuação).

Os grupos estabelecem a estrutura, como de costume. Durante o jogo, o professor enuncia vários problemas para serem solucionados. A instrução a ser dada depende do que se deseja da cena.

EXEMPLO: Onde – cozinha. Quem – mãe e filho. O Quê – hora do jantar. Problema – rapaz quer sair de casa.

Quando o jogo inicia, pode-se dar a instrução "Contato!" e os jogadores devem colocar o Ponto de Concentração em contato. Eles devem mantê-lo, até que um outro problema, como por exemplo "Blablação!" ou "Movimento expandido!", seja enunciado. Se for dada a instrução "Cego!", é evidente que os atores deverão fechar os olhos.

Quando a cena terminar, o professor-diretor pede que ela seja refeita, mas desta vez não dá instrução. Escolhe alguém da plateia (ou muitos) que propõem o Ponto de Concentração. O treinamento em improvisação de cena desenvolve habilidades de direção.

Explorar e intensificar

Grupos de dois ou mais.

Este exercício solicita transformação da pulsação e não deve ser realizado até que O ARGUMENTO CONTRAPUNTUAL C (transformação do ponto de vista) e TRANSFORMAÇÃO DO RELACIONAMENTO tenham sido compreendidos e solucionados. O objetivo deste exercício é ajudar os jogadores a reconhecer e atuar sobre as formações variadas que surgem durante o jogo. A partir das formações (como em um jogo) surgem as pulsações e da intensificação das pulsações emerge a cena. Muitas vezes os jogadores recaem em invenção e trama, porque estão perdidos e não percebem as pulsações que surgem da vida no palco. Este exercício alerta para todas as mínimas possibilidades que aparecem durante o jogo. Às vezes um simples gesto pode ser explorado, às vezes uma ideia, um objeto, um som.

Da mesma forma como em A PLATEIA DIRIGE e DAR E TOMAR o grupo inicia a partir de Onde, Quem e O Quê. Depois que os jogadores estiverem em movimento, os membros da plateia incluindo o professor-diretor) dão instruções ao perceberem oportunidade para exploração e "transformação". Os jogadores constroem a partir das instruções.

INSTRUÇÃO: *Explore esta ideia! Explore e intensifique esta poltrona! Este envolvimento! Esta tosse! Transforme este relacionamento! Esta pulsação! Explore o silêncio!*

AVALIAÇÃO

Houve tempo suficiente para que os atores pudessem explorar antes que a nova orientação fosse enunciada? Foram exploradas apenas palavras ou também pulsações possíveis?

PONTOS DE OBSERVAÇÃO

1. Em todos os exercícios de transformação, tanto os alunos-ato-res quanto a plateia notam claramente quando aparece invenção e narração de história, pois a transformação verdadeira traz consigo fusão e novas formações que são inconfundíveis.
2. Pelo fato de Onde, Quem e O Quê colocarem uma limitação para a transformação da pulsação, todas as mudanças devem permanecer sob o mesmo teto, por assim dizer, para não parecerem casuísticas.
3. Como nos outros exercícios de transformação, o momento de jogo deve ser apreendido e esgotado para que possa ocorrer mudança.

11. Emoção

Existem grandes controvérsias sobre a melhor forma de conseguir, para uma cena particular, determinada emoção ou sentimento, seja do estudante que está iniciando ou do artista que interpreta[1]. O problema de tornar claro o que se entende por emoção realmente não é simples. No entanto, para trabalhar diretamente com a emoção como um problema de atuação durante o treinamento, é preciso formular uma posição a respeito. Uma coisa é certa. Não devemos usar a emoção pessoal e/ou subjetiva (que usamos na vida diária) para o palco. É um assunto pessoal (como sentir ou acreditar) e não algo para ser mostrado no palco. No máximo, a emoção "verdadeira", colocada no palco, pode ser classificada como psicodrama. Não constitui uma comunicação teatral.

A emoção que necessitamos no palco só pode surgir da experiência imediata. Neste tipo de experiência reside a ativação de nosso eu total – movimento orgânico – que quando combinado com a realidade teatral, espontaneamente produz energia e movimento (palco), tanto para os atores quanto para a plateia. Desta forma evita-se que velhas emoções, de vivência passadas, sejam usadas no momento novo da experiência. Deve ter sido esta a fórmula que gerou as emoções pessoais originais e, se assim for, todas as emoções que usamos na vida diária deveriam surgir de um movimento orgânico – do Onde, Quem e O Quê, envolvimentos e relacionamentos de nossa vida pessoal.

Por isso devemos criar nossa própria estrutura (realidade no teatro) e representá-la, em lugar de vivenciar velhas emoções. Desta forma,

1. Enquanto um livro sobre atuação pode afirmar que "A alegria é expressa levantando-se as mãos sobre a cabeça em forma de oito", os alunos-atores perceberão que a alegria também pode ser mostrada, contorcendo-se os dedos dos pés com êxtase.

é acionado todo um processo que cria sua própria energia e movimento (emoção) no aqui/agora. Evita-se assim o aparecimento do psicodrama em ambos os lados do palco, pois o psicodrama é um veículo especialmente destinado a questões terapêuticas – com o objetivo de extrair emoções antigas dos membros participantes e colocá-las numa situação dramática, para examiná-las e libertar o indivíduo de seus problemas pessoais. A estrutura dramática é a única semelhança com o teatro. No treinamento teatral, a emoção pode ser facilmente provocada por muitas mentiras. Deve-se tomar cuidado para não usar inadequadamente a emoção individual ou permitir que o ator o faça.

Quando o psicodrama é confundido com uma peça ou cena, ou quando ele é considerado como sendo a cena, o ator é levado a explorar-se a si mesmo (suas emoções), em vez de vivenciar movimento total e orgânico. O que mais pode o psicodrama fazer além de extrair lágrimas que devem surgir apenas do sofrimento individual, e que tornam impossível o desprendimento artístico? A emoção gerada no palco permanece alheia porque é útil somente dentro da estrutura da realidade estabelecida.

Quando, durante a oficina de trabalho, os exercícios, estão sendo usados para liberação emocional, eles devem ser interrompidos, pois os atores estão trabalhando apenas com os seus sentimentos pessoais. Contudo, quando o Ponto de Concentração é compreendido e usado, a emoção subjetiva torna-se um assunto do passado, ao qual pertence na realidade.

Ao fisicalizar a emoção, tiramo-la do seu uso abstrato e a colocamos no organismo total, tornando possível o movimento orgânico. Pois é a manifestação física da emoção que podemos ver e comunicar, seja ela um silencioso abrir de olhos ou o violento arremessar de um copo[2].

Por isso não devemos dar muito cedo aos alunos os exercícios de emoção, se quisermos evitar exibicionismo, psicodrama e mau gosto generalizado. O aluno-ator não deve fugir para o seu universo subjetivo e "emocionar-se", nem deve intelectualizar sobre o "sentimento", o que apenas limita a expressão do mesmo. A plateia não deve interessar-se pelo sofrimento, alegria ou frustração pessoal do ator que está interpretando. É a habilidade do ator para interpretar o sofrimento, alegria e frustração do personagem o que nos mantém cativos.

FISICALIZAÇÃO

Grito silencioso

Grupo todo.

Para ajudar os alunos-atores a sentir a emoção fisicamente (ação interior), peça que o grupo permaneça sentado e grite sem fazer nenhum

2. Existem várias maneiras de intensificar a emoção no palco, para o divertimento da plateia, através da música, iluminação, adereços etc. Aqui estamos lidando somente com o aluno-ator.

som. Dê a Instrução: *Grite com os dedos do pé! Os olhos!, As costas!, O estômago!, As pernas! Com o corpo todo!*

Quando estiverem respondendo fisicamente e muscularmente como fariam para emitir um som vocal – e isto será evidente –, peça: *Gritem alto!* O som deve ser ensurdecedor.

Este exercício não apenas dá aos alunos uma experiência direta para ser lembrada, como também é útil para ensaiar cenas de multidão. Atente para o aluno defensivo, que vai "representar" ("interpretar") este exercício, em lugar de fazê-lo.

Incapacidade para mover-se – A

Um jogador.

O ator vai para o palco e apresenta uma situação em que está fisicamente imobilizado e assustado por um perigo vindo de fora.

PONTO DE CONCENTRAÇÃO: incapacidade para mover-se.

EXEMPLO: Homem paralisado em uma cadeira de rodas percebe alguém atrás dele (outro ator pode estar realmente se movendo atrás dele).

Incapacidade para mover-se – B

Dois ou mais jogadores.

Um grupo de pessoas está numa situação onde é impossível mover-se por causa de um perigo exterior.

PONTO DE CONCENTRAÇÃO: imobilidade dos atores por causa do perigo exterior.

EXEMPLO: Soldados abandonados em um campo de minas. Ladrões escondidos em um armário.

PONTOS DE OBSERVAÇÃO

1. Somente agora a introdução e discussão sobre atividade e ação interior será significativa para os alunos. Ação não significa necessariamente atividade, nem atividade significa necessariamente ação. Para nosso propósito, a palavra "atividade" é usada para denotar movimento de palco exterior e as palavras "ação interior" para explicar o movimento interior. O termo "ação interior" significa fisicalização do sentimento e substitui o termo "emoção", quando necessário.
2. Para ajudar os estudantes a adquirir esta nova consciência, suscite um debate sobre estes dois termos. Devem entender o que vem antes atividade/diálogo ou ação interior. O ator grita antes que a agulha pique o seu dedo, como a Rainha Branca em *Alice no-País das Maravilhas?* Todos devem ter assistido à rudeza e falta de realidade

de uma cena em que o ator fala "Está frio aqui", e somente então começa a tremer. Embora ambos possam ocorrer às vezes simultaneamenmente, a ação interior geralmente precede atividade/diálogo.

1) *Ação Interior*	2) *Atividade*	3) *'Diálogo*
Fome Resposta física: Trabalham as glândulas de salivação etc.	Ir para a geladeira	"Oque tem para comer?"

3. A criança trabalha com o corpo todo (interna e externamente), ri e chora da cabeça aos pés. Conforme ficamos mais velhos, muscularmente prendemos muitas manifestações de sentimento. Como resultado de padrões culturais, somos forçados a segurar as lágrimas e controlar o riso. Mesmo que a emoção trabalhe em nosso estômago, passe por nossa espinha ou nos dê calafrios, exteriormente estamos condicionados a mostrar fisicamente nossa emoção apenas em áreas isoladas. Cerramos os dentes, apertamos o punho e prendemos nosso lábio superior. É essencial libertar estes bloqueios para haver movimento natural.
4. De agora em diante, use a instrução para lembrar aos alunos: *Mais ação interior!*, *Fisicalize este sentimento!*, *Sinta-o nos dedos do pé!* Este Ponto de Concentração vai permitir que os alunos-atores mostrem realmente o que sentem, em lugar de ficarem meramente falando ou realizando atividade sem sentido.

Modificando emoções

Um jogador.

Quando os alunos tiverem compreendido a ação interior (fisicalização), mostre-lhes como ela pode mudar e intensificar-se, mesmo que a atividade permaneça a mesma. Neste exercício, o ator completa uma atividade. Por alguma razão, a atividade deve ser desfeita depois de completada, usando os mesmos objetos da segunda vez, mas ao inverso e com uma ação interior diferente.

PONTO DE CONCENTRAÇÃO: fisicalizar a emoção ou sentimento por meio de objetos.

EXEMPLO: Atividade – uma menina está se maquiando e vestindo para o baile. Primeira ação interior – prazer, causado pelos seus sentimentos em torno do acontecimento. Segunda ação interior – desapontamento, porque soube que o baile foi cancelado. Enquanto estava influenciada pela primeira ação interior, a menina pode ter tirado o vestido do armário, segurado ele contra o corpo e dançado sonhadoramente pelo quarto.

Na segunda ação interior, pode ter segurado o vestido contra o corpo, depois ter enrolado e jogado de volta ao armário – invertendo desta forma os impulsos dentro de uma mesma atividade.

INSTRUÇÃO: *Mais ação interior!, Torne real este pensamento!*

AVALIAÇÃO

A atividade foi idêntica antes e depois do ponto de mudança? A ação interior foi comunicada para a plateia por meio de mudanças corporais? O que nos dá prazer fisicamente? O que o desapontamento cria cinesteticamente? (Veja observações sobre como mostrar ação interior por meio de objeto, p. 222).

PONTOS DE OBSERVAÇÃO

1. A mesma atividade deve ser realizada as duas vezes. No exemplo citado, a garota colocou sua maquiagem e tirou o vestido do armário. Depois do ponto de mudança, ela colocaria o vestido de volta e tiraria a maquiagem.
2. Quando a primeira ação estiver montada, o professor pode mandar outro aluno para o palco que dá as informações necessárias para modificar a ação interior, se necessário.
3. É bom salientar que os alunos podem comunicar seus sentimentos efetivamente manipulando os objetos (como foi mostrado pela garota manipulando seu vestido antes e depois do ponto de mudança)[3].
4. Se a modificação da ação interior for mostrada apenas por meio de maneirismos faciais, os alunos estão "interpretando" (desempenhando) e não entenderam o significado da fisicalização. Volte para os exercícios iniciais de envolvimento com objetos.

Modificando a intensidade da ação interior

Dois ou mais alunos avançados.

Estabelecem Onde, Quem e O Quê. A emoção deve iniciar num determinado ponto e tornar-se progressivamente mais forte. Por exemplo, a sequência pode ser: de afeição, para amor, para adoração; de desconfiança, para medo, para terror; de irritação, para raiva, para fúria.

A ação interior também pode mover-se em círculo, voltando para a emoção original (exemplo: afeição, para amor, para adoração, para amor, para afeição). No entanto, geralmente o círculo só pode ser completado por meio da Instrução do professor.

PONTO DE CONCENTRAÇÃO: modificar a emoção, de um nível para o próximo.

3. Veja FISICALIZANDO OBJETOS, p. 71.

EXEMPLO: Onde – uma cena de acampamento. Quem – um grupo de meninas adolescentes. O Quê – acham que seu guia as abandonou por outro grupo. Modificação da ação interior – de perplexidade, para tristeza, para pesar. Nesta cena, a ação interior foi mantida dentro de um ciclo completo por meio da Instrução. Quando chegaram ao pesar, a Instrução iniciou, e eles responderam emocionalmente, na seguinte ordem:

1. autocompadecimento
2. raiva
3. hostilidade
4. culpa
5. pesar
6. tristeza
7. afeição
8. amor
9. responsabilidade
10. compreensão
11. respeito por si mesmo
12. admiração de um pelo outro

AVALIAÇÃO

Eles estavam interpretando (emocionando) ou mostrando ação interior (fisicalizando)?

PONTOS DE OBSERVAÇÃO

1. Neste exercício o professor deve trabalhar muito próximo ao grupo, tomando-lhe as deixas ao mesmo tempo em que eles tomam as deixas do professor.
2. Se o grupo estiver apto, as cenas podem transformar-se em improvisações estimulantes. No entanto, se as cenas se tornarem mera conversação, o exercício foi apresentado muito cedo e o grupo precisa de mais trabalho de fundamentação.

Emoção em salto

Dois ou mais jogadores.

Estabelecem Onde, Quem e O Quê. Cada ator escolhe alguma mudança radical de ação interior, que planifica anteriormente e introduz na cena (ex.: de medo, para heroísmo, para amor, para piedade etc.).

Devem ser usadas plantas-baixas, principalmente se os atores estiverem ficando desleixados com o cenário.

PONTO DE CONCENTRAÇÃO: mudar de uma emoção (ação interior) para outra.

EXEMPLO: Onde – na toca da raposa. Quem – dois soldados. O Quê – uma missão perigosa. Mudanças em saltos emocionais – n. 1, de raiva para compreensão; n. 2, de medo para heroísmo. O soldado n. 1 ficou com raiva da covardia demonstrada pelo soldado n. 2, um garoto sensível e tímido, cuja covardia aparente era repulsa de matar outra pessoa. Durante a cena, uma bala atingiu o soldado n. 1, ferindo-o, e o soldado n. 2 corajosamente assumiu a missão, embora não fosse obrigação sua. Como os atores mantiveram sua concentração em modificar a emoção durante a ação, a cena desenvolveu-se, adquirindo grande força dramática.

AVALIAÇÃO

Mesmo que nos exercícios prévios de ação interior.

PONTO DE OBSERVAÇÃO

Para que este exercício se transforme em jogo, determine que exemplos de saltos emocionais sejam escritos em pedaços de papel, coloque sugestões de Onde em outros e os atores retiram um pedaço de cada pilha, como no exercício CENA-TEMA (p. 196).

Mostrar emoção por meio de objetos n. 1

Dois ou mais jogadores.

Material especial necessário

balão
saco de areia
bola
correntes
triângulo
saca de café
trompa de caça
campainha
Plumas
Batedor a de ovos
fita de elástico
corda
brinquedos de festa
trapézio
escada

Esta é apenas uma lista, os itens podem ser substituídos ou acrescentados.

Estabelecem Onde, Quem e O Quê. Todos os objetos devem estar numa mesa, facilmente acessíveis a todos os atores em cena, sem atrapalhar o cenário ou movimento de cena.

PONTO DE CONCENTRAÇÃO: usar um objeto, escolhido espontaneamente, no momento em que o ator necessitar dele, para mostrar um sentimento ou relacionamento.

EXEMPLO A: Onde – dormitório. Quem – três irmãs, duas mais velhas e uma mais jovem. O Quê – as duas irmãs mais velhas estão se vestindo para sair, a irmã mais nova gostaria de sair com elas.

Enquanto estavam se vestindo, as duas irmãs mais velhas discutem suas expectativas da noite. Jogaram balões, assopraram penas, e pularam corda. A irmã mais jovem, lamentando o fato de não poder ir com elas, caminha pelo dormitório arcando com o peso de um saco de areia que às vezes coloca nas costas e às vezes arrasta pelo solo.

EXEMPLO B (para teatro formal): Numa cena de amor entre um casal tímido poderia ser utilizada uma bola, que seria rolada de um para o outro entre os seus pés.

EXEMPLO C: Uma cena em que alguém está tentando lançar a responsabilidade para outrem poderia ser fisicalizada arremessando-se um saco de café de um ator para o outro.

AVALIAÇÃO

Os objetos acompanharam a ação?

PONTO DE OBSERVAÇÃO

Este exercício é especialmente útil para o diretor de teatro formal. Pode dar detalhes incomuns para o ator, mesmo aquele que tem pouco treinamento.

Mostrar emoção por meio de objetos n. 2

Os atores repetem a mesma cena realizada no exercício MOSTRAR AÇÃO INTERIOR POR MEIO DO USO DE OBJETOS N. 1, procurando manter o sentimento dos objetos, sem usá-los.

AVALIAÇÃO

Eles mantiveram a qualidade da cena quando trabalharam sem os objetos?

PONTO DE OBSERVAÇÃO

Quando a cena é realizada pela segunda vez, lembre aos atores (por meio da Instrução) quais foram os objetos usados para a primeira cena.

Jogo de emoção

Grupo todo.

Um ator inicia um jogo que pode ser ampliado para incluir outros atores (JOGO SEQUÊNCIA). Ele comunica Onde está e Quem é. Aquilo que vai acontecer com ele deve girar em torno de um desastre, acidente, histeria, pesar etc. Outros atores entram em cena, como personagens definidos, estabelecendo relacionamento com Onde e Quem.

EXEMPLO A: Onde – esquina na rua. Quem – velho. O Quê – carro atropela o homem quando atravessa a rua. O velho tenta várias vezes atravessar a rua. É atropelado pelo carro e cai gemendo no solo. Outros atores entram como motoristas de carro, agentes de polícia, amigos, passantes, motorista de ambulância etc.

EXEMPLO B: Onde – quarto de hospital. Quem – mulher. O Quê – sentada no leito de um parente que está morrendo.

A atriz se move mostrando o ambiente de hospital. Mostra-nos o seu relacionamento com o paciente que está na cama e sua tristeza sobre o seu estado de saúde. Outros atores entram na cena como parentes, doutor, enfermeiras, padre, outro paciente etc.

PONTOS DE OBSERVAÇÃO

1. Se o professor-diretor notar que os atores não entram no jogo com entusiasmo, energia e excitação, este não foi apresentado adequadamente e os passos devem ser refeitos.
2. Este jogo pode ser distribuído ao longo do treinamento ou apresentado quando a emoção for introduzida para o grupo. É muito útil quando se trabalha em cenas de multidão.

Rejeição

Dois ou mais jogadores.

Estabelecem Onde, Quem e O Quê. Os atores devem rejeitar outros atores, adotando os seguintes parâmetros:

1. Um grupo rejeita outro grupo.
2. Um grupo rejeita um indivíduo.
3. Um indivíduo rejeita um grupo.
4. Um indivíduo rejeita outro indivíduo.

PONTO DE CONCENTRAÇÃO: na rejeição efetiva.

EXEMPLOS: Uma pessoa nova na vizinhança é rejeitada. Alguém é rejeitado por causa de sua raça, cor ou credo. Professor-substituto é rejeitado pela classe.

AVALIAÇÃO

Eles resolveram o problema? Como estava o tempo? Eles mostraram que horas eram?

PONTO DE OBSERVAÇÃO

Neste momento, todas as cenas devem ter vida teatral definida. A avaliação é apenas uma forma de lembrar aos atores que eles estão descuidando dos detalhes da cena.

Emoção por meio de técnicas de câmera

Dois ou mais jogadores.

Estabelecem Onde, Quem e O Quê. Os atores iniciam a cena. De tempos em tempos durante a ação, o professor pede para "focalizar" diferentes atores. Os outros atores no palco tornam-se as câmeras e focalizam o ator designado. O ator focalizado continua a cena normalmente, mas concentra a atenção intensa de todos os atores à sua volta.

A cena continua, sendo que todos os atores permanecem com seu personagem, sejam eles câmera ou foco de atenção. O foco é simplesmente uma forma de intensificar a cena.

PONTO DE CONCENTRAÇÃO: energia corporal intensa deve ser projetada no ator que está sendo focalizado.

EXEMPLO: Onde – sala de trono de um palácio. Quem – rei, cortesãos, um mensageiro. O Quê – esperando notícias. O mensageiro, maltrapilho e cansado, chega ao palácio com más notícias. A corte decide o que fazer.

AVALIAÇÃO

A energia corporal foi usada totalmente para focalizar o ator? Eles nos mostraram quem eles eram? Que idade tinha o rei (ou os outros que estavam em cena)?

PONTO DE OBSERVAÇÃO

1. A troca da palavra "luz" por "cena" vai ajudar a evocar a intensidade desejada. A Instrução deve mudar a posição da câmera, quando necessário.
2. Ao usar este exercício durante ensaios, pode-se dar maior energia à atuação dos atores, introduzindo luzes reais simultaneamente com o foco dos atores.
3. Este exercício é particularmente bom para alunos-diretores, pois eles podem facilmente dar as instruções.
4. Este exercício é parecido com DUAS CENAS (p. 144).

CONFLITO

O conflito só deve ser dado quando os alunos compreenderem o Ponto de Concentração (objeto) para criar relacionamentos. Se estas condições forem dadas muito cedo, os atores vão criar envolvimentos entre si, realizando cenas emocionais e subjetivas ou travando batalhas verbais. Este é um ponto importante e difícil de compreender. De fato, esta autora usou o conflito nos primeiros anos de seu trabalho como parte dos exercícios do Onde. Parecia útil, pois invariavelmente criava atividade de palco (quando não era ao nível de "Foi você" e "Não fui eu"). Isto acontece porque, ao criar o envolvimento direto, invocava sentimentos pessoais e tensão nos atores e, em muitos casos, estava próximo do psicodrama. Aos atores davam a impressão de que estavam "interpretando". Como estamos trabalhando com uma forma de arte, as emoções pessoais dos atores devem ser destiladas e objetivadas através da forma com que estão trabalhando – a forma de arte insiste nesta objetividade. Apesar deste fato óbvio, no entanto, o conflito parecia "dar vida" para os exercícios do Onde e era um passo definitivo em direção ao contato. Por isso foi mantido como um dos problemas, e era dado durante o estágio inicial do Onde.

Com o tempo ficou evidente que, embora os atores usassem os *objetos físicos* no Onde para mostrar conflito, muitos aspectos desagradáveis de subjetivismo (tais como emocionalismo e batalhas verbais) apareciam como resultantes. Além disso, havia pouca progressão nas cenas, se é que havia alguma. Foi importante notar, no entanto, que apesar dos aspectos "desagradáveis", o conflito sempre gerava tensão e liberava energia (ação física). Foi somente depois que a autora veio a Chicago para dirigir oficinas de trabalho e pôde discutir este ponto muitas vezes com Paul Cills (diretor de Second City), que a questão do conflito foi finalmente resolvida. A mesma tensão e liberação gerada por meio do conflito podem ser atingidas pelo aluno-ator quando ele se atem ao problema da forma como está sendo apresentado pelo Ponto de Concentração (objeto) e não se lhe permite que se perca em contar histórias ou fazer dramaturgia.

Ficou evidente que o envolvimento dos atores entre si (produzido pelo conflito), em vez de criar envolvimento com o objeto (como é produzido pelo Ponto de Concentração), era na maioria das vezes um empurra-empurra mútuo (que é confundido em nossa mente com ação dramática) para chegar ao seu objetivo. De forma alguma, significava um processo do qual poderia desenvolver-se improvisação de cena. Por outro lado, o relacionamento entre os atores, criado por meio do envolvimento com o objeto, tornava possível tensão e liberação objetivas (ação física) e ao mesmo tempo produzia improvisação de cena. Acontece desta forma porque, quando o conflito permanece na área emocional, não é possível fazer surgir o intuitivo, o que ocorre ao permitirmos que o Ponto de Concentração trabalhe por nós.

Quando os atores estão absortos (envolvidos) apenas com a história, o conflito é necessário. Sem ele a cena fica enrascada e pouca ou nenhuma ação acontece. No melhor dos casos, é divertimento e ação imposta e, na maioria das vezes, gera psicodrama. Quando o sentido de processo é compreendido e se entende a história como o resíduo do processo, o resultado é ação dramática, pois a energia e a ação da cena são geradas pelo simples processo de atuação. Evitando-se constantemente que os atores fizessem dramaturgia e clarificando continuamente a oposição entre processo e história, descobriu-se que o conflito não era mais necessário para gerar ação no palco e, desta forma, este exercício, com seu emocionalismo e batalhas verbais, caiu em desuso.

Agora o conflito tem lugar com exercícios mais adiantados. Pode ser útil; pode ser até mesmo divertido realizá-lo anteriormente. O professor-diretor pode ficar tentado a usá-lo mais cedo do que é recomendável quando existem dificuldades para entender processo e atuação e quando é necessário ativar a ação do grupo. Fazendo, no entanto, deve saber que é uma mentira – e, por causa das emoções pessoais que suscita, constitui um suborno. Seu uso neste sentido pode ser permitido quando se torna muito importante manter o interesse de um aluno até que o processo e, portanto, a atuação sejam compreendidos.

Para resumir. Quando os atores trabalham apenas com a história, necessitam de um conflito para gerar energia e ação no palco. Quando compreendem a atuação (processo), no entanto, tensão e liberação de energia são claramente vistas como parte integrante da atuação – de fato, isto é atuação.

Exercício do conflito

Pares.

PRELIMINAR

Para comunicar que o conflito é a tensão que existe entre duas pessoas, peça aos alunos para subirem ao palco, aos pares, e fazerem o jogo do cabo-de-guerra com uma corda real. A discussão sobre o cabo-de-guerra deve girar em torno da tensão física que cada um realiza para puxar seu oponente para além da linha de centro. Pode-se discutir também o resultado do jogo, se um derruba o outro ou se se é estabelecido o equilíbrio.

EXERCÍCIO

Dois ou mais jogadores.

Estabelecem Onde, Quem e O Quê. Acrescentam conflito.

PONTO DE CONCENTRAÇÃO: o conflito (corda) entre eles. INSTRUÇÃO: *Puxe a corda! Mantenha o Ponto de Concentração!*

AVALIAÇÃO

Eles mantiveram o Ponto de Concentração? Cada ator segurou a sua ponta da corda?

PONTO DE OBSERVAÇÃO

Ao prepararem as cenas, atente para que os grupos escolham o conflito de forma a permitir ação física e não apenas argumentação. Os termos conflito e/ou corda são usados alternadamente para ajudar os atores e fisicalizarem o conflito.

Conflito escondido

Dois ou mais jogadores.

Estabelecem Onde, Quem e O Quê. Cada ator escolhe um conflito e o mantém para si mesmo, na primeira pessoa, sem deixar que o outro o saiba.

PONTO DE CONCENTRAÇÃO: nunca verbalizar o problema (conflito).

EXEMPLO: Onde – cozinha. Quem – marido e mulher. O Quê – café da manhã. Conflito escondido: Marido – eu não vou trabalhar. Mulher – quero que ele saia. Estou esperando visita.

PONTOS DE OBSERVAÇÃO

1. Permita à plateia conhecer o conflito escondido de cada ator.
2. Quando o conflito escondido é descoberto, a cena terminou.
3. Constitui uma variação deste exercício escrever uma série de conflitos escondidos em pedaços de papel e deixar que os atores os escolham, depois de ter decidido Onde, Quem e O Quê.
4. CONFLITO ESCONDIDO exige o uso de objetos e foi um dos primeiros exercícios que iniciou o deslocamento semântico de "conflito" para "problema", abrindo assim novas perspectivas de pesquisa.

O que fazer com o objeto

Dois jogadores.

Os atores combinam o objeto entre eles. O objeto deve ser movimentado a partir de uma forma combinada: vendê-lo, destruí-lo, construí-lo, escondê-lo.

PONTO DE CONCENTRAÇÃO: *o que* fazer com o objeto.

PONTO DE OBSERVAÇÃO
Este exercício é parecido com os exercícios de Envolvimento, nas sessões de Orientação. Mas leva o ator mais longe, pois pode ser usado para manifestar emoções diretamente, envolvendo os atores por meio do objeto. Enquanto que o Ponto de Concentração anterior residia no objeto entre os atores, este Ponto de Concentração reside no que está acontecendo com o objeto. Desta forma, estabelece um relacionamento diferente entre os atores. Se for imposta uma história ao objeto e os atores "interpretam", limite-os a uma atividade simples. Volte a este exercício quando os atores tiverem aprendido como o Ponto de Concentração trabalha por eles.

Jogo do conflito

Grupo todo.

Mesmo procedimento usado nos jogos do Onde e Orientação. Dois atores vão para o palco. Combinam um conflito que permite que muitos outros elementos tomem parte. Os outros membros da oficina de trabalho escolhem Quem e entram na cena para tomar partido a favor de um dos lados.

EXEMPLOS: Onde – uma esquina na rua. Quem – um policial e um orador que protesta. O Quê – uma detenção. Conflito – policial prendendo orador por causa do conteúdo de seu discurso. Os atores que entram em cena podem ser trabalhadores, vagabundos, donas-de-casa, mais policiais etc. Onde – *playground.* Quem – dois garotos. O Quê – brincando. Conflito – um garoto é o valentão. Os que entram em cena podem tornar-se outras crianças, professores, mães etc.

12. Personagem

O personagem é apresentado como o último grande problema no livro. Não deve ser dado diretamente como exercício até que os alunos tenham resolvido os problemas que antecedem e tenham aprendido a trabalhar com o Ponto de Concentração. Apesar de parecer tentador apresentar e discutir exercícios de personagens nas sessões anteriores, é melhor esperar até que os alunos estejam totalmente em contato um com o outro e totalmente envolvidos com o problema de atuação (veja o Cap. 9).

O personagem é intrínseco a tudo o que fazemos no palco. Desde a primeira aula de atuação aparece constantemente em nosso trabalho. O personagem só pode crescer a partir do relacionamento pessoal com o conjunto da vida cênica. Se o ator deve realmente fazer seu papel, o personagem não pode ser dado como um exercício intelectual, independente deste movimento.

A atenção prematura ao personagem, num nível verbal, pode levar o estudante a fazer de conta, afastando-o do envolvimento com o Ponto de Concentração e relacionamento com os colegas atores. Em lugar de projetar-se no ambiente do palco, ele vai continuar se escondendo e se protegendo atrás de muros de defesa. Será ele mesmo expressando suas necessidades e sentimentos particulares. Será ele mesmo espelhando-se a si mesmo. Será ele mesmo dando a interpretação de um personagem, um exercício intelectual.

No aluno não treinado isto será rapidamente descoberto, mas é muito difícil cercá-lo no ator mais esperto e treinado. O personagem deve ser usado como mais uma comunicação teatral, não como uma forma de fuga. Para assegurar isto, não trabalhe com o personagem até que os atores estejam "realmente fazendo a cena". Mantenha-os sempre distantes da representação ("interpretação") no seu trabalho inicial, interrompendo um exercício quando necessário. Evite discutir o personagem, exceto casualmente, com base no simples Quem (relacionamento).

Lembre-se, como a maioria dos alunos sabe que o personagem é a essência do teatro, esta ausência de discussões diretas sobre o personagem pode confundi-los muito até que eles comecem a ver o personagem emergir dos relacionamentos e constatem que "representar" é uma parede entre os atores. Quando aprendem a envolver-se com o Ponto de Concentração, a relacionar-se um com o outro e a resolver o problema de grupo, eles "confiam no esquema" e estão prontos para realizar exercícios, para desenvolver qualidades físicas de personagens. Um ator deve ver e relacionar-se com o colega ator, não com um "personagem". Jogamos futebol com outros seres humanos, não com os uniformes que estamos usando. Isto significa simplesmente que ambos os atores sabem que o outro está jogando e sustentam o jogo.

DESENVOLVIMENTO DE UM PERSONAGEM

Quando os alunos-atores planejam uma cena em torno de um problema de atuação, o que determina quem deles será a avó e quem a tia da menina? Tudo isto está implícito naquilo que é conhecido por caracterização.

Na Orientação, os alunos – através da simples observação se os outros estão confortáveis ou desconfortáveis – são capazes de surpreender maneirismos. O JOGO DE ORIENTAÇÃO, QUAL É MINHA IDADE?, O QUE FAÇO PARA VIVER? introduzem o personagem sem chamar a atenção sobre ele. No Onde perguntamos: "Como você sabe o que as pessoas são umas das outras", e os alunos mais jovens respondem, "Pela maneira como agem entre si". E cada exercício inicial do Quem trata do problema do personagem.

Na Avaliação levantamos perguntas como: "Que idade tinha ele?", "Ele mostrou-nos ser um homem que para viver era fazendeiro?", "O avarento parecia amar mais o ouro do que as pessoas?" Se perguntarmos cuidadosamente, mesmo a criança mais jovem, será capaz de expressar as diferenças entre as pessoas – resida a qualidade que as distingue no maneirismo, tom de voz ou tempo do movimento.

Depois de muitos anos, nossas expressões faciais, postura e movimentos tornam-se reflexos musculares de nosso estado interno. A emoção só pode ser expressa por meio do personagem. Em *The Thinking Body*, Mabel Elsworth Todd afirma:

> A emoção é constantemente expressa pela posição corporal; se não for na testa enrugada ou na boca, é na respiração limitada, nos músculos rígidos da nuca ou no corpo relaxado de apatia e desencorajamento.

Pode-se dizer que, com o tempo, o homem torna-se o retrato de si mesmo – pois ele assume a expressão física de uma atitude (uma atitude de vida). Não podemos apontar um doutor, um relações públicas, um professor ou um ator dentro de uma multidão, e estar 85 por cento corretos?

O simples envolvimento com objetos só adquire vida por meio do personagem. Ao desenvolver material para cenas (Cap. 9), o desenvolvimento do personagem é diretamente manipulado quando é montada a "peça" e surge a necessidade de personagens definidos, BLABLAÇÃO, CONTATO, CEGO e outros exercícios insistem em relacionamentos de palco fortes que criam atitudes e ações definidas de personagens.

O que mais é a atuação com o corpo todo (Cap. 5), senão uma forma de mostrar ao ator que o seu corpo pode ser um instrumento expressivo? E com que objetivo? Para comunicar-se melhor com a plateia. Para comunicar o quê? Um personagem em uma peça.

Experimente com um grupo. Diga-lhes que vão receber uma ordem rapidamente. Quando o professor-diretor bater palmas, eles devem executar a ordem rapidamente, sem pensar.

"Retrate um velho!" Invariavelmente, quase 90 por cento dos alunos vão inclinar-se para a frente, a mão na cintura, como se estivessem se apoiando sobre uma bengala. Discuta com eles a generalização (clichê). Todos os velhos necessariamente se inclinam para a frente? Existem milhões de velhos – alguns deles são eretos e altos. O que faz uma pessoa tornar-se velha?

A generalização (clichê) não é necessariamente mentirosa. É apenas abstrata e portanto limitada. Para o aluno-ator, o velho pode ser uma pessoa que se apoia numa bengala, tem cabelos brancos e se move lentamente. É importante que esta economia na seleção seja mantida.

A idade avançada é, afinal de contas, reconhecível. Os alunos ao selecionarem a característica que instantaneamente comunica um velho, escolhem a mais simples de todas, a doença. E foi o que deram como resposta à ordem enunciada. É deste tipo de seleção simples que o ator desenvolve sua caracterização.

O que eles vão aprender quando desenvolverem sua percepção é que um velho pode mostrar sua idade e seus sentimentos em seus pés, seus cotovelos e sua voz tanto quanto através de seus cabelos brancos ou de sua bengala.

Desenvolver um personagem é a habilidade de abstrair um esboço a partir da confusão do todo complexo. Esta habilidade de mostrar a essência de alguma coisa em lugar do todo implica na consciência que o artista tem do menor detalhe.

A habilidade do ator depende desta seleção e de sua capacidade para comunicá-la. Todos podem selecionar: o imaturo vai selecionar o óbvio (apoiar-se numa bengala); o artista vai fazer uma seleção mais fina e variada (mão com atrites, olho cego de catarata, língua ressecada etc.)[1]. Mas não importa o que é selecionado, simples ou profundo, nem a idade ou experiência do aluno-ator. Quando ele responde à vida cênica,

1. O ator não precisa "tornar-se" velho. Ele nos apresenta o velho com o objetivo de comunicação.

o personagem aparece, pois a caracterização é dependente tanto da experiência teatral total quanto do reconhecimento de um companheiro.

O ator está cercado por um círculo de características – voz, maneirismos, movimento físico – aos quais dá vida por meio de sua energia e contato total com o ambiente do palco. Se ele for ensinado a pensar desta forma, o mistério da atuação e caracterização será substituído por um conceito mais instrumental e passível de ser ensinado. O aluno-ator vai desenvolver-se como uma pessoa alerta, perceptiva e livre, capaz de ir além de sua vida do dia-a-dia. Será capaz de "assumir" um papel. Será vivo, humano, interdependente, trabalhando com seus colegas atores. Será *ele mesmo* – o ator – jogando o jogo do personagem que escolheu para ser comunicado.

E como melhor é pensá-lo nestes termos, como um ser humano trabalhando com uma forma de arte, e não como um esquizofrênico que modificou sua própria personalidade para o bem de um papel ou de uma peça!

Fisicalizando

Um aluno pode dissecar, analisar, intelectualizar e desenvolver uma situação válida sobre um personagem. Mas se não for capaz de comunicar isto fisicamente, é inútil para a forma teatral. O atingir do intuitivo, sobre o qual repousa o reconhecimento de um papel, não surge do conhecimento lógico e intelectual do personagem.

O grupo de exercícios que segue trata do problema do personagem sobre uma base física estrutural, da qual pode emergir um personagem. Isto suscita a pergunta se o ator deve assumir qualidades físicas exteriores para atingir o sentimento de um personagem ou trabalhar com o sentimento para atingir qualidades físicas. Às vezes uma atitude ou expressão física nos faz dar um salto intuitivo. Nestes exercícios jogamos o jogo de todas as formas. (Veja também os Caps. 10 e 11).

EXERCÍCIO DO QUEM[2]

Absorva cuidadosamente os seguintes exercícios, para apresentá-los aos alunos-atores quando eles estiverem atuando efetivamente, como uma série de passos simples em direção ao desenvolvimento de personagens. Podem ser usados como aquecimento ou desenvolvidos em exercícios completos.

Jogo do Quem B

Dois ou mais jogadores.

Estabelecem Onde, Quem e O Quê. (Os atores devem escolher relacionamento e atividade simples, como por exemplo marido e mulher assistindo à TV.)

2. Alguns dos jogos de Quem são apresentados no Cap. 4.

Peça para cada ator escrever em folhas de papel individuais uma lista de expressões faciais e a descrição destas expressões. As descrições devem ser mais emocionais do que estruturais. Os atores devem organizar listas para cada expressão facial. Por exemplo:

lábio inferior – triste
lábio superior – petulante
ponta do nariz – pontuda
narinas – irritadas
olhos – lacrimejantes
sobrancelhas – sereneis
testa – ameaçadora
queixo – beligerante
feitio do rosto – petulante.

Quando as listas estiverem completas, separe-as por expressões e coloque as listas em pilhas. Cada ator deve pegar uma folha de papel de cada pilha. Os atores devem assumir tantas descrições quantas quiserem e mantê-las enquanto estiverem fazendo sua cena.

PONTO DE CONCENTRAÇÃO: manter tantas qualidades faciais quanto for possível ao realizar a cena.

AVALIAÇÃO

Aos atores: A proposta de manter estes aspectos físicos fez com que vocês se sentissem mecanizados? Vocês atingiram uma nova compreensão?

Para a plateia: Alguns dos atores mostraram uma nova qualidade do personagem? As qualidades faciais pareciam integradas na cena?

PONTO DE OBSERVAÇÃO

Pode ser útil usar espelhos quando os atores tentam pela primeira vez assumir suas características físicas.

Jogo do Quem C

Em lugar de escolher descrições faciais, os atores devem agora enumerar emoções para as atitudes corporais. Por exemplo:

ombros – triste
estômago – irado
peito – alegre
pernas – desconfiadas.

PONTO DE CONCENTRAÇÃO: mostrar o sentimento por meio de atitudes corporais, ao realizar a cena.

PONTOS DE OBSERVAÇÃO

1. Os JOGOS DO QUEM B e C também podem ser usados para desenvolver atitudes físicas em lugar de emocionais. Para fazê-lo, apenas

substitua as descrições (ex.: lábio superior rígido, nariz enfadonho, pernas curvadas etc.).

2. Ambos os JOGOS DO QUEM são muito úteis para o diretor de teatro formal.

Jogo do Quem C, acrescentando conflito

O mesmo procedimento usado em JOGO DO QUEM, p. 98, planejando anteriormente o estado do ator, sem conhecer o conflito.

EXEMPLO: A está no palco. B planeja anteriormente que A é um pai mesquinho e taciturno, enquanto ela mesma é uma adolescente. Onde – sala de estar. Quem – pai mesquinho e taciturno (sentado); adolescente (entra). O Quê – adolescente volta tarde para casa de um encontro.

PONTOS DE OBSERVAÇÃO

1. Este exercício pode ser geralmente continuado após a resolução do problema, pois a tensão entre os dois atores surge automaticamente.
2. Também aqui é muito interessante deixar que a plateia participe a partir do ponto de vista inverso.

FISICALIZANDO ATITUDES

Segure! A

Quatro ou mais jogadores. (É desejável um número idêntico de homens e mulheres.)

Peça aos atores para sentarem no palco. Cada um deles deve fazer individualmente uma afirmação expressiva e breve, como "Ninguém me ama", "Eu nunca me divirto", "Eu gostaria de possuir coisas belas", "Amanhã será melhor".

Quando o ator tiver realizado uma expressão física definida (com o corpo todo), como resultado de sua frase, diga-lhe "segure!" Quando todos os atores tiverem suas "expressões seguras", coloque-os em uma série de cenas de três ou quatro minutos. Por exemplo:

crianças no jardim de infância
uma esquina na rua
uma festa no escritório
proposta de casamento (se houver dois ou mais pares, situe-os em "carros estacionados" e combine "Dar e Tomar" com este exercício)
meia-idade (festa na casa de alguém)
velhos (encontrando-se para jogar cartas ou algo assim).

PONTO DE CONCENTRAÇÃO: manter a expressão corporal e facial durante as cenas.

AVALIAÇÃO

A expressão tornou-se uma atitude diante dos outros dentro das cenas? As expressões (atitudes) básicas foram mantidas, mesmo que alguma coisa se modificasse em cada cena? (Naturalmente na cena de amor deve ter havido alguma alteração, assim como na cena de jardim de infância, em oposição à cena dos velhos).

PONTOS DE OBSERVAÇÃO

1. Se as frases evocarem atitudes sugira que os atores assumam uma expressão física exata (ex.: queixo beligerante, boca petulante, testa ameaçadora, olhos arregalados etc.).
2. Não use esse exercício com alunos muito jovens. Os atores devem ter pelo menos dez anos.
3. SEGURE! pode ser dado mais ou menos na oitava ou nona sessão do Onde e ser repetido mais tarde.
4. Um aluno, ao concluir o exercício, disse: "Eu senti como se tivesse passado por uma vida!"

Segure! B

Varie o exercício SEGURE! A, pedindo aos atores para assumirem expressões físicas (ombros arqueados, passo firme e agressivo, peito expandido, músculos do estômago flácidos, etc.). Faça-os passarem por seis ou sete cenas.

AVALIAÇÃO

As atitudes (expressões) corporais alteraram a expressão verbal?

Segure! C

Dois ou mais jogadores.

Os atores estabelecem Onde, Quem e O Quê depois que cada aluno realizou uma expressão física e lhe foi pedido "Segure!"

PONTO DE CONCENTRAÇÃO: reter um ou dois aspectos físicos durante a realização da cena (queixo encolhido, peso extra etc.).

AVALIAÇÃO

As características físicas escolhidas influenciaram a escolha de Onde, Quem e O Quê feita pelos atores?

VISUALIZAÇÃO FÍSICA

A utilização de imagens para conseguir uma qualidade de personagem é uma técnica velha e experimentada e pode às vezes trazer uma dimensão totalmente nova para o papel do ator. As imagens podem ser baseadas em quadros ou qualquer objeto, animado ou inanimado, que o ator escolha. No entanto, conseguir um personagem desta forma é, no melhor dos casos, uma mentira.

Na peça formal, estas imagens só devem ser usadas quando o desenvolvimento do personagem não evoluiu do relacionamento global no palco. Os atores que já tiveram alguma experiência com esta forma de trabalho são ansiosos por iniciar imediatamente o trabalho com o personagem e algumas vezes tomam particularmente alguma imagem sem que o diretor o saiba. Isto pode tornar-se uma séria desvantagem, pois diretor e ator podem estar enganando um ao outro. Talvez o diretor esteja trabalhando para livrar-se dos maneirismos aos quais o ator está se prendendo por causa da imagem que criou para si mesmo.

É, no entanto, útil no caso de emergências. Uma vez, por exemplo, pediu-se a uma garota para entrar numa peça, sendo que ela havia sido avisada há apenas algumas horas por causa da doença repentina do ator regular. Ela estava trabalhando em uma outra peça de um ato no mesmo programa. Durante o ensaio, ficou logo evidente que ela não conseguiria assumir facilmente as características do outro papel. Sua parte regular no programa era a de uma garota tímida e assustada, enquanto que a nova era o retrato de uma mulher atrevida e falante. Sugerindo que ela assumisse uma imagem animal, especificamente um peru, o diretor possibilitou que ela projetasse as qualidades necessárias para o papel quase que imediatamente.

No teatro improvisacional, quando do programa fazem parte sugestões dadas pela plateia, as imagens podem dar ao ator instantaneamente uma qualidade do personagem, que ajuda sua versatilidade.

Imagens de animais[3]

Quatro ou mais jogadores.

Se possível, leve o grupo para um zoológico ou fazenda para observar o movimento, ritmo e características físicas reais dos animais – o osso e as estruturas faciais são tão importantes quanto o mais óbvio movimento. Desta forma, os alunos-atores terão uma impressão real para recapturar e não simplesmente uma figura de um livro. A generalização deve ser evitada para que o exercício tenha valor.

Separadamente, cada ator decide qual animal vai retratar. Os atores não precisam discutir sua escolha entre si. Cada ator deve assumir exatamente as qualidades físicas de seu animal e mover-se pelo palco como ele. Deve ser dada instrução durante o exercício, para liberar os atores para trabalharem com o problema.

Quando os alunos tiverem se entregado totalmente para as qualidades do animal e tiverem captado novos ritmos corporais, peça que

3. O exercício básico é atribuído a Maria Ouspenskaya.

façam os sons de seus animais. Continue com a instrução até que tenham desaparecido as resistências e som e movimentos corporais estejam integrados.

Agora, peça aos atores para que se tornem novamente humanos e se movimentem pelo palco absorvendo as características e o som dos animais na sua ação e discurso humanos. Devem manter o ritmo dos animais no seu corpo e o som dos animais nas palavras que estão pronunciando.

Quando estiverem se movimentando em pé e tiverem absorvido as características e som do animal, o orientador rapidamente estabelece Onde, Quem e O Quê para eles.

PONTO DE CONCENTRAÇÃO: incorporar o ritmo corporal, expressão facial e sons vocais do seu animal.

INSTRUÇÕES: *Reforme sua testa! O nariz! O queixo! Concentre-se na espinha! Concentre-se no rabo! Nas pernas traseiras!* Quando estiverem se movendo livremente no palco, dê a seguinte instrução: *Dê o som de seu animal!* Quando o som e os movimentos corporais estiverem integrados, dê a instrução: *Torne-se humano! Fique de pé! Mantenha suas qualidades animais! Mantenha seus ritmos animais! Faça o mesmo som que o animal! Use a voz humana com o som animal!*

EXEMPLO: Quatro atores escolheram para sua visualização individual um papagaio, um gato, um hipopótamo e uma coruja[4]. Ao resolver o problema, o papagaio tornou-se uma pessoa linguaruda e falante. O gato era flexível e tímido, o hipopótamo tinha uma voz pesada e a coruja era uma garota que se movia desajeitadamente, de olhos arregalados e ingênua. A combinação sugeriu um escritório, talvez um escritório escolar. Rapidamente foram colocados uma mesa, uma poltrona e um banco. Janelas e portas, bebedouros etc. Foram indicados para definir Onde (isto foi feito rapidamente, lembrando aos atores para manterem ao seu Ponto de Concentração). Onde – escritório da escola. Quem – secretário do diretor, pais, crianças. O Quê – discutindo os problemas das crianças.

O papagaio era o secretário do diretor, que decidia quem seria admitido ao escritório interno. Seu fraseado entrecortado, repetitivo, levou naturalmente a isto. Os outros eram os pais e as crianças, esperando para ver o diretor.

Papagaio: (secretário do diretor)	Muito bem, muito bem... quem é o próximo? Eu perguntei quem é o próximo? Quem é o próximo? Não tenho o dia inteiro para esperar, como vocês sabem.
Hipopótamo: (pai)	(Movendo-se lentamente, esfregando as mãos nas pernas). Sou eu, eu acho...

4. Esta cena foi realizada por jovens de doze a quatorze anos.

Papagaio:	Rápido! Rápido! Rápido! Não tenho o dia inteiro para esperar, como vocês sabem. Veja só quanta gente temos que atender hoje. Meu Deus! Meu Deus! Meu Deus!
Hipopótamo:	(Cabeça inclinada, ombros arcados, voz vagarosa e pesada.) É sobre minha filha.
Papagaio:	(Aumentando a voz.) Vocês ouviram isto? Vocês ouviram isto? (Ri.) Claro! Claro! Claro! É por isto que está aqui. Sua filha está aqui. Eu a conheço bem. (Olha para a coruja que está quase chorando.) E este jovem!
Gato: (garoto)	(Desvia a cabeça e o corpo do exame minucioso e escorrega para o canto extremo do banco.)
Papagaio:	Muito bem. Muito bem. O que vão fazer com estas crianças?
Hipopótamo:	Eu não vou... ela disse, ela disse que não ia fazer nada (para a coruja.) Não foi?
Coruja: (filha)	(De olhos arregalados, lábios apertados, chorosa.) Ooooooh... Ooooooh... Ooooooh...
Papagaio:	(Para o gato.) Agora você! Você aí! Você! Onde estão seus pais? Eles deviam estar aqui. Você sabe disto.
Gato:	Eles não puudddeeram estar aqui.

PONTOS DE OBSERVAÇÃO

1. Se os atores perderem seus ritmos animais de corpo e voz quando ficarem de pé, peça que fiquem de quatro novamente na sua imagem animal original. Isto deve restaurar as qualidades que estão usando.
2. Quando os atores falarem como humanos, deve soar como um homem acrescentando-se as qualidades animais; não como um animal falando.
3. Para evitar quebrar a fluência gerada por este exercício, estabeleça uma situação para os alunos-atores enquanto eles estiverem se movendo pelo palco. Observando a atitude corporal, ritmo e qualidade vocal que aparece quando forem humanos, uma situação poderá ser espontaneamente sugerida. Rapidamente, suba ao palco e estabeleça o Onde, Quem e O Quê para o grupo que está atuando. Distribua o papel de cada ator e peça para entrarem diretamente na situação.

Estátuas

Dois ou mais jogadores, um auxiliar nos bastidores (opcional).

(Este exercício é baseado no jogo infantil comum.)

Uma pessoa de fora volteia os atores e depois solta-os, de forma que cada um caia em uma posição acidental. Os atores devem manter a posição, até que cada posição sugira o seguinte: Onde; um personagem (Quem); uma emoção; uma atividade; um relacionamento. Então, os atores estabelecem contato entre si e desenvolvem uma estrutura usando uma ou todas as categorias acima.

PONTO DE CONCENTRAÇÃO: posição corporal e responder ao colega ator de acordo com a categoria selecionada.

AVALIAÇÃO

Os atores caíram na posição naturalmente quando foram volteados ou estabeleceram uma posição para si mesmos (portanto controlando ou fazendo dramaturgia)? A ação surgiu espontaneamente entre eles?

Aos atores: Vocês decidiram individualmente Onde, Quem etc., ou surgiu do contato grupal? Os efeitos técnicos complementaram a ação no palco ou foram impostos a ela?

PONTOS DE OBSERVAÇÃO

1. Atente para os que fazem dramaturgia. Eles tentam manobrar os outros para aquilo que resolveram ser a forma que a cena deve assumir.
2. Cada categoria pode ser dada isoladamente, em lugar de se oferecer uma escolha. Por exemplo: se o Quem (personagem) é a categoria, então Onde, O Quê, envolvimento etc., devem surgir espontaneamente do Quem.
3. Pelo fato de muitos atores imaturos se sentirem inconfortáveis durante longos silêncios (veja TENSÃO SILENCIOSA, p. 169, a Instrução sobre o Ponto de Concentração durante o período silencioso da pré-cena vai ajudar a aliviar os alunos da urgência de atividade prematura.
4. Uma variação deste exercício consiste em instruir os atores a terminar a cena voltando às suas posições originais, tendo uma razão para fazê-lo.

ATRIBUTOS FÍSICOS

Exagero físico[5]

Dois ou mais jogadores.

Estabelecem Onde, Quem e O Quê. Cada ator deve assumir uma qualidade física exagerada que vai manter durante a cena. EXEMPLOS: altura de dois metros, altura de 0,50 m, peso de 100 quilos, sapatos tamanho 50, um peito muito largo, dedo indicador de 30 cm de comprimento, as pernas e pés são de molas, as pernas e pés são rodinhas.

Este exercício pode ser realizado com todo o grupo. Os atores andam pelo palco e assumem qualidades exageradas de acordo com a instrução.

5. Veja também Cap. 5.

Peça de Figurino

Dois ou mais jogadores.

Cada ator escolhe uma peça de figurino (bengala, chapéu-de-coco, cachecol, guarda-chuva etc.). Deve assumir as qualidades (atitudes) de personagem sugeridas pela sua peça de figurino. Estabelecem Onde, Quem e O Quê.

PONTO DE CONCENTRAÇÃO: os atores devem conservar as qualidades (atitudes) de personagem, sugeridas pelas suas peças de figurino.

AVALIAÇÃO

Ele impôs o personagem à peça do figurino ou deixou que a peça de figurino determinasse o personagem para ele?

PONTO DE OBSERVAÇÃO

Para obter mais informações sobre a utilização de peças de figurino para caracterização, veja Cap. 9.

Irritação física A

Três ou mais jogadores.

Onde: um palanque. Cada ator deve fazer um discurso. Durante o discurso, ele tem algum tipo de irritação física, que o está incomodando, mas que não pode remediar por causa das pessoas que estão observando. A irritação pode ser, por exemplo, um colarinho apertado.

PONTO DE CONCENTRAÇÃO: (1) o desconforto; (2) mascarando todas as tentativas para aliviar a irritação enquanto continua o discurso.

EXEMPLO: foi montada uma cena na qual dois estudantes estavam esperando educadamente num palanque, que um terceiro terminasse seu discurso, para que pudessem pronunciar os seus. Quando foi enunciada a palavra "Cortina", o primeiro estudante desencadeou seu discurso. Sua irritação física era um grão de milho preso entre os dentes, do qual procurava desvencilhar-se, enquanto continuava seu discurso.

Uma garota escolheu o problema de prender sub-repticiamente uma liga que havia escapado, enquanto tinha que falar segurando uma meia.

O outro estudante estava com coceira nos ombros.

AVALIAÇÃO

Eles tomaram o cuidado de fazer com que a irritação física tomasse parte daquilo que estavam fazendo, ou isolaram-na?

PONTOS DE OBSERVAÇÃO

1. Embora este exercício muitas vezes produza cenas muito engraçadas, o orientador deve apontar que não foi dado pelo valor de seus "cacos".
2. O aluno que resolve o problema será aquele que mais sutilmente se refere à sua irritação. No entanto, o professor-diretor não deve dizer aos alunos que está procurando sutileza. Deixe isto para a autodescoberta.
3. Este exercício constitui uma ótima medida para determinar o desenvolvimento do aluno.
4. Se os fatores forem muito óbvios ao "esconder" sua irritação física, refaça o exercício como em QUE IDADE TENHO? REPETIÇÃO, onde o Ponto de Concentração recai apenas sobre a irritação física e movimenta o ator em lugar de ele tentar manipulá-la.
5. Este exercício muitas vezes traz novas e interessantes qualidades de personagem para os atores e é útil para a peça formal.
6. Não confunda um comentário social com a criação de um personagem.

Irritação física B

Dois jogadores.

Os atores retratam um encontro onde uma pessoa está sendo examinada minuciosamente pela outra e deve encobrir um defeito embaraçoso.

EXEMPLOS: A está sendo entrevistado para um emprego ou está tendo uma reunião profissional com B. A tem uma mancha na gravata ou está com hálito de cerveja.

B é um escolar tendo um encontro com seu diretor.

PONTO DE CONCENTRAÇÃO: dissimular o problema durante a entrevista.

Hábitos ou tiques nervosos

Dois ou mais jogadores.

Estabelecem Onde, Quem e O Quê. Cada ator deve adotar um hábito ou tique nervoso. Devem escolher a partir da experiência real – lembrando-se de alguém que conheceram e que tinha hábito deste tipo.

A ação deve ser manipulada como em IRRITAÇÃO FÍSICA. O professor-diretor deve salientar no início que o ator não deve se divertir com a doença, mas sim compreendê-la e trabalhar com ela.

PONTO DE CONCENTRAÇÃO: adotando um hábito ou tique nervoso.

AVALIAÇÃO

Todos os atores concordarão que as pessoas que têm tiques nervosos não os desejam e nem os tiveram sempre necessariamente.

Você acha que um hábito nervoso é causado por alguma razão ou que pertence à pessoa desde o nascimento? Apesar de não conhecermos as razões clínicas dos hábitos nervosos, não esqueçamos que são a manifestação física de alguma ação interior.

No caso da gagueira, por exemplo: *O que você acha que está causando isto? Quantos de vocês já gaguejaram alguma vez?* É surpreendente ver quantos já passaram por esta experiência. A maioria das pessoas já gaguejaram uma vez ou outra.

Alguém se lembra o que causou a gagueira? O que fez com que as palavras saíssem com dificuldade? Em quase todos os casos, a resposta é: "Eu estava com medo." "Eu não sabia a resposta." "Alguém me assustou." "Pediram que eu dissesse alguma coisa muito rapidamente." Parece que, na maioria das vezes, a gagueira se relaciona com medo ou choque súbito.

Se concordarmos, portanto, que a gagueira é resultado de medo ou choque, o que ela causa fisicamente? Peça aos alunos que lembrem um momento de medo ou choque pessoal. Note que eles quase invariavelmente fazem um som respiratório forte e depois prendem a respiração, quando se lembram de alguma coisa.

Peça que os alunos subam ao palco como refugiados de uma zona de guerra. Explique que quando ouvirem um som alto e forte, devem interpretá-lo como se fosse causado por bombas. *O que aconteceu em quase todos os casos, como reação às bombas?* "Paramos, como mortos", eles irão lembrar-se. "Caímos no solo e ficamos petrificados."

Ficará claro para eles que o medo e o choque produziram uma tensão física – não apenas na fala mas também no corpo. Prenderam a respiração da cabeça aos pés. É bem possível que manifestações físicas desse tipo são momentos de medo passado, que foram mantidos no presente.

PONTOS DE OBSERVAÇÃO

1. Qualquer que seja a causa exata de uma doença, os alunos devem ficar conscientes de alguns problemas pessoais e físicos do doente. Este exercício não deve ser tratado como uma comédia.
2. Este exercício é útil porque mostra claramente, para o aluno-ator, que a emoção e a expressão física (personagem) desta emoção são unificadas.

DESENVOLVENDO AGILIDADE DE PERSONAGEM

Os exercícios seguintes são obviamente válidos para o ator no teatro improvisacional. São igualmente válidos para o ator de teatro formal, na medida em que aceleram a procura de atitudes de personagem.

Agilidade de personagem A

Grupo completo.

O professor-diretor fornece lápis e papel para os atores e lhes dá as seguintes categorias, que eles anotam. Podem ser usadas categorias adicionais. Limite de tempo para cada uma.

1. Animal
2. Imagem
3. Ritmo
4. Apetrechos de cena
5. Peças de figurino
6. Cor

O professor-diretor lê então uma lista de personagens, um de cada vez. Os atores devem escrever o que lhes sugere cada personagem, para cada uma das categorias. Personagens possíveis podem ser:

Professor Universitário	Professor Primário
Velho	Astronauta
Psicanalista	Pai
Menino	Tia
Banqueiro	Avó

PONTO DE CONCENTRAÇÃO: escrever as primeiras impressões que vêm à mente, sob as categorias dadas, para cada personagem.

EXEMPLO

Personagem: Professor Universitário
1. Animal: coruja
2. Imagem: rocha
3. Ritmo: *staccato*
4. Apetrecho de cena: ponteiro
5. Peça de figurino: cachecol, galochas
6. Cor: roxa

Agilidade de personagem B

Em lugar de dar categorias variadas, cite apenas uma categoria específica. Os atores devem escrever tanto sobre o personagem, dentro desta categoria específica, quanto puderem, dentro do limite de tempo de um minuto.

Ou o professor-diretor pode fornecer categorias variadas, aparentemente não relacionadas, que os atores devem preencher, também com um limite de tempo determinado.

EXEMPLOS: Categoria única – imagem. Categorias variadas – detalhes físicos; alimentos, gostos; formação, amigos; etc.[6]

Agilidade de personagem C

Dois jogadores.

A plateia sugere personagens (ex.: uma professora solteirona e um vendedor de armazém). Aos atores é dado um tempo limitado para se concentrarem nos personagens. (Peça que fiquem sentados calmamente, como em EXCURSÕES AO INTUITIVO, p. 172.) Quando estiverem prontos (no seu próprio tempo), devem movimentar-se no Onde que pode ser estabelecido anteriormente ou ser sugerido pela plateia.

PONTO DE CONCENTRAÇÃO: permitir que o "pensamento ao acaso" predomine, sem seleção intelectual.

AVALIAÇÃO

Aos atores: vocês permitiram que aparecessem as ideias ao acaso, ou categorizaram seus pensamentos? Seus personagens adquiriram vida? Vocês *jogaram* com o personagem?

À plateia: Houve uma diferença entre os personagens tirados ao acaso e as associações categorizadas? Este problema levou os atores a considerar novos aspectos? Houve muitas modificações corporais?

Agilidade de personagem D

O professor-diretor fornece lápis e papel, dá a imagem, atmosfera, ritmo etc., e pede aos alunos para escreverem rapidamente o personagem sugerido.

Agilidade de personagem E[7]

Grupo completo. Usado como um jogo de aquecimento.

Os atores sentam-se em círculo, sendo que um fica no centro. O ator que está no centro enuncia diversas categorias de personagens, enquanto aponta para um ator de cada vez ao fazê-lo. O ator que está

6. As categorias variadas podem ser usadas como "biografia" para um personagem em uma peça formal.

7. Este exercício é realizado como o Jogo denominado "Beast, Bird or Fish", no *Handbook of Games*, de Neva L. Boyd (Chicago: H. T. Fitzsimons Co., 1945), p. 101.

no centro então para e aponta para um dos atores, dando-lhe uma categoria particular e contando até dez.

O ator deve responder antes que o ator que está no centro pare de contar. Se o ator do centro usar imagem ou atmosfera, ou ritmo, cor etc., deve ser enunciado um personagem específico. Se o personagem for denominado pelo ator do centro, então deve ser enunciada uma "imagem".

PONTOS DE OBSERVAÇÃO

1. Atente para que este exercício não se transforme em um jogo intelectual, uma série de clichês para o aluno-ator. Realize-o frequentemente, de forma que os alunos adquiram substância para seus personagens, a partir de um nível mais profundo do que o usual.
2. A agilidade para seleção espontânea, que esse exercício desenvolve no ator, é muito importante para manipulação do personagem, como é exigido quando são dadas sugestões pela plateia.

Transformação de relacionamento

Dois jogadores.

Atores iniciam com um relacionamento (Quem) e continuam transformando-o em novos relacionamentos. Como na TRANSFORMAÇÃO DO OBJETO (p. 193), a mudança não deve ser feita por meio de invenção ou associação. Os atores devem "deixar que aconteça", não intervindo. Tanto os atores podem iniciar a transformação como o "relacionamento" pode incluir animais, máquinas etc. e pessoas.

Quando os atores estão trabalhando com o problema e resolvendo-o, as transformações espontâneas que surgem parecem ser infindáveis. Algumas transformações trazem consigo o diálogo, outras são silenciosas, o Onde torna-se muito claro, os adereços de cena passam a existir instantaneamente, e a fisicali-zação é forte.

No entanto, se os atores ficarem parados sem propósito e contarem histórias, a transformação surgirá apenas de associações de palavras, e eles não estão resolvendo o problema, sendo que o exercício deve ser interrompido. Quando o problema é compreendido, ocorrem extraordinárias superações e os atores sentem que uma sucessão infindável de personagens, relacionamentos e ideias, existem dentro deles para serem utilizados.

Depois de ter tido sucesso com este jogo teatral, leve os alunos de volta para o DEBATE CONTRAPUNTUAL C (transformação do ponto de vista), e eles serão capazes de fazer a transformação de um pensamento.

A transformação do personagem, objeto ou ideias, parece ser essencial e deve acontecer em toda cena improvisada, É a estimulação e energia da cena – seu processo de vida.

AVALIAÇÃO

Aos atores: vocês inventaram ou deixaram que acontecesse? Eles saberão por que vão sentir, pelo menos, a diferença entre inventar e criar.

PONTOS DE OBSERVAÇÃO

1. Repita SUBSTÂNCIA DO ESPAÇO (p. 73) antes de introduzir este exercício.
2. Em todos os casos, os personagens e relacionamentos em transformação revelam uma cena em microcosmo antes da modificação.
3. Pode-se usar três ou mais jogadores, se o grupo for adiantado.
4. Na maioria dos casos, o professor-diretor terá que solicitar o fim do exercício, pois a transformação pode prolongar-se infinitamente.
5. Quando este jogo teatral foi usado para apresentação pública em Chicago, a plateia sugeriu os personagens iniciais e finais.
6. Todo grupo que está se apresentando, ao usar este jogo, deve ser advertido: "Deixe acontecer!"; não imite velhas transformações ou "invente" novas, senão o jogo "seca".

Criando um quadro cênico

Qualquer número de jogadores.

Os atores estabelecem Onde, Quem e O Quê. Decidem a idade. Quando a cortina se abrir, devem estar colocados como em um quadro.

Todos sentam-se no palco, dentro do Onde que estabeleceram. Como em QUE IDADE TENHO? REPETIÇÃO, ficam sentados calmamente, com a mente em branco. Quando surgir a inspiração para algum deles, a cena inicia.

Podem ser decididas outras categorias além da idade. Este exercício é uma espécie de combinação de EXCURSÕES AO INTUITIVO e SEM MOVIMENTO, reunidos em uma mesma estrutura. Os atores devem voltar ao "quadro" original.

A CRIANÇA E O TEATRO

13. Compreendendo a Criança

As crianças de nove anos em diante podem acompanhar os passos apresentados na primeira parte deste manual com grande proveito. De fato, o sistema não verbal de problemas e ensaios foi desenvolvido *com* e *para* as crianças. Enquanto muitos dos primeiros exercícios podem ser alterados para os mais jovens atores estudantes, assim como alguns dos exercícios abaixo podem ser praticados pelo estudante mais velho, este capítulo destina-se às necessidades particulares das crianças de seis a oito anos. Muitos dos exercícios especiais com ouvir, ver, dar-e-tomar têm sido praticados com êxito dentro da faixa de idade de seis a oito anos, quando realizados com um grupo bem formado. Sugere-se, que sejam lidos atentamente as sugestões e lembretes relativos ao Cap. 2, bem como a secção sobre a direção do ator-criança, antes da apresentação deste material, no Cap. 17.

Durante dez anos ou mais, no verão, foram organizadas na Yung Actors Company, em Hollywood, oficinas de trabalho para crianças de nove a catorze anos. O programa abrangia o período total de trinta horas semanais, além de tempo extra para as crianças que desejavam atividades sobre os aspectos técnicos do teatro. Excetuando-se os jogos ativos e danças folclóricas, todo o tempo restante era dirigido para a atividade teatral. Não houve um momento de desinteresse. Num verão, crianças de seis a oito anos participaram do programa. Elas absorveram bem umas oito horas de trabalho e queriam mais. Realmente, a integração de jogos teatrais, trabalho com o corpo e ensaios de peças tornaram exíguas essas oito horas.

A ATITUDE DO PROFESSOR

A criança pode dar uma contribuição honesta e verdadeira ao teatro se lhe for permitida a liberdade pessoal para experienciar. Ela compreenderá e aceitará sua responsabilidade para com a comunicação teatral: em se envolvendo, ela desenvolverá relacionamentos, criará a realidade e aprenderá a improvisar e desenvolver cenas válidas teatralmente, como fazem os adultos.

Harold Hillebrand, no seu livro *The Child Actors*, propõe a seguinte questão: "Devemos supor que a atuação infantil é uma arte perdida, como a fabricação do vidro veneziano?" Hillebrand certamente assistiu uma produção média com atores infantis. Contudo, o nível desinteressante, precoce, frequentemente exibicionista, de muitos desempenhos das crianças não derivam de sua inabilidade para compreender e aprender a arte teatral. Revela a falta de um método de ensino que apresente o material à criança de forma a permitir que ela utilize seu potencial criativo dentro dessa linguagem.

Há poucos lugares fora de suas próprias brincadeiras onde uma criança possa contribuir para o mundo em que se encontra. O seu mundo é dominado por adultos que determinam o* que e quando fazer algo – tiranos benevolentes que dispensam dádivas aos "bons" súditos e castigos aos "maus", se divertem com a "esperteza" das crianças e se aborrecem com suas "asneiras". Frequentemente a criança fica dividida entre a ditadura, a liberdade e a superindulgência. Em nenhum caso, é-lhe concedida uma responsabilidade para com a comunidade. Merece receber liberdade, respeito e responsabilidade (como o ator adulto), no ambiente da oficina de trabalho.

O problema de ensinar à criança é o mesmo que ensinar ao adulto. A diferença é de apresentação. A necessidade de intelectualizar, por parte do professor-diretor, deve ser a causa da resistência em trabalhar com grupos mais jovens. Devemos admitir uma grande diferença de experiências vivenciais, e as perguntas e introduções aos exercícios dependem desse reconhecimento.

Tratar crianças como iguais não significa tratá-las como adultos; e essa sutil delimitação deve ser reconhecida se o professor-diretor quiser orientar com êxito seu grupo. Sugerimos que ele releia as observações sobre aprovação/desaprovação do Cap. 1.

Os efeitos do relaxamento da tirania adulta são por vezes notáveis. Um grupo de meninos e meninas certa vez realizou uma representação improvisada; nela, as crianças viviam num mundo em que não havia adultos. Esses jovens atores eram meninos e meninas tensos que, em virtude da luta em suas vidas diárias, tendiam a fazer muita gritaria e a brigar. O desenvolvimento da cena foi uma revelação. Nunca se viram meninos e meninas mais agradáveis, mais corteses um para com o outro. Eram amáveis, ternos, falavam em tom suave, estavam empenhados com os mais simples problemas – eles se amavam! Observando a cena, alguém perguntou: "Será que o adulto é inimigo da criança?"

A oficina teatral pode conceder liberdade pessoal e igualdade. Quando um indivíduo de qualquer idade reconhece que está prestando uma real contribuição a um projeto, sem autoritarismo, ele se torna livre para desenvolver seu humanismo e para se relacionar com os que o cercam.

Momento importante é aquele em que a criança nos aceita, adultos, como iguais dentro da atividade!

O INDIVÍDUO E O GRUPO

A experiência teatral, como a brincadeira, é uma experiência grupal que permite a alunos com capacidades diferentes expressarem-se simultaneamente enquanto desenvolvem habilidades e criatividades individuais (ver Cap. 1). O professor-diretor deve atentar para que cada indivíduo participe em alguma faceta da atividade, o tempo todo, mesmo que seja apenas manejar a cortina. Não só a criança superagressiva destrói o esforço grupal: a passiva pode ser igualmente nociva, visto que ambas se recusam a abandonar seu egocentrismo. Os processos nos trabalhos de grupo com o ator infantil devem provocar a espontaneidade e permitir que da liberdade pessoal possa emergir a expressão individual.

O AMBIENTE DE TEATRO DO ATOR INFANTIL

O ambiente físico para um grupo dessa idade deve estimular, excitar e inspirar. Deve haver ao menos duas áreas de atividade, se possível: um local para jogos e danças, e outro para a instalação do teatro. Na área do teatro é importante haver o maior número possível de acessórios. Em nível muito simples, incluir-se-ão uma cortina, uma coleção de toda a sorte de vestuário, uma prateleira para acessórios, peças de cenário, grandes praticáveis, algum equipamento de luz, um local para efeitos de som e, naturalmente, um lugar para a plateia. Tudo deverá ser feito em escala especial, para que as crianças possam realizar seu próprio trabalho de bastidores. Com um pouco de esforço e engenhosidade, em quase qualquer sala ou canto livre pode-se instalar um teatrinho. Mesmo se não se prestar para um espetáculo público, o local será utilizável como oficina de trabalho. As crianças mais velhas podem fabricar seus acessórios e móveis fora dali, como fazem os atores adultos.

No trabalho com crianças, é aconselhável ter um ou dois assistentes para ajudar as equipes a organizar suas improvisações, o texto da história, a erguerem palcos, escolherem as vestes e impedirem a não participação. Esses assistentes, contudo, não deverão imiscuir-se no trabalho dizendo às crianças o que devem fazer: eles unicamente prestarão auxílio para que o grupo leve a bom termo suas decisões.

JOGOS

Os jogos terão lugar de proeminência no processo de ensino para crianças. O professor-diretor poderá fazer observações importantes das atitudes de cada ator infantil, sua realidade e comportamento, através do jogo.

O competitivo, o inseguro, o apreensivo, todos se revelam de imediato, bem como os mais felizes, libertos da necessidade de fazerem "certo". Uma menina reagia aos primeiros trabalhos com tal apatia que a julgaram de muito baixo nível intelectual. Ao brincar de "trocar de números", ela revelou extraordinário grau de vigilância. Sua apatia, então, foi facilmente identificada com o que era realmente uma capa protetora de medo oculto. Essa descoberta auxiliou o professor-diretor a libertar a criança para a experiência criadora mais depressa do que qualquer outro processo.

Jogos cuidadosamente selecionados também servem como instrumentos valiosos, no treino da realidade do teatro, para esta faixa. "Terezinha de Jesus" oferece "personagens" definidos como parte do jogo. "Boca de forno", com suas tarefas a realizar, leva o ator infantil a fazer exatamente o mesmo que os atores mais velhos, quando trabalham com envolvimento com o objeto e problemas sensoriais. Como escreve Neva L. Boyd, "da mesma forma que num bom drama, o jogo elimina irrelevâncias e aproxima os acontecimentos numa sequência, de forma tão concentrada e simplificada que condensa no tempo e no espaço a essência de uma complexa e longa experiência vivencial. Dessa forma, e através da variedade de conteúdo dos jogos, a criança obtém mais diferenciadas experiências do que seria possível no processo da vida diária". E de novo "a vitalidade do jogo está no processo criativo do próprio ato de jogar".

Existem jogos sensoriais e jogos dramáticos, jogos intelectuais e muitas outras categorias (ver Livros de Jogos). O professor-diretor deverá esforçar-se para escolher o jogo pertinente ao problema do momento e evitar o jogo fortuito, que não tem outro objetivo senão fazer rir às custas de alguém.

É também aconselhável proporcionar atividades diversificadas aos atores infantis: ritmos, danças folclóricas, etc. Todos são essenciais ao desenvolvimento pessoal e devem preencher um lugar definido no programa de trabalho. Na falta de especialistas nesses campos, o próprio professor trabalhará com as crianças da forma mais simples. Qualquer tipo de participação grupal, incluindo-se movimento, ritmo e som é de valia (ver Cap. 5).

Pode-se desenvolver jogos a partir dos exercícios sensoriais tais como: "O que eu estou ouvindo?" "Que estou vendo?" "Que estou carregando?" "Que estou comendo?"

O diretor pode escolher e empregar muitos exercícios mais complicados encontrados no livro, apresentando-os de forma adequada, QUEM ESTÁ BATENDO? (p. 99) é muito valioso. Em combinação com CAMINHADA AO ACASO (p. 199) os jogos eram empregados como parte dos espetáculos públicos, com grande sucesso, pelos Playmakers At Childrens Theatre.

ATENÇÃO E ENERGIA

Parece haver uma relação definida entre o tempo de atenção e o nível de energia das crianças pequenas. Quer se trate de criança que manifesta uma energia muito, grande, de outra com energia normal, ou daquela cujo nível de energia é baixo – todas, ao se defrontarem com problemas interessantes a resolver, permanecerão com uma atividade por longo tempo. Se considerarmos a atenção em termos de nível energético de nosso grupo, saberemos exatamente quando é necessário introduzir uma atividade específica que estimule o ator infantil a novos níveis de vitalidade, percepção, experiência e aprendizagem.

Esse estímulo pode ser provocado com o simples expediente de mudar as áreas de atividade, proporcionar diversificação, introduzir exercícios de atuação desafiantes, usando cenários, trajes e acessórios. A fim de aumentar a atenção do ator infantil nas sessões de trabalho iniciais, será recomendável dividir cada sessão em três partes: jogos, movimento criativo e teatro. Tudo que elevar a apreensão da atividade, como cor, música etc., deve ser empregado. Dessa forma, os jovens atores são despertados para a aventura teatral e podem passar mais facilmente do jogo dramático dos primeiros anos para a experiência teatral.

JOGO DRAMÁTICO

Como o adulto, a criança gasta muitas horas do dia fazendo jogo dramático subjetivo. Ao passo que a versão adulta consiste usualmente em contar histórias, devaneio, tecer considerações, identificar-se com os personagens da TV etc., a criança tem, além destes, o faz-de-conta onde dramatiza personagens e fatos de sua experiência, desde *cowboys* até pais e professores.

Nas oficinas de trabalho as crianças menores, ao passarem do jogo dramático (subjetivo) para a realidade objetiva do palco, caminham mais devagar do que os alunos mais velhos. Em muitos casos, os atores infantis não têm ainda a maturidade suficiente para participar da Avaliação no seu sentido mais amplo; dependem muito do professor – uma dependência que não pode ser abolida abruptamente.

Ao separar o jogo dramático da realidade teatral e num segundo momento fundido o jogo à realidade do teatro, o jovem ator aprende a diferença entre o fingimento (ilusão) e a realidade, no reino do seu próprio mundo. Contudo, essa separação não está implícita no jogo dramático. O jogo dramático e o mundo real frequentemente são confusos para o jovem e – ai de nós! – para muitos adultos também.

Um bom exemplo de confusão entre ilusão e realidade tornou-se evidente num menino levado à oficina de trabalho. Johnny foi trazido para a oficina "porque mentia demais". Nas primeiras sessões ele impressionava a todos com o seu modo de "agir". Derramava copiosas lágrimas quando suas irmãs de palco não o levavam com elas. E quando estas o empurravam do palco "fora do seu quarto", ele chorava de forma incontrolável nos bastidores porque "elas não me deixaram entrar!" Se ele era posto fora de uma cena, como no Rei Pirata, sofria sua rejeição por muito tempo. Em suma, Johnny misturava Ilusão e Realidade. Com o tempo, ele aprendeu a compreender a diferença. Tornou-se um participante frequente dos espetáculos teatrais e os relatórios da família registravam que ele não "mentia" mais.

Todos os alunos-atores, jovens ou idosos, precisam aprender que o palco é o palco, e não uma extensão da vida. Ele tem sua própria realidade: os atores compactuam com ela e a representam. No palco podemos ser feiticeiros, capitães-do-mar, fadas e elefantes. Representando, podemos alçar-nos à lua ou viver em lindos castelos.

Improvisar uma situação no palco, tem sua própria espécie de organização, como no jogo. Depois que um grupo de atores de seis a sete anos brincaram-de-casinha no palco, houve a seguinte discussão:

Vocês estavam "brincando-de-casinha" ou estavam representando uma peça? "Estávamos representando uma peça."

Qual a diferença entre "brincar-de-casinha" no seu quintal e jazer isso aqui? "Nós temos um palco aqui."

Aqui nós estamos "brincando-de-casinha"? "Não; aqui nós estamos fazendo uma peça."

O que vocês têm aqui além de um palco? "Uma plateia."

Por que a plateia vem ver uma representação? "Eles gostam – é divertido."

Aquilo que vocês representaram divertiu a plateia? "Não."

Por que não? "Não deixamos eles ouvirem nossas vozes nem tornamos a peça mais interessante para eles."

O que podiam fazer para a representação ser mais interessante? "Podíamos ficar emburrados, ou todos iríamos ver a T.V. ao mesmo tempo – qualquer coisa assim."

Eu gostaria de perguntar novamente: vocês agora estavam "brincando-de-casinha" ou estavam representando? "Estávamos brincando-de-casinha."

Vocês acham que podem voltar ao palco e, em lugar de "brincar-de--casinha", como no seu quintal, fazer uma peça sobre uma família numa casa e mostrar-nos Onde vocês estão, Quem vocês são e O Quê estão fazendo ali? "Sim. "

A cena foi feita novamente, retendo toda a graça da primeira execução, a par de um esforço verdadeiro dos atores para torná-la "mais interessante para a plateia". A espontaneidade da brincadeira de fundo de quintal manteve-se, acrescida da realidade em transmitir sua experiência à plateia.

A criança também pode aprender a não fazer-de-conta, mas "tornar real". Pode aprender a mágica teatral de "tirar um coelho da cartola". Perguntou-se a um grupo de oito a onze anos por que precisavam tornar as coisas reais para a plateia e não fazer-de-conta. "Se você faz--de-conta, não é verdadeiro, e a plateia não pode ver."

A ATUAÇÃO NATURAL

O problema de tornar manifesta e depois conter a naturalidade do jovem ator nos limites da forma da arte é um grande desafio. A criança natural não é necessariamente o ator inato; de fato, a generalização "as crianças são atores inatos" é tão verdadeira ou falsa como se se tratasse do ator mais velho. Em ambos os casos, a liberdade pessoal de penetrar o ambiente e experenciá-lo determinam a "naturalidade."

Em muitos casos, infelizmente, a naturalidade da criança ou do adulto tem que ser reconquistada. Mesmo os pequeninos vêm à oficina de trabalho já cheios de maneirismos aprendidos com tensões físicas, músculos contraídos, medo de contato e distorção da graça do corpo; o egocentrismo e exibicionismo já tomaram lugar. Todavia, pelo fato de o passado da criança ser menor em termos de anos, do que o do adulto e como, apesar de tudo, ela é uma criança, a abertura para o seu "estado original livre" acontece mais depressa.

O ator no palco deve criar realidade. Deve ter energia, comunicar--se com a plateia, ser capaz de desenvolver um personagem, relacionar--se com os demais atores e ter sentido do ritmo e do tempo etc.

Ainda que possamos ter êxito em restaurar ou conservar a naturalidade do ator, sabemos que isso não basta. A naturalidade somente não significa uma comunicação interessante, do palco para a plateia. Assim, temos dois problemas entrelaçados: primeiro, libertar a vitalidade e beleza individual da criança; depois, reestruturar essa naturalidade a fim de preencher as necessidades da forma de arte (o que vale também para o ator mais velho).

O que deve ser feito, pois, é conservar o jogo espontâneo da criança e transformá-lo em comportamento de Palco comunicável. Não deve haver a intrusão de "técnicas". Como com o adulto, os problemas de atuação que o aluno-ator tem que resolver devem ser apresentados de tal forma que esse comportamento no palco surja por si mesmo "do interior da criança, como por acidente"[1]. Como sabemos, seja criança ou adulto, aquele que joga livremente, totalmente empenhado em resolver o problema da oficina (ponto de concentração), atinge (ou conserva) o comportamento espontâneo natural ao mesmo tempo que está realizando a comunicação teatral.

A LUTA PELA CRIATIVIDADE

Se o diretor impõe padrões de pensamento e comportamento como a forma da arte (coisas "certas ou erradas") sobre o ator-criança, ele o está limitando da forma mais severa; e tanto o indivíduo como arte serão prejudicados. Se a criança é forçada a adotar padrões, se ela é ensinada por meio de fórmulas ou se lhe dão um conceito adulto distorcido do teatro, sua ação só pode ser estática e desagradável, amenizado apenas pela graça pessoal que muitos pequeninos ainda têm. Se atentarmos que ensino padronizado, fórmulas e conceitos, são resumos de conclusão de outros (ver discussão sobre aprovação/desaprovação no Cap. 1), nossos alunos poderão desenvolver-se numa atmosfera livre.

Hoje mais do que nunca defrontamo-nos com a necessidade de desenvolver o pensamento criador e original – na ciência como nas artes. As crianças, que são o nosso futuro, recebem de nós tantas prescrições que a maioria das formulações do adulto elas as esquecem ou as engolem sem digeri-las ou questioná-las. Muitas vezes ouve-se um recém-chegado ao teatro (de seis anos) dizer: "Você não deve dar as costas à plateia[2]." Uma vez inquerida, revela-se que alguém ocupando uma posição de autoridade na vida da criança disse-lhe isso. Desta forma, uma porta foi fechada, seguramente, por alguém sem a mínima ideia sobre o que disse e que repetiu algo que ouviu ou pensa ser certo. Em quantas outras áreas isso ocorre, hora após hora, dia após dia, na vida de uma criança? É esse tipo de ensino autoritário que embota nossas crianças e fecha seus centros de inspiração e criação. Muitos anos são perdidos até que elas se tornem adultas e possam ou não transpor as barreiras colocadas durante a infância.

A criatividade é frequentemente considerada como uma maneira menos formal de apresentar ou usar o mesmo material, talvez de modo mais engenhoso ou inventivo – um arranjo diferente dos mesmos blocos. Criatividade não é apenas construir ou fazer algo, não é apenas variação de forma. *Criatividade é uma atitude, um modo de encarar algo, de inquirir, talvez um modo de vida – ela pode ser encontrada em*

1. Veja Procedimento nas Oficinas de Trabalho, Cap. 2.
2. Veja EXERCÍCIOS PARA AS COSTAS, p. 134.

trilhas jamais percorridas. Criatividade é curiosidade, alegria e comunhão. É processo-transformação-processo[3].

DISCIPLINA É ENVOLVIMENTO

Temos receio de nos desligarmos de padrões convencionais de pensamento e ação. Assim sentimo-nos confortáveis, talvez mais controlados. Pensar numa atmosfera livre em que permeiam alunos libertos evoca em nossas mentes um panorama maluco. É possível que confundamos licença com liberdade?

A liberdade criativa depende da disciplina. Na verdade, uma pessoa livre, trabalhando com uma forma de arte, deve ser altamente disciplinada.

Examinemos a premissa da disciplina, propondo algumas questões. Que queremos de fato significar, ao falarmos deste problema com crianças? Queremos mantê-las quietas? Desejamos que cumpram nossas ordens? Imaginamos o controle do indivíduo? Ou pensamos em resignação? Quantos se ocultam atrás dessa palavra, quando desejam na realidade impor sua vontade ou suprimir a vontade do outro? Quantas crianças são enviadas para a cama porque a mamãe está cansada?

Um "bom" menino ou menina pode não ser uma criança disciplinada. Ele pode estar apenas desejando obter recompensa em lugar de castigo, aprovação ao invés de desaprovação. Ele procura sobreviver pela concordância. A assim chamada criança "indisciplinada" também busca sua sobrevivência; está revoltada contra o autoritarismo e restrições que não compreende; sua energia, não canalizada na ação criativa, surge como comportamento delinquente ou indisciplinado. É então que a revolta muitas vezes se manifesta como recusa em aprender a lição diária, pelo que julgamos não serem essas crianças "inteligentes". É possível que esses "rebeldes" sejam os mais livres, os inquiridores, os mais criativos, mas estão perdidos para nós, se sua liberdade (por causa de sua desorientação) torna-se uma força destrutiva.

Há muitos anos atrás, numa aldeia de pioneiros, um bando de meninos "maus" fazia travessuras, como roubar e cometer atos agressivos de toda a sorte. Eles foram convidados a assistir uma peça improvisada, feita por crianças de outra vizinhança, sobre a conservação da limpeza das ruas. Depois da representação, eles correram para a rua e sistematicamente ajuntaram o lixo encontrado; nesse meio tempo, descobriu-se que eles tinham também roubado algumas bolsas no teatro.

Reuniu-se uma assembleia de membros da oficina de trabalho (de 10 a 14 anos) para discutir o caso. Foi das crianças que o professor-diretor aprendeu duas importantes verdades. A essência do que as

3. Veja Cap. 4.

crianças disseram era que "a peça do lixo" era uma "peça de maldizer". Fora só uma "palestra com indumentária" e como tal não tinha realidade. A peça não criou envolvimento da plateia e não houve portanto compreensão do problema. No máximo a peça tinha conseguido dizer: "Vamos ser bons meninos e meninas e conservar limpas nossas ruas." Como o grupo se habituara a agir como crianças "más", só poderiam ter feito aquilo.

As crianças prosseguiram: "Se pudéssemos fazê-los entrar no teatro, não para mostrar a eles peças do tipo "crime não compensa", mas para fazê-los trabalhar nas oficinas, então eles veriam que é mais divertido do que roubar e não *precisariam* mais ser meninos maus."

A disciplina imposta produz inibição ou ações de rebeldia nas crianças; é negativa para o ensino. Porque quando a "jaula" é aberta, tudo fica como antes e por vezes pior. Por outro lado, quando o problema da disciplina não é uma "luta" para obter posição, mas representa uma escolha livre por amor a atividade, torna-se ação – ação criativa[4]. É necessário ter imaginação e dedicação para a autodisciplina. Como num jogo, quando as dinâmicas são compreendidas e não superimpostas, as regras decorrem delas. "É mais divertido assim."

Quando a oficina de trabalho mantém a estrutura do jogo, a criança entra alegremente na experiência e, na busca da solução do problema da atividade, imporá a si mesma as disciplinas necessárias. Porque qualquer criança (quando resolve brincar) será envolvida pelas regras e a elas se aterá (concordância grupal), bem como aceitará as penalidades e restrições que a atinjam. Assim fazendo, a maior parte do seu potencial humano será liberado, ao passo que se desenvolvem seu senso social e talentos individuais.

A intensidade do envolvimento será a medida das capacidades e potencialidades infantis. Crianças com as mais baixas notas na escola podem ser as mais criativas. Infelizmente, seu envolvimento não é estimulado pelo que se lhes oferece. A paixão dessa autora por teatro era tão grande que ela negligenciava seus deveres escolares e passou pela escola com dificuldade. E não lhe permitiram participar do grupo de teatro na escola secundária porque suas notas eram muito baixas.

A CRIANÇA INCERTA

O professor-diretor se defrontará frequentemente com uma criança apreensiva que observa o que os outros fazem e vai na sua pista, em lugar de trabalhar com o problema de atuação como membro individual do grupo. Quando isso ocorre, é melhor interromper a ação do grupo e realizar o JOGO DO ESPELHO (p. 55). Isso frequentemente ajuda a criança medrosa a compreender que a imitação não é má, porém só

4. Veja Aprovação/Desaprovação, Cap. 1.

é praticável em certos jogos – não em todos. Uma vez que se representa O JOGO DO ESPELHO, a criança com muito maior facilidade se libertará da imitação durante o trabalho na oficina, especialmente se lhe dizem: "Agora você está fazendo o jogo do espelho e não o jogo que estamos jogando."

Outro hábito da criança incerta é "espiar" durante os jogos de olhos vendados etc., por causa da sua necessidade de ser a melhor. Por exemplo, se o jogo é NO QUE ESTOU BATENDO? (quando se exige que as crianças conservem os olhos fechados enquanto adivinham em que se bate), aquela criança abrirá os olhos para espiar o objeto. Quando isso acontece, o professor-diretor só precisa dizer: "Se você abrir os olhos, está jogando um jogo diferente. Estamos brincando de *ouvir*, não de ver." Assim, sem sermão ou acusação, a criança prontamente reconhece por si mesma que se ela quiser "brincar", é mais divertido entrar no jogo que o grupo realiza. Em breve, sua necessidade de ser a primeira, a melhor, a que acerta etc., é substituída pela diversão de fazer como os outros.

14. Princípios Fundamentais para o Ator Infantil

AÇÃO INTERIOR

O conceito de ação interior pode ser facilmente explicado para o ator infantil, mas é melhor não introduzi-lo até que ele tenha realizado muitas improvisações, contado histórias e feito algum trabalho através do microfone (Ver RÁDIO-TV, p. 178). Eis um exemplo de como manipular o conceito quando o grupo estiver preparado.

Você sabe o que sua mãe está sentindo quando você volta da escola para casa? Quando você quer brincar fora e vai pedir licença, você sabe quando sua mãe vai deixar ou não? A criança assente com a cabeça, recordando a situação.

Como você sabe? "Pelo jeito dela... como faz."

Alguém quer ir para o palco e ser uma mãe alegre? Embora os pequenos raramente trabalhem no palco, sozinhos, de vez em quando isso é uma excelente experiência para eles. Escolha um dos voluntários.

A criança escolhida vai ao palco e torna-se a "mãe alegre". Ao terminar, discute-se sua ação com o grupo ou outros vão apresentar o mesmo problema. A plateia observará com a maior atenção a criança no palco.

Agora faça as crianças sentarem-se quietas procurando visualizar suas famílias. *Você sabe quando alguém na sua casa está zangado?* "Sim." Peça-lhes que o demonstrem.

Uma criança na Young Actors Company mostrou seu pai preocupado, colocando sua cabeça sobre os joelhos e as mãos sobre as orelhas, numa típica posição de preocupação. Mais tarde, quando a mãe veio buscá-la, esse incidente foi relatado. Ela riu e disse: "Sei que parece exagero, mas seu pai faz assim mesmo."

Quando o grupo compreende claramente que as pessoas são levadas a *mostrar* o que sentem, então explique o problema de atuação como segue:

Nós vamos jogar o jogo de o-que-estou-pensando – e vocês vão mostrar-nos isso. Cada um vai ao palco por si mesmo. Vocês devem estar em algum lugar, esperando por alguém. Enquanto esperam, vocês estão pensando em alguma coisa. Depois de pensarem bastante, nós, a plateia, vamos ver se podemos adivinhar no que estavam pensando. Pode ser que vocês estejam esperando uma pessoa que está atrasada. Vocês podem estar sozinhos num lugar desconhecido e com um pouco de medo. Podem estar esperando alguém que vai levá-los a uma festa. Cada um vai pensar o que quiser, e nós vamos ver o que vocês mostram.

Depois da concentração individual, tendo as crianças comunicado à plateia, reúna as crianças, por exemplo, numa sala de espera de uma estação. Ali elas terão de renovar sua concentração anterior sobre o pensamento, como quando estavam sós.

Se esse trabalho for apresentado de forma a que as crianças possam compreendê-lo em termos de sua própria experiência, disso resultará alguma ação interior interessante. Encoraje as crianças a brincarem de ver "como a gente sente por dentro", fora da classe. Elas vão gostar de observar a família e os amigos, adivinhando o que eles estão pensando.

DAR REALIDADE AOS OBJETOS[1]

Uma tarde, durante uma improvisação sobre uma fazenda, uma criança foi ao poço tirar água, encheu seu balde e carregou-o facilmente, como se estivesse vazio. Depois da cena, sugeriu-se que cada uma fizesse o mesmo. Só uma criança entre dez demonstrou que o balde estava cheio.

Havia uma torneira no pátio exterior do teatro. As crianças levaram lá o balde e, uma por vez, encheram o balde de água, deram alguns passos e o esvaziaram.

Depois que todas tiveram sua vez, perguntou-se:

Havia alguma diferença entre o balde cheio e o vazio? Fez-se uma pausa. Depois, a menor delas, que havia permanecido à margem da atividade, disse: "É mais pesado quando está cheio." Foi uma observação notável e todos concordaram de imediato.

Por que é necessário que o ator saiba que está mais pesado quando cheio?

Houve novamente um silêncio. Por fim, um menino de sete anos disse: "Porque não há água no palco."

1. Veja FISICALIZAR UM OBJETO, p. 71 e s.

Sim! Não há mesmo água no palco. Um poço no palco só pode ser representado por meio de madeira ou papel.

As crianças subiram então ao palco e representaram uma peça chamada: *É mais pesado se está cheio.* Elas estabeleceram o Era uma Vez (Onde, Quem, O Quê) e "encheram" suas cestas e baldes com leite, maçãs e tesouros; depois, andaram cambaleantes pelo palco, ao peso do que haviam apanhado.

Com quanta simplicidade elas tinham aprendido uma importante verdade teatral. Quantos de nós temos visto atores adultos profissionais, esquecidos de que seus recipientes "estão mais pesados quando cheios?" Essa consciência de criar a realidade cênica é facilmente transferível a outros objetos.

O TELEFONE

O telefone é provavelmente um dos acessórios mais agradáveis e úteis para os atores infantis. Se possível, obtenha um instrumento verdadeiro da Companhia Telefônica. Caso contrário> construa-se um de tamanho normal (não desses de brinquedo).

O telefone é especialmente útil para o jovem ator lento. O professor faz soar o telefone (vocalmente) de onde quer que esteja sentado. A criança mais ativa será a telefonista intermediária. Quando ela responde, pergunta pela criança que age pouco.

Mildred: (respondendo) Alô!

Professor: Por favor, posso falar com Edith (a criança que acaba de sentar-se passivamente)?

Mildred: Edith, é para você.

Edith: (encaminhando-se no palco para onde está o telefone, em voz baixa) Alô...

Professor: Alô, alô, é Edith?

Edith: (em tom longínquo) É.

Professor: Que coisa... eu não posso ouvir bem o que você fala. Quem sabe a ligação não foi boa. Você pode falar um pouco mais alto?

Edith: (em tom forte) O.K.

Para dar um outro exemplo, uma mãe está sentada na cozinha, de avental, à espera dos filhos que vêm de um piquenique. As crianças estão fazendo esse piquenique em pleno palco. A cena está num impasse, a mãe e os filhos estão apenas sentados. O professor-diretor faz soar o telefone.

Mãe: Alô.

Professora: Ei, alô... Como vai?

Mãe: Bem.

Professor: O que vai fazer hoje?

Mãe: Estou esperando meus filhos. Eles foram a um piquenique.

Professora: Nossa!... E ainda não voltaram?

Mãe: Ainda não.

Professor: Já está caindo a noite e chovendo (o encarregado da luz entra em ação). Não acha melhor ir procurá-los e trazê-los para casa? Já é quase hora de dormir.

Mãe: Também acho melhor.

Imediatamente a mãe é impelida a agir, em busca dos filhos. Quando ela volta, soa de novo o telefone (se necessário). Professor: Alô. A criançada está de volta para casa? Mãe: Está. Todos aqui.

TERMOS A SEREM USADOS

CONCENTRAÇÃO COMPLETA OU INCOMPLETA

Dê aos pequenos o conceito de concentração em termos de energia. Faça alguns deles subir ao palco para erguer um rochedo imaginário ou empurrar um carro encalhado. Isso será o mesmo que Ponto de Concentração ou foco para os atores mais velhos. Para que a concentração seja completa, eles logo verão que precisam empregar "toda a sua força" no problema do palco.

TORNAR-SE PLATEIA

Tornar-se plateia é uma expressão para reforçar a concentração.

Às vezes a criança se vê no palco, espelhando-se a si mesmo. Ela é um espectador não participante das ações dos demais. Olha para ver se tem a aprovação do professor. Trabalhe com este problema simplesmente, como segue:

Temos um lugar especial para a plateia, e se você preferir ficar aqui em lugar de representar, desça e observe. Está muito certo se quiser observar, mas nesse caso você pertence à plateia.

As crianças rapidamente compreenderão que o palco é o lugar para os atores e que não podem ser atores e plateia ao mesmo tempo. É importante compreenderem bem essa separação, pois ela representa uma das chaves para a realidade do teatro. Talvez seja necessário lembrar-lhes através de instruções de vez em quando: *O lugar da plateia é ali embaixo! Nós vamos onde vão os seus olhos! Nós vemos o que você vê!*

AFUNDAR O BARCO

"Afundar o barco" encoraja a marcação iniciada pelos atores; trata-se de uma expressão desenvolvida para avaliar o quadro de cena. É uma visualização que pode ser apreendida por qualquer criança. Simplesmente, descreva o palco como sendo um barco ou canoa. Então, diga aos estudantes para pensarem no que sucederia ao barco, se todos sentassem de um só lado. Da mesma forma. Como o barco perderia o equilíbrio e afundaria, também f o quadro de cena se desequilibra e estraga a cena.

Uma vez compreendida essa frase, você só terá de dizer: "*Vocês estão afundando o barco!*" durante o trabalho com determinado problema de atuação para ver como eles se distribuem no palco de modo mais interessante. Sem perder a concentração, reconhecerão a necessidade de compartilhar a voz, as ações e os sentimentos com cada membro da plateia.

Depois de se discutir o balanço do barco, peça para os alunos subirem ao palco. Primeiro, deixe que eles deliberadamente afundem o barco. Comece perguntando: "*Você já quis afundar um barco? Quando?*" Deixe que eles afundem o barco à vontade (como num incêndio ou tumulto, etc.). Depois da discussão, peça para fazerem outra cena, desta vez com o Ponto de Concentração no sentido de *impedir* que o barco afunde.

COMPARTILHAR COM A PLATEIA

Utilizado de forma idêntica à de um grupo adulto. Faça os atores representarem diretamente para a plateia, como numa reunião.

MOSTRAR – NÃO CONTAR

O problema de mostrar e não contar pode ser introduzido aos atores infantis na avaliação após a cena: "Ele mostrou que estava brincando na neve ou contou que a neve era fria? Como ele poderia ter mostrado que era o pai? Como poderia ter mostrado que cortou o dedo? Vimos o copo na sua mão?"

AVALIAÇÃO

Não há quem seja mais dogmático do que uma criança de seis ou sete anos, que "sabe" a resposta. Ela já está refletindo e aceitando os padrões do mundo que a cerca. Ela está certa, e eles estão errados! Parece, a princípio, impossível, erradicar essas palavras de julgamento de seu vocabulário.

"Ele está errado!" diz uma. *O que você quer dizer por errado?*

"Ele não fez certo." *O que você acha "certo"?*

"Assim!" E a criança põe-se então a demonstrar o jeito certo de pular corda ou comer. *Mas e se o João quer fazer do seu jeito?* "Ele está errado."

Você viu o João comendo a sua comida? "Vi." *E o que estava errado?* "Ele comeu muito depressa."

Você quer dizer que ele não come como você? "A gente tem de comer devagar."

Quem lhe disse isso? "Minha mãe."

Pois bem, se sua mãe quer que você coma devagar, isso ê uma regra na sua causa. Talvez seja diferente na casa do João. Você viu quando ele comeu? "Vi."

Se o professor insiste nisso, as diferenças individuais podem ser finalmente aceitas e os termos "errado" e "certo" substituídos por:

"Eu não consegui ver o que ele estava fazendo".

"Ela ficou parada como uma boneca, todo o tempo".

"Ele não compartilhou a voz conosco."

"Eles não tinham Era Uma Vez."

"Ele se tornou plateia."

Depois que o trabalho no palco foi executado por um time de alunos, a Avaliação é feita como se tratasse de atores mais velhos.

Pergunta-se à plateia de alunos: a concentração foi ou não completa? Eles solucionaram o problema? Eles estabeleceram o Era Uma Vez?

Quando os alunos-atores são cuidadosamente inquiridos, depois de algum tempo começam a dizer: "Eu atravessei um muro"; "Eu me tornei parte da plateia"; "Eu não compartilhei minha voz". Essa espécie de perguntas e respostas tem muito mais valor para desenvolvimento da realidade, conhecimento pessoal e percepção das crianças do que as expressões subjetivas: "Eles estavam bons", "Eles estavam maus".

O erro de se pensar que há tipos de comportamentos prescritos apareceu forçosamente um dia. Os alunos-atores realizaram uma cena doméstica. A mãe, o pai e o avô estavam sentados num sofá, tomando chá. O avô mostrou-nos sua identidade ao falar por acaso; "Olha o capanga!" Então, à moda de uma criança, de seis anos, ele trepou e deu uma volta em redor do sofá (feito de blocos).

Na avaliação disseram ao João que ele sem dúvida mostrou que ele era o avô. A professora perguntou-lhe, então, se ele imaginava um velho andando assim em volta do sofá. João ficou perplexo por ter feito isso. Da forma como foi feita a pergunta, João ajustou seu pensamento ao quadro de referência do diretor e desde aí aceitou sua autoridade, bem como o fato de os avós *não treparem em sofás*. Subitamente, ouviu-se uma voz na plateia. "Meu avô faz isso!"

Ele faz?

"No duro, cada vez que fica bêbado."

Ao propor as questões durante a avaliação o professor-diretor deve sempre ter o máximo cuidado de não impor suas ideias ou palavras aos alunos. Embora seja verdade que só uni avô entre vinte mil sobe num sofá como uma criança de seis anos, isso é possível e, portanto, o aluno-ator tem o direito de explorar o fato.

PONTOS A LEMBRAR[2]

1) Manter a estrutura do problema de atuação e da avaliação em grupo auxilia o trabalho do professor.

2. Veja também a secção sobre a direção das crianças-atores, p. 330.

2) Procure sempre fazer, na Avaliação, perguntas que vão ao encontro dos níveis de experiência das crianças e estimulem seu aprendizado.

3) Evite sugerir conceitos subjetivos sobre o que é certo ou errado no comportamento cênico. Lembre-se que não há padrões de ação enquanto a linha de comunicação estiver clara.

4) O barulho que ocorre durante a organização de uma cena deve ser considerado como ordem e não desordem. O professor detecta quando os sons são de indisciplina. A organização de uma cena não pode ser feita calmamente, já que a própria energia e entusiasmo só podem ser expressados ruidosamente. As crianças irão aprender a organizar-se silenciosamente quando houver uma cortina. Essa disciplina virá, *per se*, com o tempo. Não destrua o espírito do jogo com o conceito de "ordem".

5) Até que todos os jovens atores estejam em condições de tomar iniciativa na oficina de trabalho, disponha as crianças que são catalisadores naturais em posições nas quais possam ajudar a atividade. Cuidado, todavia, para que elas não se excedam. Com o tempo cada uma desenvolverá a habilidade de liderança.

6) Não proteja as crianças. Nem espere demais delas, nem permita que saiam com muito pouco.

7) Como num jogo, a oficina de trabalho possibilita a cada ator tirar dela o proveito relativo ao seu nível de desenvolvimento e encoraja a escolha individual.

8) A autodisciplina desenvolver-se-á nos alunos quando o seu envolvimento na atividade for total.

9) Essa faixa etária também pode aprender a criar a realidade cênica a partir do acordo grupal, como sucede com os adultos.

10) Da mesma forma que com os atores mais velhos, buscamos a espontaneidade e não a invenção em nossos alunos.

11) O espetáculo, quando as crianças estiverem preparadas, aumentará o seu nível de compreensão e suas habilidades. Todavia, não as force a isso prematuramente. Assegure-se de que integraram o trabalho da oficina e de que irão compartilhar o seu jogo. Elas devem compreender que a plateia "faz parte do jogo" e não serve meramente ao seu exibicionismo. Nessa idade, também podem aprender a manusear os instrumentos do teatro com sensibilidade e intuição; podem aprender a trabalhar em íntima comunhão com o diretor e demais atores, e assim realizarem espetáculos públicos, sem afetação, sendo um prazer assisti-los!

Numa apresentação em que entrava uma loja de bonecas, estas foram representadas por crianças de seis anos. Os jovens atores fizeram uma pesquisa. Trouxeram bonecas para a classe, que só tinham movimentos nas juntas. Com o treino na classe, elas aprenderam a resolver esse problema e a agir exatamente como bonecas. Elas brincaram de "loja de bonecas" durante semanas, com os outros participantes antes do ensaio (11 a 15). Quando as crianças que representavam bonecas tomaram parte, do espetáculo, pareciam atores veteranos. Tinham só de ajustar-se ao trabalho dos mais velhos.

Foram colocados bancos em cena para as crianças que quisessem sentar. Disseram-lhes que se um alfinete as estivesse picando, poderiam retirá-lo. Podiam afastar os cabelos dos olhos, espirrar, se precisassem, ou tossir. Só se considerava um Ponto de Concentração: *No que quer que acontecesse, elas teriam de comportar-se como bonecas.*

Alguns dos mais encantadores momentos ocorreram inesperadamente – uma cocou o nariz e outra deixou cair o chapéu. Os adultos ficaram admirados com a atitude de relaxamento, a falta de afetação e seus movimentos próprios de uma boneca. A atuação desses "bebês" surpreendeu-os.

O mais importante foi que essas crianças agiram com o máximo prazer e sem ansiedades. Empenharam todas as suas energias no problema físico de se moverem como bonecas e este Ponto de Concentração conferiu-lhes segurança e o tipo característico da personagem.

Depois de um espetáculo, a bonequinha que falava (seis anos) foi cercada pela plateia. Alguns adultos cochichavam em torno dela: "Mas não foi um encanto? Não é uma pequenina atriz?" Tanto palavrório poderia ter subido mesmo à cabeça de uma pessoa mais velha, mas a menininha só agradeceu ao grupo e, voltando-se para outro ator, perguntou: "Você acha que minha concentração foi completa?"

15. Oficina de Trabalho para Crianças de Seis a Oito Anos

PLANEJAMENTO DAS SESSÕES

Os exercícios abaixo foram expressamente preparados para crianças de 6 a 8 anos. Mas, de forma alguma, devem ser considerados como os únicos adequados para esse grupo. Aparecem aqui à parte para que se lhes dê maior ênfase.

Como se mencionou anteriormente, muitos dos exercícios que aparecem neste livro podem ser facilmente adaptados para as crianças de 6 a 8 anos. Por exemplo, os seguintes exercícios foram aplicados nessa faixa de idade com esplêndidos resultados: exercícios simples de envolvimento (p. 58); exercícios simples sensoriais (p. 71); exercícios de transmissão (p. 179); exercícios de efeitos técnicos (p. 182).

O diretor deve usar seu próprio critério ao escolher, alterar e apresentar exercícios adequados. Uma vez introduzido e entendido o Era Uma Vez, isso lhe dará uma excelente compreensão das necessidades e níveis dos estudantes. Armado dessas deduções, estará em condições de planejar as sessões de oficina de trabalho, tirando maior proveito das sugestões apresentadas nos exercícios constantes deste livro.

PRIMEIRA SESSÃO DE TRABALHO

Os alunos de 6 a 8 anos não deverão fazer o EXERCÍCIO DE EXPOSIÇÃO. O Onde formalizado (ver p. 84) é muito abstrato para esse grupo, ao qual se darão adereços físicos verdadeiros, roupas etc., o mais breve possível.

Assim, o Onde para crianças dessa idade será chamado Era Uma Vez. Ele será realizado com ou sem palco equipado. Não se conseguindo um teatro, determina-se desde logo as áreas da sala que serão usadas como palco, a parte dos fundos, os bastidores e a plateia. Se se conta com um palco verdadeiro, é muito interessante mostrar aos atores infantis a sua configuração, indicando-lhes nossos diversos itens.

As seguintes versões de Era Uma Vez são para o início da primeira sessão. Uma versão não requer um palco equipado. A outra é mais fácil e preferível.

TRABALHO PRELIMINAR

Vocês gostam de ler ou que outros leiam histórias para vocês? "Sim."

O que vocês fazem enquanto sua mãe lê para vocês uma história? "Nós ouvimos."

O que vocês ouvem? "A gente ouve a história."

O que vocês querem dizer com isso de "a gente ouve a história? O que vocês ouvem mesmo? "A gente ouve o que está acontecendo na história."

Imaginem que sua mãe está lendo a história dos Três Ursos. O que vocês ouvem nessa história? "Ouvimos coisas sobre os ursos e a sopa..."

Como vocês sabem que estão ouvindo a história dos Três Ursos? "Porque as palavras dizem isso."

Agora vem a mais importante pergunta: *Como vocês sabem o que as palavras dizem?* "Nós podemos ver."

O que vocês veem? As palavras? "Não." E rindo muito eles lhe explicam: "Nós vemos os três ursos, é claro!"

Continue a discussão sobre "ver" as palavras. Conte-lhes uma história: *Era uma vez um menino e uma menina que moravam numa casa amarela, no alto de um morro. Todas as manhãs uma nuvenzinha cor de rosa flutuava perto da casa e...*

Pergunte às crianças o que veem. Cada uma verá a história em termos pessoais. Faça-as descrever a cor da roupa da menina, o telhado da casa etc. Continue essa discussão enquanto permanecer alto o nível de interesse, depois passe para outro ponto.

O que sua mãe faz primeiro quando vai ler uma história para você? "Ela vai ao meu quarto... senta-se numa cadeira... diz: "Só por cinco minutos, meu bem..."

Então o que ela faz? "Ela lê a história."

Como ela faz isso? "Lendo de um livro!"

A essa altura os atores infantis estão certos de que a professora é "boba", pois não sabe as coisas mais simples.

Agora pensem bem. Qual é a primeira coisa que ela faz, antes de começar a ler, depois de se sentar e ter entrado no quarto? \ "Ela abre o livro."

Naturalmente! Ela abre o livro! Como ela ia poder ler a história se não abrisse o livro? "É claro que não podia."

No teatro também temos uma história. E também precisamos abrir o livro antes de começar. Só que no teatro abrimos a cortina. (A cortina, nesse caso, pode ser substituída por luzes ou dir-se-á unicamente "cortina" para indicar o início de uma cena, em caso de falta da mesma.)

Como começa em geral a história? "Era uma vez..."

Você quer dizer que começa num lugar qualquer? "Sim".

Existem pessoas na história? Sim, pessoas e animais.

As pessoas na história "Goldilocks e os Três Ursos" são chamadas personagens quando as levamos ao palco. Agora, do mesmo jeito como sua mãe abre o livro e começa com "Era uma vez...", nós vamos mostrar os ursos e a casa. Em lugar de ver isso nas suas cabeças, vocês vão ver no palco.

Quando sua mãe lê uma história para vocês, fala tão baixo que possam não ouvir? "É claro que não! Ela lê a história para que a gente possa ouvir".

Porque se vocês não pudessem ouvir, não teria graça, não é?

Quando elas já mostraram o desejo de se distraírem com a história, continue a discussão. Haverá correspondência se as perguntas forem claras.

O teatro tem gente igual a vocês quando estão ouvindo sua mãe. O teatro tem uma plateia. As pessoas lá são nossos hóspedes. A plateia quer divertir-se com a história que estão vendo e ouvindo no palco. E assim como sua mãe conta a vocês tudo do Era uma Vez (Onde) e os personagens (Quem) que estão no livro e o que está acontecendo a eles (O Quê), da mesma forma os atores contam para a audiência o que estão representando. E mostram tudo: onde as pessoas estão, quem são e o que estão fazendo.

A plateia só fica sentada e ouvindo, como vocês quando ouvem uma história? "Não; a plateia vê, como se fosse uma TV..."

Isso... Uma plateia vê o que vocês fazem, os personagens andando de cá para lá, fazendo coisas e falando uns com os outros. Então, o jeito de divertir uma plateia é mostrar as coisas da melhor forma que vocês puderem e compartilhar com eles tudo o que vocês fazem no palco.

O prosseguimento da discussão dá ao professor-diretor a oportunidade de apresentar os conceitos de "compartilhar" e "mostrar" (não contar) na oficina de trabalho. Contudo, não se deve esperar resultados imediatos. Leva tempo o ensino de compartilhar e comunicar-se com uma plateia, antes que isso se torne um todo orgânico no grupo dessa idade.

Terminada a discussão inicial, passe para:

Era Uma Vez

Era uma vez, equipamento mínimo.

A primeira coisa a estabelecer é Onde, Quem e O Quê.

ONDE

Onde você gostaria de estar? Os alunos vão sugerir muitos lugares, dos quais um provavelmente será uma sala de aulas. Mas se esse local já constar do programa da oficina, faça a cena decorrer numa sala de visitas, usando o mesmo processo.

QUEM

Quem vocês querem nessa sala de aulas? A maioria dirá o professor e os alunos.

O QUÊ

O quê o pessoal está fazendo lá? As sugestões prováveis serão que estão aprendendo aritmética ou lendo. *Que curso você prefere? Jardim da infância, primeiro, segundo anos, ou o ginásio?*

Uma vez selecionado o curso, faça-os arrumarem o palco. Tenha à mão adereços de cena adequados. Enquanto o professor e talvez uma assistente entregam os adereços para eles, deve-se lembrar a eles a delimitação da área do palco (todos os adereços devem estar nele). Continue lembrando aos alunos: *Vocês precisam comunicar a história. Acham que a escrivaninha nesta posição ajuda?* Pare, se necessário, para conferenciar com eles. Ainda que desta vez a plateia se componha só da professora e da assistente, mantenha nos atores a responsabilidade para com ela.

Uma vez preparado o palco, ainda faltam muitas coisas para uma sala de aulas. Peça aos alunos que fechem os olhos e procurem *ver* uma sala de aulas que conheçam bem. Calmamente, dê instruções para que vejam o chão, as paredes, a cor do teto. Não se intrometa na sua visualização – simplesmente os Oriente um pouco.

O que existe na sua sala de aula que está faltando no palco? "Um apontador de lápis." *Quantos de vocês estão vendo um apontador de lápis?* Dessa forma far-se-á uma lista de objetos extras, que as crianças levarão ao palco, sejam eles verdadeiros ou imaginários.

É melhor, durante as primeiras sessões, que o diretor distribua os papéis das crianças. Nas reuniões posteriores, elas farão isso por si mesmas.

Quando todos os adereços de cena estiverem no lugar, faça as crianças subirem ao palco. Diga: "Aos seus lugares!" O professor em cena irá para sua escrivaninha e os alunos ocuparão as suas. Agora pode ser dado o sinal: "Cortina!"

No início da cena, as vozes e movimentos serão poucos (especialmente quando se trata de crianças de cinco e seis anos). Muitas delas ficarão sentadas olhando as poucas que escrevem na lousa. Haverá muitos risinhos e olhares para a frente. Se o jogador que faz o professor fizer uma pergunta, pode ou não obter resposta. Algumas mais espertas talvez tomem conta da cena, ao passo que as demais ficarão sentadas como espectadoras.

É aí que o assistente do professor-diretor é de enorme valor: faça--o entrar na peça como um personagem definido (numa cena escolar, o papel do diretor é de um ativador). O diretor entra para ver o que está acontecendo. Usando de sua autoridade, ele sugere atividades a todas as crianças e observa se é obedecido: ele deve acalmar as crianças que tomam conta da situação e fazer as mais tímidas participarem da cena. Isso pode ser realizado através do papel do diretor de escola[1].

Diretor: Bom dia, senhorita X. Que linda manhã, não? (Ela espera resposta. Se a criança que representa o professor responde em tom fraco e longínquo, o chefe repete a pergunta.)

Desculpe, senhorita X, mas eu não ouvi o que falou. Não acha linda esta manhã? (Isso pode resultar na resposta pretendida. Mas se a tentativa ainda falhar, o assistente usará uma outra manobra.)

Sabe, senhorita X, tenho certeza de que as crianças gostariam de ouvir o que está dizendo. Não é uma manhã linda? (À terceira pergunta a criança poderá responder com mais vivacidade, ainda que só para este pequenino diálogo. Mesmo que a criança fique ensimesmada durante todo o resto da peça, sempre que o diretor lhe falar, ela responderá.)

Bom dia, crianças! Como se sentem esta manhã?

Alunos: Bem... ah, estamos bem... etc.

Diretor: (a uma menina) E o que está estudando hoje?

Menina: (em tom fraco) Leitura.

Diretor: Desculpe, Maria, mas meu ouvido não está em ordem esta manhã. Você não se importa de repetir o que acabou de falar?

Menina: (em voz mais firme) Leitura.

Diretor: Ótimo. (Volta-se para um menino que se sentou sem se mover desde o começo.) E você, meu menino, gosta de ler?

Menino: (não responde).

Menina: (gritando) Eu gosto de ler!

Diretor: (à menina encorajada) Que bom. (De novo, ao menino.) Você quer balançar a cabeça para dizer que gosta de ler?

Menino: (Balança a cabeça significando "sim".)

Diretor: E por falar nisso, como você se chama?

Menino: (murmurando) Johnny.

Diretor: Que nome bonito! Agora, quem de vocês quer comandar o grupo para cantar?

Esse procedimento é usado até que todas as crianças participem da "peça", mesmo que seja apenas com um aceno de cabeça Se o assistente puder suscitar mais ação, melhor; caso contrário, fique satisfeito com a mínima receptividade alcançada. Após algumas sessões, muitas crianças estarão aptas a assumir a função do diretor e incentivar os outros. Com o tempo todas estarão em forma, não necessitando nada além do problema para impulsioná-las.

1. Essa mesma técnica é muito útil quando se convida uma criança da audiência para trabalhar numa cena do exercício SUGESTÕES DA PLATEIA, p. 197.

Uma menina de seis anos tinha uma natural intuição para o teatro e rapidamente se integrou em tudo que aprendia. De fato, sua energia no palco era tal que só a muito custo deixava os outros trabalharem, Se era a mãe, raramente consentia que os filhos pronunciassem uma palavra. Diziam-lhe sempre: *Deixe todos os personagens tomarem parte na cena.*

O problema foi considerado na Avaliação. Quando mencionaram essa falha em sua atitude, a menina replicou: "Mas se eu não me mexo, todo o mundo só fica sentado, e isso não é interessante."

Como você pode ajudar os outros? Ela achou que precisava dizer-lhes o que fazer.

Mas como você pode "dizer isso a eles" e ao mesmo tempo jazer para nós uma "peça", em lugar de contar uma história? "Eu posso cochichar nos seus ouvidos."

O que você pode fazer no palco para ajudar os outros a mostrarem à plateia que eles fazem parte da família? Ela pensou um pouco e disse: "Eu posso dizer para eles fazerem coisas e fazer perguntas que saibam responder."

"Por favor quer me trazer os papéis que estão em cima da sua escrivaninha?" – essa foi uma pergunta que lhe ocorreu. Anteriormente, ela teria ido buscar pessoalmente os papéis.

Não se surpreenda com a frequência com que se efetua, neste grupo, a mesma situação cênica. A sala de aulas ou de visitas aparecerão doze vezes ou mais. Mas, a cada vez, algo de novo se integra à ação e as crianças trocarão de papéis. As variações cênicas podem incluir: um novo aluno que ingressa na classe, o último dia de aulas, o dia de visita dos pais e até aulas em outros países. Calor, frio ou tempo podem ser introduzidos. Devido ao prazer renovado dos alunos nessas "peças", muitos problemas de atuação podem ser resolvidos, trocando-se o Ponto de Concentração dentro do mesmo Onde familiarizado.

EXERCÍCIOS

Era uma vez – com todo Equipamento

Este exercício foi primeiramente criado para enfrentar o problema de dar um pequeno curso experimental de teatro a grandes grupos de crianças, tais como escoteiros, bandeirantes etc. Foi tamanha a alegria despertada por essa novidade que ele foi então empregado com igual sucesso para atores de 6 a 8 anos. Apresentaram-no num espetáculo público dos "Playmakers", o teatro infantil em Second City, Chicago, onde encantou centenas de crianças e adultos. Todavia, nesse caso a plateia simplesmente falava quais os adereços de cena de que precisavam, e os atores em palco os apresentavam.

O sucesso dessa versão de ERA UMA VEZ depende inteiramente de um palco equipado. Realizada com eficiência, ela transmite a experiência total do teatro tão rapidamente e com tal impacto que o aluno participante é jogado num papel ativo antes de poder respirar. Valeria a pena o tempo e o esforço de um professor-diretor para ver isso em palco e usar essa versão de ERA UMA VEZ.

Para poupar tempo, é necessário que o professor prepare antes o Onde, para os primeiros cinco ou seis espetáculos. Essa preparação consiste em verificar se a prateleira de adereços de cena contém o estoque adequado, se os cabides estão bem providos de roupas, se os discos estão em ordem na cabine de som e se o sistema de iluminação está funcionando.

Já que uma sala de visitas é o local mais familiar para os atores e se presta a grande número de efeitos cênicos, é uma primeira escolha excelente. Em vista dos numerosos imprevistos que sucedem no palco na primeira sessão, não é necessário o uso de figurinos. Eles aparecerão nas outras.

Começar a sessão é bem simples. Pergunte aos atores: *Qual é a primeira coisa que vocês jazem quando se sentam para ler uma história?* Quando respondem, "abrir o livro", um assistente deverá abrir a cortina. Vemos um palco vazio[2].

Já que eles estão olhando para um palco vazio, peça-lhes que procurem visualizar suas salas de visitas. Ajude-os nessa concentração: *Veja as paredes. Veja os móveis. O que está no chão? Concentre-se nas cores.*

Diga-lhes que se pedirá a cada um deles que coloque no palco alguma coisa que faz parte de uma sala de visitas. E pergunte a cada um o que gostaria de pôr na sua sala. Quando o primeiro ator for convidado a ir ao palco e colocar seu sofá ou coisa semelhante, ficará um pouco hesitante, visto que o palco está vazio. Diga-lhe para ir aos bastidores e ver se pode achar um Sofá. Toda a plateia espera, em suspense: o que ele vai encontrar lá?

A assistência é necessária aqui, visto que as crianças devem saber onde encontrar seus objetos ao irem buscá-los atrás do palco. Alunos mais avançados podem prestar-lhes auxílio; e ajudar é útil para eles porque intensifica seu aprendizado.

Se entre os adereços existem blocos grandes, faz-se um sofá depressa; caso contrário, substitua-os por qualquer coisa que sugira um sofá. *Onde você quer colocá-lo?* O aluno indica um local e, auxiliado pelo assistente, coloca o sofá. Os atores na plateia estão ansiosos por tomar parte na ação. O próximo aluno pode pedir um abajur, e assim por diante. Cada qual pede um adereço, vai buscá-lo nos bastidores e coloca-o no palco.

Quando se pede um piano, todos ficam boquiabertos ante tal pedido. Esse adereço dá um toque de graça à cena e um pianozinho de

2. Parte do material usado na discussão preliminar, no começo deste capitulo, pode ser empregada aqui.

alguns quilos de peso pode ser construído como parte do seu equipamento (também um simples bloco de madeira servirá)[3]. Depois um rádio, um aparelho televisor, uma estante com livros pintados, caixilhos de uma janela com cortinas (que poderão ser penduradas num arame atravessando o palco). É necessário uma lareira, quadros, flores, objetos ornamentais, bandejas de café, uma gaiola – de fato, tudo o que auxilia para configurar uma sala de visitas.

Enquanto os alunos estão fazendo os arranjos, o professor e os assistentes ficam em volta, ajudando e sugerindo disposições que tornem a sala de visitas agradável. Terminado isso, faça os alunos voltarem para a plateia e feche imediatamente a cortina. Com o intuito de dar um primeiro impacto, a equipe de bastidores dá os últimos retoques (como uma lâmpada na lareira, iluminando toda a área, flores sobre a prateleira da lareira etc.). Agora peça: "Cortina!"

À medida que a cortina se abre, o fogo ardendo na lareira, as lâmpadas iluminando a sala, uma música suave enchendo o ar e um pássaro chilreando alegremente, um sonoro "oh-h-h-h-" sairá da plateia. O entusiasmo artístico e estético que se observa nos alunos-atores é comovente. Ali está um palco que eles arranjaram juntos e estão embevecidos com o que veem. Cada um contribuiu com sua parte! Esta é a primeira criação de realidade no palco. É a mágica do teatro!

Então chega o tempo de mostrar como, apesar de tudo, o teatro é obra do homem. Suba a um palco e desligue a eletricidade. Imediatamente ele se altera: a música cessa, o fogo se extingue, as lâmpadas apagam-se. Vá até ao piano e mostre que não passa de madeira e papelão (ou um bloco de madeira); erga o abajur e mostre que faltam a lâmpada e o fio; o rádio é uma caixa vazia; a TV, uma peça de papelão; o fogo na lareira, uma lâmpada com gelatina colorida sob um feixe de gravetos.

Como se faz a mágica? Chegue perto do piano (peça ao responsável pelo som: "Acho que vou tocar piano"). O professor move os dedos sobre o teclado e a plateia é envolvida pelo noturno. Dê outra pequena "deixa", então o professor acende uma lâmpada, iluminando um pouco mais o palco. Dessa forma, ele andará pela sala, acendendo luzes um fósforo e iluminando a lareira e até mesmo ligando a TV onde aparece um programa em andamento (alguns atores entusiastas, de outro grupo, podem fazer um pequeno *show* de TV, o que será divertido). Continue até que tudo esteja funcionando e o palco ofereça de novo o aspecto original anterior à abertura da cortina.

A plateia fica extasiada. Como tanta coisa sucedeu a partir de nada, simples cartazes de papelão e estruturas vazias? Algumas das respostas são surpreendentes e estão longe da realidade. Mas logo, desse "mistério"

3. Quando o exercício ERA UMA VEZ foi feito como parte dos espetáculos no Playmakers, um bloco de 60x90 cm foi usado como piano.

surge a ideia de que "alguém" realizou aquilo. Quem? A equipe técnica, naturalmente! Ela é chamada ao palco para que os alunos a conheçam.

Agora leve os alunos para os bastidores e mostre-lhes de onde vem o som, a iluminação etc. "Como a equipe técnica sabe quando tem de fazer as coisas?" Nós os avisamos. "Mas como?" Os alunos aprendem que "avisar" é dar uma "deixa" e que o pessoal que fica nos bastidores tem de permanecer alerta às solicitações e oferecer o que se lhes pede no momento exato; de outra forma, o instrumental não será proveitoso.

Faça cada aluno subir ao palco e dar uma "deixa" qualquer para a equipe técnica. Ele logo aprenderá ser esse o modo de dialogar com ela e que uma resposta só virá quando se ouve o que o ator quer. Mesmo o aluno mais tímido, desejoso de fazer algo no palco, perderá o medo e numa sessão o professor obterá o resultado que de outra forma lhe exigiria semanas.

Durante o espetáculo, os atores estarão alerta aos efeitos planejados e devem resolver qualquer crise. Numa apresentação com alunos de 6 a 14 anos, uma ventania forte deveria acontecer um diálogo relativo ao vento. Mas assim que se iniciou o diálogo, o vento cessou.

Os atores no palco mantiveram um diálogo inteligente, e ainda assim o som do vento não apareceu. Mas o diálogo e a cena não pararam; pelo contrário, a coisa continuou por uns longos três ou quatro minutos, quando finalmente o efeito sonoro foi dado. Depois do espetáculo, o elenco perguntou ao responsável pelo som, de 12 anos: "O que aconteceu?" Ele estava de prosa com o responsável pelos adereços e não tinha ouvido a "deixa". Depois disso, nunca mais deixou o seu posto. E, ponto também importante, a plateia jamais percebeu que alguma coisa tinha falhado.

Quando os alunos estiverem completamente familiarizados com o palco, é chegada a hora de colocar vida nele: Quem.

Quem está geralmente numa sala de visitas? A pergunta é rapidamente compreendida pelo grupo: é fácil deduzir que mães, pais, crianças e por vezes visitas povoam uma sala de visitas. É igualmente fácil compreender que essas pessoas são chamadas *personagens* no palco.

O que estão jazendo essas personagens na sala de visitas? é uma pergunta que carreia muito material para histórias. Um professor pode estar de visita aos pais, as crianças podem tocar piano etc.

A plateia deve tomar conhecimento do que jazem os personagens? "Naturalmente."

Por quê? "Para que apreciem a peça."

Os times são prontamente formados. A plateia deverá ver:

1) se a equipe que trabalha nos bastidores sabe o que necessita;

2) se compartilha seu trabalho com a plateia.

E assim começa a experiência da oficina de trabalho! No espaço de uma hora ou uma hora e meia, os alunos aprendem a necessidade de interação, relação e comunicação, se quiserem divertir-se.

Quando se emprega ERA UMA VEZ sem equipamento, é melhor conservar num mesmo grupo as crianças de 6 a 8 anos. Uma vez devidamente preparadas, e a função da plateia e do ator mais definidas, então elas podem ser divididas em equipes. Em ERA UMA VEZ com equipamento, contudo, leve em consideração que dividi-las em equipes pode ser efetuado desde a primeira sessão. Quando um grupo todo cria ERA UMA VEZ, seu interesse como plateia permanece, ao passo que observando as equipes separadas, surgem empregos diferenciados do mesmo Onde. É conveniente, contudo, terminar cada sessão de trabalho com a participação de todo o grupo. Como nas primeiras atividades com o ator mais velho, o Jogo de Orientação e outros semelhantes são empregados no fecho de cada sessão da oficina.

Quando o ator se familiariza com o palco e suas convenções, e após algumas semanas de uso de diferentes cenários, os alunos-atores estarão em condições de equipar seus próprios palcos, de discutir os efeitos com a equipe de bastidores e de começar a avaliação criativa do trabalho de cada um, com todo o apoio de atores veteranos.

Ao se organizar o material para cada sessão, é bom fazer um resumo do que é necessário em cada categoria:

CENA FLORESTAL

Iluminação	*Som*	*Peças de Cenário*	*Figurinos*
Luar Noite	Sons noturnos Sons da manhã	Caverna Rochas	Pele de urso Orelhas de coelho
Madrugada	Trovão	Rios	Asas de borboleta
Relâmpago (tempestade)	Rugidos de animais Sopro de vento	Árvores	Cabeça e rabo de cachorro

Prepare-se para atender a qualquer pedido do aluno-ator. Se o adereço pedido não estiver à mão, sugira um: uma caverna pela disposição de blocos ou cadeiras; árvores feitas de tiras de cortina dispostas em intervalos; vegetação feita com arbustos naturais, entremeados de flores artificiais; uma cascata pode ser recriada por luzes azuis incidindo sobre tecido prateado de lamê. À medida que o trabalho da oficina progride, as habilidades de cada um serão estimuladas para ir ao encontro das necessidades do momento e rapidamente aparecerá a seleção apropriada de adereços para as cenas.

Contar histórias

Há livros sobre teatro criativo destinado àqueles que ainda insistem nessa técnica. O método seguinte baseia-se na estrutura de improvisação, mediante a qual o narrador de histórias e os atores trabalham simultaneamente. Ele é mais inventivo do que espontâneo, porque todos têm de se ater à "história", tal como lhes é narrada. É importante, todavia, para o narrador, que cada aluno tenha a oportunidade de participar como narrador de história durante o programa da oficina, do que resultará muitos benefícios. Isso propicia ao diretor em potencial, de 6 a 8 anos, uma visão total do meio e a compreensão dos problemas de integração de uma cena (ver as observações sobre a espontaneidade no Cap. 1).

A menos que o grupo seja muito grande, um período (sessão) para cada um dos narradores de história é, em geral suficiente. A cena não deve levar mais de meia hora. Por vezes, após o período convém escolher alguns pontos para trabalhar e escolher alguns exercícios específicos para os atores realizarem.

Se o narrador organizou seu material fora da oficina de trabalho, sua apresentação e preparação não deverão ser demoradas. Além disso, o diretor e seu assistente devem estar presentes para manter a atividade.

O narrador conta a história e os atores no palco seguem sua orientação. Ele escolhe uma história ou a inventa. É bom determinar essa tarefa com uma semana de antecedência. Ele pode também desenhar retratos de seus personagens, cenários, roupas e adereços de cena. Se por um lado esses desenhos, vindos de crianças de seis a oito anos, são muito primitivos e não 4ão úteis para a referência visual para os atores, por outro lado estimularão o narrador na organização do material.

Uma vez escolhida a história, o narrador põe em jogo sua cena, mostrando os desenhos ao elenco. Escolhe os elementos que atuarão no palco, bem como designará os auxiliares da retaguarda e suas tarefas (o diretor de cena, de som, luzes etc.). Ele também decide o figurino. O cenário é montado como o narrador deseja e é ele quem ordena ao diretor de cena quando deve dizer "aos seus lugares!".

O narrador ocupa seu lugar ao lado do palco (ou ao microfone, se houver uma cabine de som) e começa o seu Era uma Vez. Os atores representam a história como é contada. Veja se o narrador concede liberdade e ação e de fala ao elenco.

Para impedir que os atores fiquem andando e papagueando o narrador, previna o narrador a fim de não lhes dizer exatamente o que têm de fazer.

Dizendo "Então a mãe repreendeu o menino", permitirá que os atores (mãe e filho) digam e façam o que desejam dentro dos parâmetros da história. Isso é de difícil comunicação, a princípio, mas com constante insistência nesse particular, as aulas com narração de história se tornarão muito mais interessantes.

Durante uma história versando sobre Jack e o Beanstalk, o gigante era um menino de seis anos que ficou passivamente sentado, enquanto Jack roubava todos os seus pertences. A narradora, no intuito de promover alguma atividade por parte do gigante disse: "O gigante ficou muito zangado quando acordou e viu que haviam roubado seus ovos." O menino no palco só abriu os olhos um pouco mais e olhou calmamente em torno. Isso não satisfez a narradora, que de novo insistiu: "O gigante ficou muito zangado e começou a pular." Nosso gigante tentou fazer isso, mas tal não agradou a narradora, que prosseguiu: "O gigante ficou mesmo zangado. Ele nunca tinha sido malvado antes, mas então pulou, berrou e disse uma porção de coisas feias."

Daí para satisfazer a todos os presentes, o gigante de 6 anos rosnou: "Por tudo quanto é santo, quem roubou meus ovos?"

É importante que durante as aulas o professor-diretor ou assistente sente-se perto do narrador, para ajudar a manter em atividade todo o elenco e a equipe técnica. Lembre ao narrador que dizer «mais ou menos» não implica ato algum ou que o responsável pela iluminação deixou alguma vez de acionar o botão.

Se porventura um palco com possibilidades técnicas estiver à disposição, efeitos maravilhosos poderão registrar-se através do departamento "técnico". Uma narradora disse: "Era de noite, o vento começou a soprar e assustou as crianças." O encarregado da iluminação (sempre de 7 anos) logo escureceu o palco e provocou um som assustador no microfone, enquanto os atores agruparam-se assustados.

Contar histórias é igualmente útil para as crianças mais velhas e os adultos. Com elas, atores e narrador podem improvisar juntos (DAR E TOMAR). O narrador torna-se guia, aliviando os atores de preocupar-se com a continuidade da história e ajudando-os a explorar as pulsações que vão surgindo (EXPLORAR E INTENSIFICAR).

Criar cenas com roupas

Dois métodos podem ser sugeridos para a criação de cenas com indumentária. Ou os atores estabelecem o Onde, Quem, e então escolhem as roupas de acordo com a cena; ou eles apanham as roupas ao acaso e depois escolhem Onde, Quem e O Quê; baseando-se nessas roupas.

No princípio, os atores gostam muito das roupas e as vestem indiscriminadamente, quer a cena as requeira ou não. Depois de alguns meses, contudo, essa atitude muda gradualmente e eles passam a escolher só as roupas que convém à sua cena.

Uma cena típica arquitetada em função de roupas realizou-se da seguinte maneira. As crianças procuraram nos cabides cheios de roupas coloridas (se elas forem muito grandes, ajustam-nas mediante alfinetes e tiras de pano)[4]. Um menino apanhou um chapéu grande de seda e um barrete de penas que tinha sido usado para a roupa de um pássaro numa cena. Três meninas pegaram vestidos de fantasias e coroas, da caixa de chapéus. Um rapaz escolheu uma barba e um capacete exótico. Uma menina quis um vestido moderno, chapéu e véu. Outra colocou em si a cauda e as orelhas de um cachorro.

Depois de vestidos, perguntaram a eles se queriam escolher seus próprios personagens ou se isso seria feito pelo grupo. Eles quiseram escolher por si mesmos. Cada aluno colocou-se à frente do espelho para ver que tal estava.

No caso em questão, o primeiro menino resolveu logicamente ser um pássaro, e com o chapéu de seda, mais tarde decidiu ser um pássaro rico. As três meninas ficaram sendo uma rainha, uma princesa e uma amiga da princesa. A barba e o capacete naturalmente criaram um explorador, e a cauda mais as orelhas fizeram do ator um cachorro. Mas a última menina, com o vestido moderno, tinha um problema. O que seria? O menino que ia representar o passarinho rico, encantado com ela, sugeriu: ela pode ser a "namorada de um pássaro". Acanhada, ela concordou.

Então, ficou assim determinado o elenco para a cena:

Pássaro rico — Princesa
Namorada do pássaro — Amiga
Explorador — Cachorro
Rainha

Eis o que aconteceu:

O explorador estava no mato com seu Cachorro, caçando pássaros raros. Ele era empregado de uma senhora Namorada do Pássaro, que estava organizando uma coleção deles. O explorador apanhou um espécime raro de Pássaro Rico, trouxe-o consigo e a Namorada do Pássaro resolveu mostrá-lo à Rainha, à Princesa e à sua Amiga. O Cachorro acompanhou.

Faltou alguma coisa nessa situação? Talvez. Mas tanto as crianças que representaram a cena como a plateia gostaram dela. E esse tipo de cena pode ser realizado só com peças avulsas do figurino e pequenos adereços que podem ser prontamente selecionados.

4. Gravatas velhas podem ser usadas como cinto e tornam possível o uso de vestidos ou casacos de qualquer tamanho pois servem para amarrar as partes que sobram. Cabides de arame podem ser torcidos e moldados para dar muitos efeitos nas roupas.

TEATRO FORMAL E TEATRO IMPROVISACIONAL

16. Preparação

O DIRETOR

Este capítulo é primeiramente dirigido ao diretor de peça formal de teatro não profissional. O diretor de teatro improvisacional descobrirá isso quando tiver passado por todo o livro, montando um espetáculo a partir dos exercícios. Contudo, existem algumas sugestões neste capítulo que podem ser úteis.

O diretor é o olho e o ouvido da plateia que irá assistir. Suas energias devem, o tempo todo, estar concentradas na descoberta de significados mais profundas, perspectivas para os seus atores e equipe técnica que irão enriquecer a comunicação teatral. Ele deve extrair de cada um, incluindo a si próprio, até a última gota.

Se ele tiver sorte de contar com atores e técnicos talentosos e experientes, seu trabalho será grandemente enriquecido. Entretanto, tudo o que for selecionado, desde a escolha da peça até a aprovação do esquema de iluminação, é resultado da sensibilidade, nível de consciência e bom gosto do próprio diretor. Ele é o agente catalisador, que procura canalizar as energias de muitas pessoas para uma ação unificada.

Para o teatro improvisacional, a sua parte na ação teatral é ver e selecionar a cena ou história na medida em que emerge do trabalho dos atores (enquanto solucionam um problema). O diretor deve sempre ver o processo em movimento (ou colocá-lo em movimento quando os atores se sentirem perdidos), a partir do qual uma cena pode se desenvolver.

O PONTO DE CONCENTRAÇÃO DO DIRETOR

Quando se dirige uma produção para um espetáculo (formal ou improvisado), o professor-diretor assume um papel diferente daquele assumido na oficina de trabalho. Como professor, ele se focaliza no aluno-ator individualmente e nos problemas para ajudá-lo a experienciar. Como diretor, ele se focaliza na peça e em qual problema usar para dar vida a ela. (Um outro ponto para o diretor de teatro improvisacional é o de saber que problemas dar aos atores para que descubram material para cena.) Algumas vezes, os papéis são totalmente separados. Algumas vezes e quando necessário, seja na oficina de trabalho ou nos ensaios, eles trabalham juntos.

Os ensaios requerem um ambiente em que tanto a intuição do ator como a do diretor podem emergir e trabalhar juntas, pois é só dessa maneira que a vida pode ser levada até o diretor, ao ator, à peça e ao palco. Esta é a razão pela qual as técnicas de solução de problemas são utilizadas para ensaiar a peça. Elas têm sido experimentadas há anos, especialmente com crianças e atores iniciantes e, como na oficina de trabalho, se a intenção do problema for compreendida pelo diretor quando apresentada aos atores e se for resolvido por eles, o resultado será uma vitalidade e um alto nível de resposta tanto na atuação como no desenvolvimento de material para cena. Funciona!

Este capítulo sugere meios para auxiliar o diretor a manter seu Ponto de Concentração constantemente focalizado na descoberta da realidade da peça. Ele deve saber quais problemas dar aos seus atores para que a peça se desenvolva e torne uma produção significativa, harmoniosa e unificada.

Muito antes de formar o elenco, o diretor deverá ler a peça muitas e muitas vezes. Ele terá que digeri-la e estar familiarizado com ela e seu autor. Ele pode até assisti-la em algum outro lugar.

Então, ele deve descartar a peça "dos seus sonhos". (O diretor de teatro improvisacional não terá esse problema, embora possa ter selecionado peças que apareceram na oficina de trabalho, que queira explorar mais detalhadamente. Isto o levaria ao mesmo ponto do diretor de teatro formal.)

O problema da transposição do ideal de uma peça para a sua produção concreta não é uma tarefa fácil. Mas, uma vez que uma produção é nutrida pelas habilidades, criatividade e energias de muitos, é necessário que o diretor reconheça que não pode impor padrões preconcebidos aos atores e técnicos e, ainda assim, esperar um espetáculo vivo, vibrante. Nenhum trabalho individual para diretor ou atores.

Se, por exemplo, os atores estão presos às palavras, com quase nenhuma marcação ou movimento de cena, o diretor pode decidir usar BLABLAÇÃO, OU talvez MOVIMENTO ESTENDIDO, OU jogos para colocar a cena em ação. Sua seleção depende do seu diagnóstico daquilo que estiver causando o problema. Se a intenção da cena não está clara, COMEÇO E FIM pode esclarecer o significado tanto para o ator como para o diretor, PREOCUPAÇÃO, O QUE ESTÁ ALÉM? D, EXPLORAR E INTENSIFICAR, e outros exercícios especiais nessa área podem ser selecionados para suprir a necessidade de material para cena, para o teatro improvisacional.

A partir daí, então, a peça em si, sua história, sua vida irá emergir para que o diretor possa ver. Trabalhar dessa maneira mantém o acordo de grupo e a descoberta da solução para os problemas do palco através da solução de problemas em grupo. O ator individual não é negado, pois se por qualquer motivo for necessário um trabalho para o desenvolvimento de um personagem ou para uma maior compreensão de uma relação com um determinado papel, existem exercícios específicos para isso.

Para o diretor de teatro improvisacional, essa é a única maneira de trabalhar. A substância da cena deve se desenvolver simultaneamente com todas as outras coisas, e essa é a maneira pela qual ela aparecerá.

TEMA

O tema é o fio condutor que une todas as pulsações da peça ou cena. Ele entrelaça e mostra-se no mais simples gesto do ator e no mínimo detalhe de sua roupa. É a ponte que une uma cena (pulsação) a outra, uma cena (pulsação) a si mesma.

No teatro, como em todas as formas de arte, é difícil definir exatamente o tema. Procure fazê-lo sair das partes da própria peça que estiver sendo montada, pois o tema está armazenado dentro de uma peça ou cena bem construída. Assim como um cometa é estático, a menos que seja lançado para frente pela energia que o propulsiona, assim também é a peça até que seja colocada em movimento pela energia extraída de cada segundo de sua progressão. A fonte de energia deve ser encontrada na realidade objetiva de cada cena. Isto dará à peça o seu ímpeto na medida em que cada cena for sendo fundida e transformada em vida. Paradoxalmente, o tema dá vida e encontra vida na própria peça.

O teatro improvisacional é de tal forma estruturado que sua fonte de energia é alcançada ao mesmo tempo em que a cena se desenvolve, pois cada cena cresce de uma realidade objetiva (acordo). Eis por que, no teatro improvisacional, um tema pode ser enunciado e as cenas serem construídas à sua volta.

O diretor deve pensar no tema como sendo o fio que une todas as partes separadas – um meio de manter sob um único prisma o vestuário, o cenário, a peça, os técnicos, diretor e atores. Às vezes, observando, ouvindo, é uma única palavra ou frase que nos traz a compreensão; outras, é simplesmente um "sentimento" não verbal que desenvolve. O diretor pode encontrar o tema antes dos ensaios começarem, ou pode começar os ensaios antes que o tema apareça. Em alguns casos, entretanto, ele nunca se mostra. O diretor deve ter cuidado para não ser rígido quanto à descoberta do tema e, no desespero, impor um tema sobre a peça. Essa rigidez pode levar a um beco sem saída, em vez de um caminho aberto para todos.

ESCOLHA DA PEÇA

É difícil estabelecer um plano exato para a escolha de uma peça. Contudo, existem algumas questões específicas que o diretor deveria fazer antes de tomar sua decisão final:

1. Quem será a plateia?
2. Quais são as habilidades dos meus atores?
3. Tenho equipe técnica que possa fazer os efeitos que a peça necessita?
4. Esta é uma peça que eu posso trabalhar?
5. Será somente uma palestra com indumentária (moralizante)?[1]
6. A peça responderá ao meu trabalho sobre ela?
7. Vale a pena montá-la?
8. A peça é teatral?
9. Será uma experiência criativa para todos?
10. Será possível para eu e os atores adicionarmos alguns toques?
11. Será divertido montá-la?
12. Ela tem vida (realidade)? ou é psicodrama?
13. Ela é de bom gosto?
14. Irá proporcionar uma experiência nova, provocar raciocínio para a plateia e assim possibilitar uma compreensão?
15. As partes (pulsações e/ou cenas) da peça estão construídas de forma a trazer a vida de volta?

Ao considerar uma peça, o diretor deve pensar se cada ensaio pode ser organizado sobre um problema de atuação que, quando solucionado, resulte um espetáculo rico. Divida a peça (ou cena improvisada selecionada) em cenas ou pulsações mínimas, pequenas partes do todo e absorva-as completamente (nunca perdendo de vista o todo da peça). Observe cada pulsação em ação durante todos os ensaios. Questione constantemente.

Para a peça formal:

1. Como pode ficar clara a intenção do autor?
2. Os maneirismos individuais estão no caminho?
3. A cena deve ser intensificada com mais marcação e atividade significativa, apetrechos ou efeitos?
4. As cenas de multidão ou de grupo estão sendo manipuladas efetivamente?
5. Devemos trabalhar mais?

Para a peça ou cena improvisada:

1. Como pode ficar clara a intenção da cena?
2. Como se pode dar um conteúdo mais rico à cena?
3. A cena está planejada? Os atores estão inventando, fazendo brincadeiras etc., ao invés de improvisar?
4. Ela tem bom gosto?
5. Devemos trabalhar mais?

1. As notas a respeito das disciplinas, p. 257 e s.

A partir deste ponto de referência, então, o diretor prepara problemas para os atores solucionarem. Ele dá o problema para os atores trabalharem e então tira aquilo que têm que dar enquanto solucionam. Os atores tomam aquilo que o diretor espontaneamente selecionou durante a observação do trabalho com o problema, a fim de enriquecer a cena.

É exatamente esta maneira orgânica, esta seleção espontânea, esta troca de pontos de vista entre atores e diretor, que é usada durante o desenvolvimento de cenas para o teatro improvisacional e que é igualmente útil para a peça escrita. Este processo mantém a integridade tanto do diretor quanto do ator e dá a cada um sua parte na experiência. Este processo traz o material de cena no teatro improvisacional. Para o teatro formal ele desenvolve a ação a partir da qual se chega ao significado da peça.

A PROCURA DA CENA

Uma palavra para o diretor de teatro improvisacional, na sua procura pelo material de cena para o espetáculo. A menos que um grupo tenha trabalhado junto há muito tempo e compreenda a diferença entre invenção e improvisação, evite ir diretamente para uma cena. Isto se torna invariavelmente uma "história contada" enquanto se movimentam no palco, em vez de uma improvisação. Se o grupo for perspicaz e sensível, esse material pode ser muito inteligente, imaginativo, polêmico e mesmo engraçado, e certamente útil para o espetáculo. Se o grupo não for tão esperto, o material que sair da "história contada" será desinteressante. Em ambos os casos não haverá o tecido de textura rica nem do personagem nem da cena, que sai a partir da improvisação verdadeira.

Se o diretor estiver engajado num projeto comunitário especificamente para dramatizar um tópico particular ou tema local, ele deve dar aos atores um problema e sugerir a situação ou estrutura, ou fazer seus atores trabalharem sobre o tema. Apenas certifique-se de que eles não trabalhem sobre a "história". Por exemplo, se uma comunidade desejar ter um pouco de divertimento e decidir usar o subúrbio como tema, faça com que os atores (quando estabelecerem um problema) coloquem seu Onde, Quem e O Quê numa situação que possa trazer uma cena útil, tal como tentar tomar um ônibus para o centro da cidade, livrar-se de um vendedor à porta, ou a eleição de um vereador. Com isto, use um problema de atuação que seja particularmente útil para a construção de cena como sugerido no Cap. 9.

Se o diretor decidir, por exemplo, trazer o problema ONDE COM OBSTÁCULO para o elenco e eles decidirem usar um vendedor, uma cena muito divertida de uma dona-de-casa tentando terminar uma tarefa surgiria do problema com obstáculo. Mantendo a mesma situação do vendedor, o elenco pode passar por uma variedade de problemas, ou fazer o contrário, mantendo um problema e mudando as situações. Em ambos os casos, os atores estarão trabalhando sobre o problema e não sobre a história. Será um processo e não alguma coisa estática. O ator que trabalha com a história já estabelecida é forçado a inventar e não pode improvisar; esta é exatamente a razão pela qual o diretor é sempre necessário. Seu papel, sua parte nesta forma de grupo bastante democrática é selecionar material (seja um fragmento ou uma peça) que emerge do jogo, aliviando os atores da preocupação de fazer uma cena. Além disso, ele auxilia os atores a "continuar no jogo".

É esta partilha (união), esta troca de entusiasmo, experiência e energia intuitiva de cada um que produz a cena improvisada. Esta é a razão pela qual após o treinamento improvisacional, mesmo as pessoas com pouca experiência de palco podem produzir cenas bastante significativas e nunca se sentem perdidas à procura de material apropriado[2].

FORMAÇÃO DO ELENCO

O método de formação do elenco depende da formação particular do grupo de pessoas que se juntaram para fazer a peça. Elas estão vindo pela primeira vez? Elas têm experiência ou não? São crianças ou adultos?

Se uma peça é feita paralelamente à oficina de trabalho, é simples formar um elenco diretamente das classes. Colocando situações que utilizarão os personagens e os problemas, bem antes de anunciar a peça, é fácil em todos os sentidos; e os alunos-atores, não sabendo que estão sendo observados para a formação do elenco, podem permitir uma melhor observação por parte do diretor.

O teste é, naturalmente, a maneira mais comum de se formar um elenco. Ele é terrivelmente competitivo e a forte tensão nem sempre mostra as pessoas como realmente são. Alguns atores são espertos na primeira leitura, mas nunca vão muito além, enquanto que atores ruins na primeira leitura são descartados embora possam ser potencialmente superiores aos escolhidos. O diretor deve ter uma percepção infinita, pois afinal ele não está procurando um elemento de trabalho já terminado quando forma o elenco, mas por um tom de voz, um sentido de realidade, uma qualidade física – aquela coisa indefinível que só é sentida inicialmente. Ele deve considerar a quantidade de trabalho que cada pessoa terá para desenvolver completamente. Ele pode ver alguém

2. "Assim como todo teatro improvisacional, Playmakers requer um tipo especial de ator. Neste caso, são todos alunos da oficina de teatro em Second City, orientados por Viola Spolin. É sempre surpreendente para pessoas de fora que esses atores desenvolvam habilidades e espontaneidade, apesar de não serem profissionais. Seus talentos na improvisação resultam do treinamento em oficina de trabalho... Advogados, laboratoristas, secretárias, escritores, vendedores, donas-de-casa e crianças, todos chegam a aprender teatro improvisacional... As oficinas de trabalho ensinam mais do que simples técnicas de atuação. Elas ensinam a parte mais vital da improvisação que é a arte de selecionar e desenvolver material para cena". – *Chicago Scene*, 15 de maio de 1962, após uma produção da Playmakens.

que tenha as qualidades do personagem que quer, mas que tenha tão pouca formação ou tantos padrões e maneirismos que é possível que não consiga o que é necessário durante o período de ensaio.

Outro método de formação de elenco é utilizar a combinação do teste e a improvisação. Isto pode ser feito com muito sucesso com pessoas novas. Esse método tende a relaxar os atores; e, numa atmosfera livre de tensão, o diretor pode mais claramente observar as possibilidades individuais. Dê um rápido resumo verbal da cena: o Onde, o problema, e um rápido resumo do tipo de personagem. Então, deixe-os improvisar. Ou dê uma cena sobre um problema que é similar, mas não igual à peça. Após a cena improvisada, eles podem então ler a peça.

Um quarto método – se o grupo estiver junto há muito tempo – é dar uma passada pelos exercícios de BLABLAÇÃO (veja p. 110).

Em alguns casos, o diretor lê a peça toda para o grupo antes da formação do elenco. Se isto for feito, o diretor deve tomar cuidado para ler com o mínimo de qualidade de personagem possível, para evitar a imitação por parte dos atores. Às vezes as cenas são lidas. Mais frequentemente, os atores simplesmente recebem para ler alguns trechos com muito poucos comentários do diretor.

Qualquer que seja o procedimento escolhido, é melhor que as ansiedades do diretor sejam acobertadas. O período de formação do elenco é muito tenso para ele, pois muita coisa depende de sua escolha.

A formação do elenco para o teatro improvisacional é inteiramente diferente. Muitas das cenas que o grupo estará fazendo, terá se desenvolvido a partir do trabalho do grupo, pois na sua maior parte os atores, como na oficina de trabalho, escolhem seu próprio elenco.

A "DEIXA" PARA A ATUAÇÃO

Agora o elenco está formado e pronto para os ensaios. E os textos? Alguns diretores usam o texto completo; outros preferem as "deixas", que consistem de uma ou duas palavras que indicam a entrada da fala, e a fala completa do próximo ator, geralmente com instruções para marcação. A "deixa" pode ser altamente criativa e estimulante e é preferida.

O texto deve ser datilografado horizontalmente em papel de 8 1/2 x 11 polegadas para que seja de fácil manuseio. A colocação da "deixa" para a ação junto com a "deixa" para a fala eliminará o problema de entradas atrasadas. A "deixa" para a ação é a palavra ou combinação de palavras que coloca o próximo ator em movimento ou o deixa em alerta para responder.

Deixa: *quieto* . . . . *me ouvindo?*
Fala: Está certo, se você acha assim.
Deixa: Saia . . . . *Saia!*
Fala: Eu sairei, mas não espere que eu volto! (Sai)

Na primeira "deixa" e fala, a palavra "quieto" é a "deixa" para a ação, e "me ouvindo" (que aparece algumas palavras depois) é a "deixa" para a fala. Na segunda "deixa" e fala, o primeiro "saia" é a "deixa" para a ação, e o segundo é a "deixa" para a fala. A ação interior (resposta corporal) do ator que ouve as falas começa na "deixa" para a ação, e ele está pronto para entrar em ação e responder quando ouve a "deixa" para a fala.

Se a "deixa" para a ação não estiver clara para os atores, deve-se dar uma explicação quando se apresentar o texto:

Nós começamos a responder a uma outra pessoa enquanto ele ainda está perguntando, ou começamos a pensar na resposta após ela ter terminado? Enquanto ela está falando."

O diretor deve ter uma conversa com os atores para apontar o problema:

Nós sempre esperamos até que a outra pessoa pare de falar... ação – os atores já estão respondendo... *ou às vezes interrompemos o que ela está falando?* Alguns já interromperam a pergunta acima e responderam, "Nem sempre esperamos."

O diretor deve assinalar como podemos antecipar o resultado de uma discussão. Deve sugerir que observem as pessoas ao conversarem, para determinar quais são as "deixas" para a ação e quais são as "deixas" para a fala. Às vezes, naturalmente, ambas são idênticas (como num grito por socorro).

As "deixas" para a atuação evitam que um ator repita as falas do outro e elimina qualquer movimento com a boca. A movimentação da boca, ao tentar acompanhar a fala do outro ator, é uma falha muito comum em atores sem experiência. Eles leem a fala do outro, em vez de ouvir. Este é um hábito de leitura mecânica muito sério e frequentemente difícil de erradicar.

As "deixas" evitam a leitura silenciosa ou a movimentação da boca, uma vez que a falta de um texto completo envolve o ator desde o primeiro momento e força-o a ser uma parte do que está acontecendo. Ele deve ouvir e observar os seus colegas atores para que possa acompanhar a ação e saber quando entrar. Uma vez incapaz de memorizar as falas dos outros atores, ele é forçado a atuar sobre aquilo que lhe é dito.

As "deixas" são pequenas e podem ser seguras com uma mão, o que permite ao ator maior liberdade para apanhar algum objeto em cena, fazer contato etc. As "deixas" também auxiliam a eliminar alguns dos problemas da leitura mecânica, particularmente em crianças. Isto é possível porque não se pode segurá-las com as duas mãos, uma posição que pode ser associada à leitura em sala de aula.

Só as indicações que levem à ação ou diálogo (entradas, saídas etc.) devem ser incluídas nas "deixas". Mesmo se o diretor se sentir seguro para colocá-las, é melhor evitar muitas das indicações do autor (como, por exemplo, "fala com muita alegria", "pisca inteligentemente", "suspira com resignação"). O diretor deve deixar que as ações físicas e expressões faciais venham da ação interior do próprio ator e do diálogo. Haverá muita oportunidade na segunda parte dos ensaios, quando os atores estiverem livres de quaisquer restrições, para que o diretor traga as indicações do autor para levar a ação adiante.

17. Ensaio e Desempenho

ORGANIZAÇÃO DO ENSAIO

O período de ensaio pode ser dividido em três partes. A primeira parte é para aquecer os atores e o diretor, para estabelecer as bases dos relacionamentos e atitudes em relação à peça e aos outros. A segunda parte é o período espontâneo criativo – as sessões de escavação, onde todas as energias são canalizadas para o completo potencial artístico. A terceira é para polir e integrar todas as facetas da produção numa unidade.

O tempo dispendido em ensaio depende da disponibilidade dos atores. Os atores profissionais, naturalmente, não têm outros compromissos. Mas, com atores iniciantes em grupos de teatro amadores acontece o oposto; e o número de horas livres para ensaiar é muito limitado.

É realmente um problema ensaiar uma peça dentro dessas horas limitadas. Mas utilizando a divisão das três partes do ensaio e estendendo o período de ensaio por mais de dois ou três meses, o diretor terá um bom quadro de onde estará indo. Quando as horas diárias disponíveis para ensaiar são limitadas, o período que vai da formação do elenco até a apresentação do espetáculo é singularmente valioso, pois é neste período que acontece o amadurecimento.

Nenhum minuto de ensaio deve ser perdido. A programação do ensaio deve ser planejada de tal forma que todos os atores presentes estejam trabalhando a todo momento. É aconselhável pensar em termos de dois tipos de tempo: tempo do relógio e tempo de energia. O tempo de energia é o mais valioso, pois o diretor pode obter mais de seus atores em duas horas de ensaio estimulante e inspirado, do que em seis horas de fastio e cansaço.

Se, por um lado, é indispensável que todos os atores estejam presentes ao ensaio corrido, por outro lado é aconselhável não mantê-los no teatro só para alguma eventualidade. Alguns diretores sentem-se mais seguros tendo os atores ao seu lado, e outros acham que os atores devem ficar para ver o que está acontecendo na peça; mas uma adequada organização do ensaio dará ao diretor um bom quadro de onde a peça está indo a todo momento, sem ser inconveniente para os atores. Os benefícios psicológicos, da programação planejada, são consideráveis. Os atores se sentem sempre dispostos, estimulados e ávidos para trabalhar. Eles se sentem agradecidos pela consideração demonstrada e respondem com máximos resultados.

Quer seja uma peça de um ato, ou de três atos; seja o tempo do relógio seis ou oito horas, o tempo do ensaio pode ser calculado anotando o que deve ser coberto em cada sessão de trabalho. Se o grupo encontra-se somente três vezes por semana e cada sessão só pode ter um máximo de duas horas, o diretor deve-se programar adequadamente. Quando chegar a hora de confeccionar a indumentária, e dos ensaios com roupa, o diretor tem que encontrar algumas horas a mais para essas atividades.

ATMOSFERA DURANTE OS ENSAIOS

Se o período de ensaio for de tensão, ansiedade, competição e mau humor, isto será absolvido pelos atores e irá se constituir numa sombra sobre o trabalho final. Se, por outro lado, a atmosfera for relaxada, alegre, franca, isto também estará evidente no produto final. Mesmo uma nuança é importante, pois quando os atores estão livres e gostam de seu trabalho, a plateia fica relaxada, e um toque extra de prazer é adicionado ao espetáculo.

Os atores não profissionais frequentemente vêm para os ensaios num ponto onde os níveis de energia são baixos: depois da escola, cansados do trabalho, de tomar conta das crianças etc. Problemas externos podem ser trazidos para o ensaio, seja o boletim de uma criança que não veio bom, ou a briga de um adulto com seu chefe. Em ambos os casos, é importante fazer a sua transição de um lugar para outro, para um lugar agradável. Um intervalo relaxante sempre aumenta o aspecto social do ensaio e também alivia o cansaço.

A HABILIDADE DO DIRETOR PARA INSPIRAR

"Inspiração" é sempre um termo vago. Contudo, sabemos que atrás existe alguma coisa e que, no caso de um diretor, sua presença ou ausência pode ser prontamente notada pela observação daqueles que estão à sua volta.

A característica mais aparente da inspiração pode ser "alcançar o que está além do seu próprio eu" ou, mais profundamente, o seu próprio eu. As pessoas inspiradas podem andar pela sala ou falar animadamente. Os olhos brilham, as ideias saltam, e o corpo relaxa as tensões. Se muitas pessoas estiverem inspiradas simultaneamente, então o próprio ar à sua volta parecerá brilhar e dançar de entusiasmo.

A inspiração na situação teatral pode ser melhor descrita como sendo energia. "Energia" não significa dar saltos em pleno palco (embora isso possa, às vezes, acontecer). É a intensidade da atenção do diretor para o que os atores estão fazendo, mais o uso de toda habilidade que ele puder solicitar, que impulsiona os atores a se expandirem e "alcançarem o que está além". Algumas vezes o diretor deve literalmente despejar essa energia sobre seu elenco, como se despejasse água num copo; e, em muitos exemplos, o elenco irá responder e despejar de volta para ele. Um ator certa vez fez um comentário de que "atuar para você é como atuar para uma casa cheia na Ópera!" Essa é a energia que o diretor deve dar aos seus atores.

O diretor nunca deve mostrar cansaço ou fastio, mesmo que seja por um momento, pois um diretor que perde suas energias está causando mais danos à sua peça de que possa imaginar. Se o cansaço ocorrer, é muito melhor parar o ensaio e deixar que o diretor de palco assuma o trabalho e continue com um ensaio de mesa, ou faça alguns exercícios de voz ou uma improvisação, do que continuar um ensaio cansado e sem vida.

Um ator sem energia é inútil, pois ele não estabelece contato com que está fazendo. A mesma coisa é válida para o diretor. O diretor não deve fazer da expressão "inspirar os atores" uma simples frase. Na verdade, ele sempre deve olhar para si próprio quando ocorre uma quebra de qualquer espécie no ensaio.

Estou dando muita energia? Estou me alongando demais em aspectos mecânicos? Quais os atores que necessitam de atenção individual? Eles precisam de mais improvisações? Os ensaios estão muito prolongados? Estou deixando os atores ansiosos? Estou atacando os atores? Os atores estão em desacordo comigo? O problema é físico ou psicológico? Estou sendo um simples diretor de tráfego? É necessário estimular mais os atores? Estou usando os atores como bonecos? Estou demasiado ansioso? Estou pedindo mais do que eles podem me dar a esta altura do trabalho?

Se o diretor procurar lidar com seu problema honestamente, ele o resolverá. A única iniciativa que precisa é o conhecimento de que quando necessário, sua ingenuidade, espontaneidade e energia podem dar a inspiração para seus atores.

MARCAÇÃO DO ESPETÁCULO

A marcação natural é possível com grupo de qualquer idade ou nível de experiência. Nem o ator infantil nem o amador precisam andar pelo palco desajeitadamente, agarrando-se a objetos ou móveis, espalhando temor e desconforto pela plateia. Se o elenco não teve treinamento de oficina de teatro, deve-se dar os exercícios de marcação não direcional (veja Cap. 4).

Se o ator amador for constantemente orientado para os mecanismos de movimentação no palco e não compreender que o movimento no palco só cresce do envolvimento e relacionamentos, ele pode, no máximo, lembrar as convenções e, portanto, será incapaz de se movimentar naturalmente.

Para testar essa teoria, foi realizado o seguinte experimento com atores com pouca ou nenhuma experiência em teatro e com mínimo treinamento em oficina de teatro. Foram dadas duas cenas diferentes.

Para a primeira cena, os atores receberam o texto completo que continha as falas dos personagens mais as indicações de marcação dadas pelo autores. Durante o primeiro ensaio, eles foram constantemente parados pelo diretor para fazer marcação. Então, lhes foi pedido que levassem os textos para casa e os memorizassem.

Para a segunda cena, os mesmos atores receberam somente as "deixas" para atuação. As "deixas" para ação e as "deixas" para fala era tudo o que tinham para trabalhar. Não havia indicações de marcação. Durante o primeiro ensaio, eles foram ocasionalmente instruídos, pelo diretor, para que partilhassem o quadro de cena. Eles não levaram seus textos para casa para memorizar.

No ensaio seguinte, a diferença foi notável. Durante a primeira cena, os atores não viram o palco nem ouviram seus colegas atores enquanto lutavam para lembrar as falas e indicações de marcação. Sua concentração estava tão voltada para lembrar, e seu medo de não desempenhar bem produziu tensões físicas tão grandes que todos estavam muito rígidos. Seus corpos não podiam se movimentar livremente. Os movimentos desses atores sem experiência sob condições impostas só puderam ser rígidos e desajeitados – o que é comumente chamado "amadorístico".

A segunda cena, embora mais complicada em suas exigências, não perturbou os atores: pois, com a intenção voltada para o outro e sem nada para lembrar (sem desempenhar) além de "compartilhar", eles ficaram livres para solucionar os problemas que apareceram durante o ensaio. Essa experiência foi similar a uma improvisação, onde o problema deve ser solucionado durante a cena e não longe dela. É dessa maneira que os atores chegam à espontaneidade.

Num outro experimento, atores não profissionais com muitos meses de treinamento de oficina de teatro receberam o texto completo (como, na primeira cena, com os atores novos). Neste caso, eles puderam tomar as indicações do autor e do diretor e traduzi-las para os necessários relacionamentos no palco. Mas o ator não profissional que em peça após peça é dirigido rigidamente, passo a passo, com cada movimento planejado, não pode esperar descobrir por si mesmo os movimentos naturais (marcação) necessários. O medo e as tensões que faziam parte dos primeiros ensaios e de todas as peças que seguiram, foram memorizados com suas falas e marcações e tornaram-se parte de seu trabalho e o mantêm no passado (memorização), em vez de mantê-lo no presente (processo).

O diretor que envolve seus atores em metros de movimentos impostos e inflexões até que não possam mais andar, é o mesmo diretor que coloca o peso da "estupidez" ou "falta de talento" quando descobre que eles não podem trabalhar sozinhos, sem ajuda. Ele lamenta a inabilidade para soltar os laços que os uniam, mas é ele próprio, na realidade, quem os segura. Atores rígidos são, muito frequentemente, o produto de diretores rígidos.

MOTIVAÇÃO NA MARCAÇÃO

A motivação é simplesmente uma razão para se fazer alguma coisa. Sempre que for necessário prescrever um movimento exato ou um gesto para um ator, peça-lhe para explicar com suas próprias palavras e porquê daquela necessidade. Ele fará isso automaticamente.

Por que você foi para o fundo do palco? "Porque você me disse para ir."

Você quer que a plateia saiba que alguém lhe pede para fazer as coisas no palco? "Não."

Por que você acha que foi orientado para ir ao fundo do palco? "Eu fui para o fundo do palco para esperar o João entrar."

Por que você não podia esperar por ele onde estava? "Eu não fazia parte da cena que estava acontecendo naquela hora. Tenho que ficar fora da cena, mas não posso sair do palco."

O que você pode fazer enquanto estiver no fundo do palco, fora da cena? "Colocarei meu Ponto de Concentração em ouvir o João entrar."

MOVIMENTAÇÃO DE CENA

Deve ser reconhecido que o diretor ou ator mais habilidoso não pode descobrir intelectualmente uma movimentação de cena interessante. O próprio diretor deve sempre estimular a movimentação de cena quando nem o ator nem o texto o fizerem. Há muitas maneiras de alcançar isso. Algumas vezes o diretor receberá inspiração de seus atores no momento necessário e selecionará espontaneamente o que é adequado para o ator e para a cena. O uso dos exercícios de atuação (veja Horário, p. 329 e ss.) trará mais movimentação do que o diretor ou ator possam encontrar em muitas horas de trabalho com o texto.

Tanto o diretor como o ator devem compreender que movimentação de cena não é uma simples atividade aleatória para manter os atores ocupados. Assim como a marcação, ela deve ser interessante e não obstrutiva e deve parecer espontânea.

IMPROVISAÇÕES GERAIS EM TORNO DA PEÇA

Na primeira parte do ensaio, mantenha todas as improvisações próximas do Onde e do problema da peça; mas na segunda parte, quando for necessário incitar o ator para ir além das falas e dar maior realidade aos relacionamentos, a improvisação geral é muito útil. As improvisações gerais parecerão não ter uma relação direta com a peça escrita. Contudo, elas são apresentadas para dar ao ator uma maior compreensão do personagem que está fazendo.

Na produção da peça *As Novas Roupas do Imperador, o* estabelecimento do relacionamento entre o ministro (que era o vilão e estava trapaceando os tecelões) e os tecelões tornaram-se um problema. Ele foi solucionado pela paralisação do ensaio e fazendo uma improvisação de nazistas chegando em uma vila durante a guerra. Os tecelões faziam os habitantes da vila, e o ministro e seus assessores faziam os soldados nazistas. Os nazistas entraram, agruparam as pessoas, estabeleceram autoridade, usaram violência física contra os que protestaram. Os habitantes locais choraram, lutaram e gritaram. Todos os conflitos emocionais necessários para a peça que estavam trabalhando, apareceram e foram intensificados. Nunca mais foi necessário ensaiar esses relacionamentos nessa peça de Charlotte Chorpenning.

Uma vez alcançada a qualidade necessária para uma cena, ela permanecerá (com raras exceções). No exemplo anterior, a realidade da cena com os nazistas teve que ser moldada na estrutura da peça; mas a intensidade nunca foi perdida. A plateia sentiu-se tocada pela força dessas cenas e ficou surpresa pelo fato de que "meras crianças" (que estavam fazendo os papéis) podiam criar um retrato tão espantoso.

As improvisações gerais sempre dão aos atores uma compreensão que vai além das palavras, pelo fato de auxiliarem a "ver o mundo" e a conseguir uma realidade para a cena. Com efeito, elas parecem o exercício O QUE ESTÁ ALÉM, do teatro im-provisacional. Às vezes as improvisações não são necessárias, mas, quando usadas, elas invariavelmente enriquecem o trabalho.

O ENSAIO CORRIDO

O ensaio corrido é especialmente valioso para o diretor com uma limitada quantidade de ensaios. É simplesmente uma completa passada na peça *sem parada de qualquer espécie.* O diretor não deve interromper sob nenhuma circunstância. Observações sobre partes específicas a serem ensaiadas, sugestões para algum ator e partes na atuação de algum ator que necessite mais trabalho, podem ser anotadas pelo diretor e esclarecidas em ensaios posteriores.

Esses ensaios corridos fortalecem toda a estrutura básica da produção, pois o fluxo e a continuidade que criam dá aos atores um sentido de movimento e ritmo da peça que só pode auxiliar nos detalhes de suas cenas.

Os problemas mecânicos que que o diretor tem em conseguir unir a peça e o elenco durante a primeira parte dos ensaios consomem tanto tempo que seria impossível fazer um ensaio corrido naquele período. De fato, montar um ato só, de uma peça de três atos, geralmente toma a maior parte do tempo neste estágio inicial. Mas na segunda parte dos ensaios, quando a marcação, os relacionamentos, personagem, motivação etc., já tenham sido tratados ainda que parcialmente, os ensaios corridos devem ser programados o mais frequente possível.

O ENSAIO RELAXADO[1]

O Ensaio Relaxado, ao aparecer na segunda parte dos ensaios, dá perspectiva aos atores. Aqui, os ensaios devem ser desligados das falas. Os atores deitam-se no chão, fecham os olhos e respiram vagarosamente com um forte acento na expiração. O diretor anda pelo palco, levantando um pé ou uma mão para certificar-se de que o relaxamento muscular é completo.

Ainda deitados e com os olhos fechados, os atores dizem suas falas. Eles devem se concentrar na visualização do palco, dos outros atores e deles próprios na cena.

O diretor deve continuar a insistir no total relaxamento muscular. As vozes dos atores devem ser calmas e quase sonolentas. Apesar do trabalho anterior, os velhos padrões de leitura e ansiedades sempre aparecem no ensaio, particularmente numa primeira peça. Os atores podem estar tensos e preocupados com os aspectos mecânicos da sua ação, memorização, "deixas", movimentos etc. Este ensaio relaxado, acompanhado da visualização do polco, geralmente dissipa esse tipo de medo.

Durante o Ensaio Relaxado, o diretor deve calmamente lembrar os atores de que eles não devem falar as falas de outros atores em voz baixa, movimentando os lábios, mas devem tentar ouvir o que os outros estão falando. Eles devem se concentrar intensamente em ver o palco em suas mentes. O diretor calmamente pergunta que cores estão vendo e qual a distância dos outros atores. Talvez o diretor possa até dar a imagem. Eles devem tentar ver o palco em sua dimensão total, com cores e movimento, e estar hiperconscientes de tudo que acontece.

Se for preparado e trabalhado adequadamente, este momento pode ser muito gostoso para todos. Os atores poderão extrair algumas coisas do seu trabalho anterior e adicioná-las à sua concepção do papel que estão fazendo. Os últimos vestígios de ansiedade geralmente desaparecerão, e isso a algumas semanas antes do espetáculo de estreia.

1. VERBALIZAR O ONDE, p. 114, pode ser combinado com Ensaio Relaxado.

ENSAIOS LOCALIZADO

Como regra geral, é melhor programar os ensaios localizados na terceira parte dos ensaios, quando a peça já tenha forma e estiver fluindo. O ensaio localizado é utilizado para dar um tempo de trabalho maior numa cena que esteja preocupando o diretor e/ou os atores que não tenha se desenvolvido nos ensaios. Pode ser uma simples entrada ou uma cena emocional. Pode ser o problema de conseguir uma cena de multidão mais efetiva, ou auxiliar um ator a sublinhar e intensificar uma fala longa. No teatro improvisacional, trabalhar um problema é sempre uma maneira de desenvolver uma cena.

Esse tipo de ensaio intensificará uma cena que tenha sido fraca até então. Os ensaios localizados evitam que tanto os atores quanto o diretor caiam em generalidades, e permitem que eles se focalizem nos mínimos detalhes de uma cena. Eles criam uma concentração e uma intimidade entre o diretor e os atores que resulta numa compreensão mais profunda para ambos. Se, por um lado, o diretor pode achar que está perdendo muito tempo com uma cena que não leva mais que alguns minutos por outro lado esse trabalho intensivo em partes selecionadas enriquece o papel do ator e traz uma maior profundidade à parte como um todo.

AMADURECIMENTO DO ATOR

Dizemos que um ator está "maduro" quando está com um bom relacionamento com seu papel, com a peça e com os outros atores; quando ele tem movimentos fáceis e sua fala flui; e, acima de tudo, quando ele está consciente de sua responsabilidade para com a plateia.

Um dos pontos mais fracos do teatro não profissional é o desempenho desajeitado e grosseiro apresentado por seus atores. Muito dessa rudeza e desalinho de atuação pode ser atribuído ao treinamento e experiência inadequados, embora outros fatores estejam também envolvidos.

Com que frequência os atores amadores vão para o palco? Seu trabalho, na maior parte, é dirigido para uma data – uma produção – e quando aquele momento passa, a experiência termina. Essa quebra abrupta na expressão do grupo frustra a criatividade exatamente quando ela está florescendo. Essa quebra bloqueia o crescimento e o processo de amadurecimento.

Para o grupo interessado no desenvolvimento de uma companhia com repertório, o amadurecimento que acontece durante o espetáculo é muito valioso. Mas, entre os problemas de ensaios e as dificuldades técnico-mecânicas que a maioria dos teatros amadores enfrenta, há pouca oportunidade para conseguir uma compreensão maior da peça e atingir o amadurecimento desejado.

Nenhum diretor deve esperar conseguir atores completamente maduros num curto espaço de tempo. Contudo, as seguintes sugestões, se levadas a efeito, servirão para polir muito da rudeza e aplainar as diferenças de nível:

1. Planeje um longo tempo para os ensaios.
2. Use exercícios de atuação durante os ensaios.
3. Não permita que os atores levem seus textos para casa logo no início.
4. Use marcação não direcional sempre que possível.
5. Crie uma atmosfera agradável e livre de tensão durante os ensaios.
6. Traga peças de figurino e apetrechos nos primeiros ensaios para assegurar conforto e bem-estar quando chegar a hora da apresentação.
7. Trabalhe para que os atores encarem todas as crises e ajustem-se a mudanças repentinas.
8. Quebre a dependência das palavras.
9. Faça um ensaio corrido da peça semanalmente durante toda a segunda parte dos ensaios.
10. Programe o maior número de espetáculos possíveis; mostre-o para muitas plateias diferentes; mostre-o em outros lugares, se possível.

MEMORIZAÇÃO

No teatro amador, memorizar as falas é geralmente considerado o fator mais importante ao se trabalhar um papel numa peça. Na verdade, este é somente um dos muitos fatores no ensaio de uma peça e deve ser lidado com cuidado para evitar que se torne um sério bloqueio para o ator. Para aqueles treinados em teatro improvisacional, a memorização não é um fantasma.

O diretor não deve permitir que seus atores levem seus textos para casa após o ensaio. Isto pode confundi-los, pois muitos deles acham que a memorização de falas deve ser feita imediatamente e eliminada o mais rápido possível para que o diretor possa iniciar seu trabalho de direção. Entretanto, é importante reconhecer que o diálogo deve crescer a partir do envolvimento e relacionamentos entre os atores; e a memorização prematura cria padrões rígidos de fala e gestos que são sempre muito difíceis (algumas vezes impossíveis) de se modificarem.

O diretor deve parar para pensar quem pode estar esperando em casa para "ajudar". Sempre haverá um amigo ou parente bem intencionado que não resiste à oportunidade de encontrar a maneira "certa" para o ator? E quantos espelhos refletem a imagem do ator (ocupado) e emocionando em sua frente, enquanto aprende suas falas? O tempo entre um ensaio e outro deve permanecer descansando, como um terreno no período entre um plantio e outro – no que concerne à peça, o período entre um ensaio e outro deve permanecer quieto.

A memorização das falas muito cedo traz muitas ansiedades, pois o medo de esquecê-las é grande. Essas ansiedades permanecem como uma sombra sobre o espetáculo. Se por alguma razão a memorização logo no início for inevitável, o diretor deve mostrar aos seus atores como consegui-la de uma maneira relaxada[2].

Os atores podem sentir-se um pouco preocupados quando souberem que não poderão levar seus textos para casa durante os primeiros ensaios; pois mesmo os atores mais jovens aliam o trabalho de um papel com o aprendizado das falas (memorização). Por causa disso, eles ficam sempre temerosos de não poderem memorizar em tempo. O trabalho do diretor é reassegurá-los.

Todos os elementos da produção devem ser orgânica e simultaneamente memorizados. É só durante os ensaios com o elenco que os relacionamentos são trabalhados e compreendidos. É durante os ensaios que o ator se liberta das palavras que está procurando memorizar. Quando essa liberdade se torna evidente, então é seguro deixar que ele leve seu texto para casa. Pois quando o diretor vê que seus atores estão integrados e relacionando-se com todos os aspectos da comunicação teatral, então eles estão prontos para memorizar – de fato, para a maioria deles o trabalho já terá sido feito. Eles descobrirão que só precisam repassar uma fala difícil aqui e ali. De fato, algumas vezes tudo o que é preciso fazer é tirar os textos de suas mãos durante os ensaios e, para a surpresa de todos, eles saberão suas falas!

Se a base foi bem construída e o Horário (p. 325 e ss.) seguido, o diretor provavelmente encontrará seus atores livres de suas falas antes de começar a segunda parte dos ensaios. Esse método de trabalho é particularmente valioso para crianças, onde o medo da leitura e de não ser capaz de memorizar é um sério obstáculo para o seu trabalho e evita que se desenvolvam como atores.

Certa vez uma diretora de teatro amador visitou a Young Actors Company num ensaio final. Ela ficou surpresa de ver o diretor agindo com a maior naturalidade diante do ensaio final. "Você devia estar contente!", ela disse. "Seus jovens atores estão livres das falas!" Este é, sem dúvida, um triste estado de coisas, quando o fato de saber as falas determina a qualidade do espetáculo.

A LEITURA NATURAL DAS FALAS

O aluno-ator é sempre temeroso em relação às palavras – especialmente o ator jovem, cuja ansiedade cresce a partir de suas experiências passadas com leitura. Na medida em que ele luta para pronunciar as palavras "corretamente", seu desconforto fica continuamente em primeiro plano. No ator inexperiente, a inabilidade para ler as falas naturalmente é evidente. As falas se tornam palavras em vez de diálogo – um substituto da ação e relacionamento entre os atores.

2. Veja p. 334, pontos 5 e 6 em Eliminando Qualidades de Amador, Cap. 418.

O primeiro passo no sentido de auxiliar os alunos-atores a perder essa preocupação com as falas é preocupá-los com alguma coisa diferente. Evite qualquer referência direta à causa de sua ansiedade. Dê-lhes um problema de atuação que desloque o foco das palavras e resolva o problema para eles.

Blablação, movimento estendido, movimento de dança, diálogo cantado, contato e adiamento da memorização das falas, são todos designados para auxiliar os atores. Se se deseja que eles percam o medo da leitura de falas, eles devem chegar à conclusão de que as falas crescem da ação dinâmica e do envolvimento. Para aqueles que leem aos saltos, dê Blablação ou um exercício de fala inventada até que o relacionamento se forme. Funciona. Tente!

Uma outra maneira de se livrar das palavras é focalizar-se na forma das palavras – as vogais e as consoantes – independente do significado, concentrando na aparência visual das vogais e consoantes, sua forma e configuração física como quando aparecem escritas ou impressas. Numa leitura de mesa, faça o elenco concentrar-se somente nas vogais, depois só nas consoantes. Ao ler, eles devem intensificar essas vogais e consoantes da maneira que quiserem – usando som, movimento corporal etc. Tente mantê-los lendo em ritmo e velocidade normal. Pare quando achar apropriado e retome a leitura normal. Faça o elenco pensar nas palavras como sendo sons que eles formam ou desenham em modelos de palavras.

SENTIDO DE TEMPO[3]

O ator não pode desenvolver seu sentido de tempo intelectualmente. Este é uma habilidade que só pode ser aprendida através da experiência. Por isso é que a marcação rígida e o seguimento mecânico de instruções deve ser eliminado. O sentido de tempo do ator deve vir do mais profundo do seu ser.

Em geral, acredita-se que o sentido de tempo existe somente nos atores mais experientes. Contudo, se "experiente" é entendido como sendo o ator que é consciente de si mesmo e tem a habilidade para harmonizar-se com as necessidades da cena, dos outros atores, e sua responsabilidade para com a plateia, então todo aluno-ator pode desenvolver seu sentido de tempo em um certo grau.

Se os problemas forem solucionados, o efeitos comulativo de todos os exercícios de atuação nas oficinas de trabalho irá desenvolver o sentido de tempo no ator; pois cada problema insiste no jogo realmente, e nele residem a seletividade e a harmonização com os múltiplos estímulos. Quando o ator tem seu sentido de tempo desenvolvido, ele sabe quando a peça está se arrastando, quando a ação do palco não é viva – enfim, quando seus "convidados" não estão se divertindo.

3. Veja também Sentido de Tempo, Cap. 2.

Se os atores não tiverem treinamento em oficina de trabalha, tente encontrar o Ponto de Concentração em cada cena separadamente dentro do texto escrito. Então, faça os atores focalizarem nos problemas, como se estivessem numa oficina de trabalho. Isto fará com que sejam remetidos ao ambiente do palco e auxiliará a objetivar seu trabalho, que é a essência do sentido de tempo.

RETOMANDO AS "DEIXAS"

As "deixas" atrasadas causam um sério retardamento da cena. Se o diretor ainda estiver tendo problemas com a retomada atrasada de "deixas" na terceira parte dos ensaios, é porque seus atores não resolveram o problema do envolvimento e relacionamento. Outros meios devem então ser usados.

O diretor pode dar um sinal (estalando os dedos) simultaneamente com as "deixas". O exercício FAZENDO SOMBRAS pode ser utilizado para propiciar um entendimento mais rápido. Jogar uma bola de um para outro também pode ser usado para encorajá-los a pegar uma "deixa" mais rapidamente; no momento em que o ator toca a bola, começa a falar. O diretor pode ainda fazer com que os atores mais vagarosos interrompam as falas dos outros atores deliberadamente, cortando as últimas palavras.

Os atores devem ser advertidos que retomar "deixa" não significa diálogo mais rápido. Se um diálogo tem um ritmo lento, ele deve permanecer lento, muito embora as "deixas" sejam retomadas rapidamente.

RISOS NOS ENSAIOS

Durante a segunda parte dos ensaios, os atores estão geralmente livres das tensões iniciais, os aspectos sociais estão altos, os movimentos razoavelmente seguros, e os atores podem começar a se divertir mais. Divertimento, entretanto, deve ser entendido como o prazer de trabalhar na peça e com os outros atores. O riso descontrolado e piadas durante os ensaios devem ser observados de perto pelo diretor.

Quando o riso é moderado e agradável, é muito útil. Ele denota um avanço. Ele não impede o trabalho, pelo contrário, auxilia o trabalho. Contudo, quando contém elementos de histeria, o riso é destrutivo e deve ser trabalhado com muito cuidado pelo diretor. O diretor deve ouvir o riso e saber o que significa, assim como uma mãe sabe dizer o que cada choro de seu bebê significa.

Embora os atores assegurem que não "irão rir no palco", o diretor deve sempre ter um momento de dúvida. A história da sopa pode ajudar a esclarecer a situação:

Uma esposa tentava fazer com que seu marido parasse de fazer barulho quando tomava sopa, pois em breve iriam receber uma visita para o jantar. "Não se preocupe", ele dizia. "Enquanto estamos só nós dois, eu faço o barulho que quiser. Mas quando a visita chegar, eu tomarei a sopa sem fazer barulho."

Quando a visita chegou, o homem tomou todo o cuidado possível para não fazer barulho, e nas primeiras colheradas tudo ocorreu muito bem. De fato, tudo correu tão bem no começo, que ele sentiu-se completamente à vontade. Quanto mais o jantar se prolongava, mais ele se sentia à vontade; e quanto mais ele se sentia à vontade, mais barulho fazia para tomar sopa. Para embaraço do convidado, o homem acabou fazendo mais barulho do que antes de sua mulher avisar pela primeira vez.

Às vezes, quando o riso acontece entre os atores num ensaio, o diretor pode permitir que eles se liberem, juntando-se a eles. Contudo, se o riso for incontrolável, ele deve reconhecer o sinal de perigo, parar a cena e ir para uma outra.

Os atores jovens e os atores amadores mais velhos sempre dizem, "Ele me faz rir!" Mas é importante assinalar que "ele" nunca faz ninguém rir. É a sua própria falta de foco que causa o problema. O riso é às vezes um meio de se isentar do ambiente do palco e tornar-se uma plateia que julga. Eles estão fazendo um papel e de repente veem seus amigos, em vez dos outros personagens. Ou eles se veem fazendo alguma coisa, expressando alguma emoção fora do comum.

O riso é energia; e os atores podem aprender que seu impacto no corpo pode ser recanalizado para uma outra emoção. Como na oficina de trabalho, os alunos-atores aprendem a "usar seu riso". O riso pode rapidamente ser transformado em lágrimas, acesso de mau humor, ação física etc.

CRIAR BOLOR

Existem dois pontos nos quais os atores podem criar bolor: um é durante os ensaios, o outro é durante uma série de espetáculos. Quando isso acontece, é um sinal de grave perigo, pois quando os atores se tornam mecânicos e sem vida, alguma coisa deu errado.

Às vezes, isso é devido a uma séria fraqueza na estrutura básica da produção; outras vezes, pode ser um simples retrocesso temporário. Às vezes a escolha do material é pobre e o diretor se vê trabalhando com tal superficialidade que a resposta obtida é mínima. Às vezes os atores pararam de trabalhar, e a espontaneidade e criatividade foram substituídas pela simples repetição. Ou os atores perderam o foco e começaram a generalizar o ambiente, os relacionamentos (Quem) e seus espaços (Onde), de maneira que já não existe realidade para eles. Os ensaios, assim como a peça em si, devem ter um tema clímax crescente que se desenvolvem. O bolor (falta de vida) pode ser um sinal de que o diretor tenha negligenciado um planejamento cuidadoso do seu tempo de ensaio que possibilitasse uma inspiração e estimulação máximas (veja o Horário, p. 325 e ss.).

Vários fatores podem causar o bolor em um elenco durante os ensaios:

1. O diretor montou sua peça muito de fora (externamente), dando todos os movimentos, todas as atividades, todas as inflexões de voz aos atores.

2. Os atores memorizaram as falas e os movimentos de cena muito cedo. Personagens, marcação etc., foram estabelecidos antes que os relacionamentos e o envolvimento fossem desenvolvidos.

3. Os atores ficaram muito tempo isolados dos outros aspectos da produção e precisam de uma "ajuda". O diretor deve trazer uma bonita peça de cenário, uma peça de figurino ou um adereço de cena, para que tirem o máximo efeito. Ele deve intensificar a atmosfera teatral na medida em que passa para a terceira parte dos ensaios. Isto abre novas perspectivas para os atores e dá maior vitalidade à produção.

4. Os atores precisam de mais entusiasmo ou jogo. Isto pode ser conseguido pela recanalização das atitudes do diretor ou pelo uso de jogos. Isto é particularmente válido para crianças e atores não profissionais; levam-se meses de trabalho para que o envolvimento com os problemas de teatro gerem energia suficiente para manter o interesse sem um estímulo exterior. Os jogos selecionados cuidadosamente são excelentes para qualquer grupo que esteja ensaiando.

5. Atores com formação limitada estão certos de que alcançaram o objetivo e chegaram ao personagem – eles querem que o espetáculo inicie. Às vezes só um ou dois atores podem estar tendo dificuldades. Pode ser que não gostem de seus papéis ou achem que deveriam ter papéis maiores.

Outras faltas que geralmente levam ao bolor durante a apresentação:

1. Imitação de espetáculos anteriores.

2. Ser seduzido pela reação da plateia.

3. Nunca variar a apresentação. (Os atores podem variar um espetáculo infinitamente, respeitando as limitações da estrutura da peça.)

4. Desempenho "em solo".

5. Os atores ficarem preguiçosos e descuidados.

6. Os atores perderem os detalhes e generalizarem objetos e relacionamentos no palco (use VERBALIZANDO O ONDE, p. 114, quando isto ocorrer).

7. Os atores necessitarem da proteção do diretor.

8. A peça necessita de ensaio para retomar as "deixas".

Um problema interessante apareceu com um ator que estava fazendo seu primeiro espetáculo. Era numa cabana de pioneiros, e ele era um vizinho que fez um trabalho brilhante ao enfrentar o vilão da peça. Após a primeira apresentação ele recebeu um estrondoso aplauso.

Na apresentação seguinte *não* houve aplauso. Ele ficou perplexo e queria saber o que tinha acontecido.

Na primeira vez que você trabalhou, você estava realmente bravo, e nós todos podíamos ver. Na segunda apresentação, você só estava lembrando o aplauso. Ele pensou por um momento, balançou a cabeça e disse arregaçando as mangas da camisa: "Espere até a noite, quando eu o pegar!"

EXERCÍCIO DE ATUAÇÃO DURANTE OS ENSAIOS

A introdução de exercícios de atuação num ensaio que não está indo a lugar algum traz vitalidade tanto para os atores como para o diretor. Em sua maior parte, o diretor deve selecionar os exercícios que auxiliem a solucionar os problemas da peça. Às vezes, contudo, os exercícios independentes da peça são úteis para gerar energia nos atores e são importantes para o processo de amadurecimento do ator.

Todo ensaio no início dos trabalhos deve ter pelo menos um exercício de atuação. O Horário (p. 325 e ss.) sugere muitos métodos de fazer isso, mas é somente um plano geral, e cada diretor aprenderá a acrescentar ou subtrair coisas na medida em que seus problemas aparecem.

BLABLAÇÃO (Veja p. 107)

Porque a blablação requer uma resposta corporal total para fazer uma comunicação, ela fornece exercícios excelentes para usar durante todas as três partes dos ensaios. A blablação abre os atores e ajuda o diretor a ver as potencialidades individuais do grupo. Porque ela fisicaliza os relacionamentos e envolvimentos, ela tem um valor extraordinário em desenvolver movimentação espontânea e marcação e dá muitas indicações para procedimentos para o diretor.

Se empregada logo no início dos ensaios, a blablação produz notável aceleração em cada aspecto da produção. Num experimento com uma peça de um ato que tinha somente oito horas para ser ensaiada (usando atores com formações limitadas), os exercícios de blablação foram usados quatro vezes, consumindo um tempo de duas horas e meia, ou um quarto do período total de ensaios. O espetáculo que resultou desse processo teve uma vitalidade incomum, e o elenco trabalhou a peça com a facilidade dos atores experientes.

Ao usar a blablação durante os ensaios, use os atores que não tiveram, no treinamento de oficina de trabalho, os EXERCÍCIOS DE BLABLAÇÃO n. 1 ao 4. Após isso, trabalhe os problemas da peça usando blablação. Uma cena que não funcionar com blablação é uma cena sem realidade e, portanto, sem vida. A comunicação no teatro não pode ser feita através de palavras, os atores devem realmente mostrar.

ONDE (Veja p. 81)

Os exercícios de Onde podem ser usados logo no início dos ensaios. Durante a segunda leitura de mesa da peça, faça uma planta-baixa do cenário (se for demasiado cedo para especificar, aproxime) e coloque-a em frente do grupo para que possa referir sempre que necessário. Enquanto estiverem lendo, faça com que imaginem-se no palco dentro daquele cenário. Peça para concentrarem-se nas cores, no tempo, no estilo de roupa. (Isto só deve ser usado por atores que tenham trabalhado o Onde nas oficinas de trabalho.)

Divida o elenco em grupos pequenos e faça-os resolver o Onde (fazendo contato físico com todos os objetos no palco). Isto é feito num palco vazio, tendo somente o quadro-negro para referência. Os exercícios podem ou não estar relacionados com o problema da cena, mas a planta-baixa no quadro-negro deve ser a da peça que estão fazendo.

O ONDE ESPECÍFICO (p. 123), com adereços de cena, é muito valioso e deve ser dado após algumas passadas pelos exercícios de Onde. Se a peça pede uma janela para uma saída de incêndio, uma porta para o armário, uma porta para o banheiro, um telefone, um pequeno cofre, faça o elenco (separado em pequenos grupos) usar exatamente essas peças de cenário para improvisar. Nos exercícios de Onde específico, eles devem deixar que as peças de cenário sugiram a situação.

Se as sugestões anteriores forem usadas, os atores terão movimentos bastante fáceis nos primeiros ensaios de palco com fala.

CONTATO (Veja p. 165)

Às vezes vemos peças onde os atores permanecem em pequenas áreas, temem fazer contato, temem olhar para o outro ou ouvir o que o outro diz. O forte contato entre os atores, onde uma mão realmente segura o braço de um outro, ou um olho realmente olha para o de um outro, torna a produção mais viva, mais sólida. Uma plateia é capaz de sentir quando um contato real, verdadeiro, é feito. E um diretor deve lembrar seus atores disto durante todo o período de ensaio.

O contato pode ser feito pelo toque físico direto, passando um objeto, ou através dos olhos. Um elenco que não tenha tido treinamento de oficina de trabalho ganha muito ao tomar uma cena da peça e transformar num exercício de contato.

OBJETOS PARA MOSTRAR AÇÃO INTERIOR (Veja p. 221)

Os exercícios que usam objetos para mostrar uma ação interior são continuamente úteis durante o ensaio e devem ser usados sempre que a fisicalização for necessária.

ESPAÇO OU MOVIMENTO ESTENDIDO (Veja p. 73)

O uso do espaço ou movimento estendido durante os ensaios ajuda a integrar o movimento de palco. Esses exercícios quebram o isolamento estático que os atores ainda têm, apesar do trabalho com problemas de atuação. Além de úteis para a imaginação, os exercícios de movimento também fazem muito para as peças realistas de gabinete. Depois tente o oposto: NÃO MOVIMENTO. Os exercícios do uso da substância do espaço (p. 73) são paralelos ao uso de dança ou movimento estendido e podem ser aplicados durante os ensaios com resultados satisfatórios.

Esse tipo de ensaio auxilia os atores, jovens e velhos, a reconhecerem que, assim como um dançarino, um ator nunca deve simplesmente "esperar sua vez" quando estiver no palco. Seu corpo todo, mesmo que imóvel, deve estar sempre pronto para entrar em ação. Isto dá uma energia interessante ao palco, e uma qualidade coreográfica sempre aparece.

CEGO (Veja p. 154)

Assim como na oficina de trabalho, o exercício chamado CEGO forçará o ator a ouvir e o ajudará a mover-se firmemente dentro do ambiente do palco, pois ele sente o espaço à sua volta e desenvolve um sentido de percepção do outro. Durante os ensaios, o exercício do CEGO é melhor aplicado após os atores estarem despreocupados com as falas e familiarizados com o palco.

Trabalhar no palco no escuro pode contribuir embora, naturalmente, o diretor não possa ver seus atores. Entretanto, isto ajuda o diretor a ouvir seus atores, e um ator a ouvir o outro. Essa é uma técnica parecida com a do "ouvir os seus atores" discutida a seguir. Se for impossível dispor seus atores no palco como no ensaio relaxado, coloque-os numa área mais escura do palco e faça-os dizerem suas falas.

OUVIR OS ATORES

Várias vezes durante os ensaios o diretor deve virar-se de costas para seus atores e ouvi-los. Ouvir sem ver sempre aponta os pontos fracos dos relacionamentos, descobre a falta de "ver a palavra", revela a falsa caracterização e mostra a "atuação".

No teatro improvisacional o diálogo inútil é rapidamente reconhecido.

VER A PALAVRA (Veja p. 203)

Os exercícios de visualização de palavras como formas são excelentes para os ensaios localizados. Eles auxiliam a sublinhar e enriquecer muitas falas e climas. Acrescente ação interior a um exercício se a consciência sensorial não funcionar.

Por exemplo, um aluno-ator que tinha um sério problema de fala monótona recebeu um exercício especial de descrever uma inundação que ele tinha visto. Instruindo-o para ver a cor, concentrar no movimento, som etc., obteve-se pouco efeito. Mas quando perguntado o que sentiu quando viu a água, ele respondeu que sentiu uma coisa engraçado no estômago. A "coisa estranha" então tornou-se a base da instrução durante sua conversa e as mudanças foram imediatas. Na medida em que ele se concentrou no medo de afundar, a animação veio para sua fala.

No caso desse rapaz, ele teria sido incapaz de reconhecer o fato de que tinha "medo". Se lhe pedissem uma "emoção", não se teria obtido qualquer resposta. Mas perguntando-lhe como ele sentia-se "por dentro" (fisicamente) permitiu que ele se concentrasse no seu sentimento físico e compreendesse o problema.

FAZENDO SOMBRA (Veja p. 160)

O exercício Fazendo Sombra não deve ser usado antes da terceira parte dos ensaios. Então, o diretor deve ir ao palco com seus atores e segui-los. Antes disso, o diretor deve explicar que eles não devem perder a concentração em qualquer que seja a atividade, pois caso eles se sintam perturbados com a sua "sombra", a ação pode se perder.

Fazer sombra ajuda os atores a compreender sua ação interior, a visualizar, a fazer contato e a se movimentar. Pode também dar o ponto de vista do ator para o diretor e pode esclarecer algumas coisas. Ele deve falar com o ator sobre o qual estiver fazendo sombra (desde que esteja bem perto do ator, o diretor pode falar baixo sem perturbar os outros) e notar as reações daquele ator, bem como as dos outros:

Por quê ele olha para você assim?... Isto o irrita?... Que direito ele tem de fazer isso?... Você acha que ele vai falar com você?... O que faz com que ele olhe para fora da janela?... Por quê não o força a olhar para você?...

Isto dá aos atores uma nova explosão de energia; num certo sentido, expõe os atores às mais investigadoras das reações da plateia, pois fazer sombra é como um *close* de uma câmera. Se ele se sentirem agitados e confusos ao receberem a sombra, é porque não estão seguros de suas partes e precisam de mais trabalho localizado.

USO DE JOGOS

Assim como a dança ou os exercícios de espaço, os jogos liberam a espontaneidade e criam fluxo, na medida em que eliminam os movimentos corporais estáticos e aproximam os atores fisicamente. Os jogos são especialmente valiosos na "limpeza" de cenas que requerem um sentido de tempo exato.

Um problema difícil apareceu numa cena de coquetel onde seis ou sete atores tinham que se movimentar e conversar enquanto esperavam por um sinal de seu líder para escapar e criar uma confusão. Quando a cena foi ensaiada, os resultados foram estáticos e não espontâneos. O problema foi finalmente solucionado pelo jogo QUEM COMEÇOU O MOVIMENTO? (p. 61).

Após o QUEM COMEÇOU O MOVIMENTO? ter sido jogado quatro ou cinco vezes, a cena do coquetel saiu, e aquele "olhar sem estar olhando" necessário a ela apareceu com muita precisão. O entusiasmo liberado pelo jogo foi retido pelos atores e usado nas apresentações.

Uma cena de parque com pessoas passando de um lado para outro do palco (requerendo saídas e entradas constantes) criou um sério problema de sentido do tempo para os atores. Foi impossível marcar as passagens de acordo com as falas, pois as entradas e saídas tinham que ser aleatórias, mas sem ter muitas entradas ou saídas ao mesmo tempo. O jogo PASSE O OBJETO solucionou esse problema para os atores.

Passe o objeto[4]

Dois times.

Os times alinham-se lado a lado. O primeiro jogador do time tem um objeto em sua mão (um jornal enrolado, um bastão etc.). O primeiro jogador de cada time deve correr até um ponto estabelecido pelo grupo, tocá-lo, voltar correndo e passar o objeto para o jogador seguinte, que deve correr, tocar o objetivo, voltar correndo e entregar o objeto para o terceiro jogador, e assim por diante até que todos os jogadores tenham terminado e um dos times ganhou o jogo.

Após terem jogado PASSE O OBJETO uma vez, o jogo foi repetido só que agora os jogadores andaram em vez de correr. Isto resolveu o problema para os atores, e na medida em que um ou dois se entusiasmavam, os outros entravam no jogo sem demora.

Seria muito bom se o diretor tivesse à mão alguns bons livros de jogos e estivesse familiarizado com seu conteúdo para que pudesse utilizá-los na solução de um problema de palco.

BIOGRAFIAS

Ao chegar perto do final da segunda parte dos ensaios, peça aos atores que façam as biografias dos personagens. É um meio de fazê-los pensar no personagem em dimensão e ocasionalmente traz maior compreensão. Neste material o diretor pode também encontrar algo útil para ajudar o ator quando ele parece não estar caminhando em seu trabalho.

A biografia é tudo sobre o personagem que está sendo feito. Escreva descrevendo-o o mais completo possível: escolaridade, pais, avós, comidas

4. Adaptado do *Handbook of Games*, de Neva L. Boyd (Chicago: H. T. Fitz-simona Co., 1945).

favoritas, principais ambições, amores, divertimentos prediletos, o que faz à noite etc. Acrescente as razões que trouxeram esse personagem para a situação do palco.

Isso não deve ser feito antes que o personagem esteja bem estabelecido no ator. A biografia feita demasiado cedo é prejudicial e cria um efeito contrário, pois mantém o personagem na "cabeça" do ator[5]. Algumas biografias podem ser irrelevantes, superficiais, e não passam de um esboço. Não entre em discussão sobre elas. Aceite-as exatamente como são e use-as como material de referência quando a necessidade aparecer. Numa peça bem escrita, um ator só precisa fazer a cena, pois o personagem já traz todo seu passado dentro de si.

Uma biografia escrita por uma garota de quatorze anos que estava atuando numa fábula, dizia que quando crianças, ela e o vilão tinham ido à escola juntos e que ela tinha gostado muito dele. Logicamente, isso seria impossível na estrutura social da peça, mas deu uma outra dimensão ao seu relacionamento com o vilão. Ela foi capaz de dar um sentido de antigo amor a um personagem que agora ela detestava. A plateia, naturalmente, nunca soube dessa história, mas este fato trouxe uma maior profundidade ao trabalho.

SUGESTÕES PARA A PRIMEIRA PARTE DOS ENSAIOS

1. O diretor deve confiar na formação do seu elenco. Um grande temor às vezes aparece, nos ensaios iniciais, de que tenha errado na escolha dos atores. Se isto realmente acontecer, reformule seu elenco o mais rapidamente possível, pois sua atitude afetará todos os outros.

2. Sem que o elenco saiba, selecione dois atores que sirvam como barômetro: um cuja resposta seja de alto nível, e outro cujo nível de resposta seja baixo. Dessa forma, você sempre saberá se está dando muito ou pouco nos ensaios.

3. Não permita que seus atores fiquem com os olhos fixos nos textos quando outros atores estiverem lendo. Observe isso mesmo nas leituras de mesa e lembre-os que devem observar e ouvir os outros atores sempre que necessário.

4. Evite os hábitos de leitura artificial desde o primeiro momento. Use exercícios especiais se necessário.

5. Trabalhe as retomadas de "deixas" naturalmente, fazendo os atores trabalharem com as "deixas" para ação. Não as trabalhe mecanicamente. Se for necessário trabalhar com as "deixas" para fala, espere até o final da segunda parte dos ensaios, ou o início da terceira parte.

6. Evite estabelecer personagem, falas, movimentação ou marcação muito cedo. Um esboço geral é tudo que precisa. Há muito tempo.

5. Por causa disso, a biografia é evitada no treinamento para teatro improvisacional; ao invés disso, usa-se os exercícios de agilidade de personagem.

7. Os detalhes não são importantes nessa primeira parte. Não deixe seus atores ansiosos. Uma vez estabelecidos os personagens e os relacionamentos, será fácil trazer os detalhes para o palco. Portanto, a realidade de cada cena dentro da peça deve ser encontrada.

SUGESTÕES PARA A SEGUNDA PARTE DOS ENSAIOS

Este é um período de escavações. O ator agora está pronto para uma utilização mais completa de sua criatividade. Na medida em que ele traz ações para o palco através de exercícios ou leituras do texto, o diretor as toma e acrescenta alguma coisa, se necessário. A peça está mais ou menos marcada, e todos estão quase completamente livres das falas. Os relacionamentos estão claros.

1. O início da autodisciplina. Sem conversa nas coxias ou na plateia. É neste período que as atitudes e comportamentos no palco e fora dele devem ser estabelecidos.

2. Se a base foi bem sedimentada, o diretor pode se orientar diretamente para a ação no palco sem perigo de intromissão na criatividade dos atores, ou do aparecimento de uma qualidade estática. Ele pode persuadir, implorar, gritar, e dar os passos precisos sem desenvolver ansiedades nem parar a espontaneidade. Não haverá perigo dele impedir ou bloquear o trabalho dos atores no palco.

3. Alguns exercícios da primeira parte podem ser continuados aqui, se necessário. Os exercícios de Blablação são particularmente bons para descobrir mais movimentação no palco.

4. A energia do diretor deve estar num nível alto e aparente para os atores.

5. Observe se não há sinais de bolor e corrija-os rapidamente.

6. Trabalhe para uma caracterização mais intensificada. As nuanças de marcação e atividade também são importantes e devem ser assinaladas.

7. Os ensaios localizados, quando feitos, devem ser levados a cabo completamente, repetindo uma cena várias vezes até que a completa realização e clímax tenham sido alcançados.

8. Use o problema de atuação da oficina de trabalho nos ensaios localizados quando necessário.

9. Se o elenco todo pode se encontrar três vezes por semana, o diretor deve trabalhar diariamente com ensaios localizados.

10. O diretor deve começar a construir as cenas uma sobre a outra. Cada cena tem seu próprio começo e fim, e seu próprio clímax. Cada cena subsequente deve estar acima da anterior – como uma série de degraus, um pouco mais alto que o anterior.

11. Após o grande clímax da peça, as cenas subsequentes caminham suavemente para o final.

12. Trabalhe, sempre que possível, ao ar livre. A necessidade de suplantar as distrações do ambiente externo amadurece o atores.

13. Faça os atores ensaiarem descalços e de calções (se o clima permitir). Você poderá então observar todas as ações corporais e dizer rapidamente se um ator está verbalizando ou fisicalizando a situação do palco.

14. Além de observar, ouça seus atores. Vire-se de costas para o palco e concentre-se no diálogo somente. As leituras superficiais, as falas descuidadas e não trabalhadas etc. aparecerão muito claramente para o diretor.

15. O diretor não deve permitir que um sentido de urgência faça com que ele interrompa um ensaio corrido. Tome nota da ação que pode ser repetida mais tarde. Lembre-se, há muito tempo para trabalhar.

16. Se os atores parecem estar trabalhando em desacordo com o diretor, ele deve verificar o tema geral. Existe um tema geral? O elenco e o diretor estão trilhando o mesmo caminho?

17. O terceiro ato pode aparecer por si mesmo. Propicie mais trabalho e ensaios localizados para o primeiro e segundo atos. Se o relacionamento e personagens estiverem bem estabelecidos, o terceiro dá a solução da peça.

18. Algumas cenas precisam ser repetidas uma dúzia de vezes para que corram suavemente. Outras precisam de muito pouco trabalho, além dos ensaios regulares. Qualquer cena que tenha efeitos especiais não deve parecer desajeitada e sem graça na apresentação do espetáculo, mesmo que isto custe horas de trabalho.

SUGESTÕES PARA A TERCEIRA PARTE DOS ENSAIOS

Este é o período de polimento. A joia foi cortada e avaliada, agora você deve terminar a lapidação e embalar adequadamente. A disciplina deve estar em seu grau mais alto. Os atrasos para os ensaios e a não leitura do quadro de avisos do diretor devem ser tratados severamente. O diretor está agora preparando seus atores para um espetáculo, no qual um ator atrasado ou um adereço de cena fora de lugar pode arruinar todo o trabalho.

A organização dos bastidores deve começar simultaneamente ao trabalho de palco, e as regras devem ser observadas. Na maioria dos teatros pequenos, a equipe também é composta de pessoal não profissional. Contrarregras, sonoplastas e iluminadores devem prestar tanta atenção e assumir responsabilidade como os atores; sua responsabilidade deve ser formada ensaio após ensaio. Qualquer criança de dez anos pode trabalhar no controle das' luzes eficientemente se todos demonstrarem respeito a ela e ao seu trabalho.

ENSAIOS LOCALIZADOS

Na terceira parte dos ensaios, o diretor encontrará muitos pontos sutis que precisam ser trabalhados. A essa altura do trabalho, os ensaios corridos devem acontecer suavemente, o processo de amadurecimento já deve ter ocorrido, e as caracterizações estão bem configuradas. O diretor pode ir além disso com atores não profissionais? Os problemas de ritmo e sentido de tempo e as distinções mais sutis de personagem estão além do alcance? O ritmo, o sentido de tempo e os detalhes mais aprimorados do personagem desenvolvem-se a partir da realidade essencial da cena.

Este é o ponto onde o ensaio localizado é de inestimável valor, pois a descoberta dessa realidade sempre acontece aqui. O diretor deve programar tantos ensaios localizados quanto possível durante este período. Mesmo que os atores possam ir aos ensaios somente três vezes por semana, ele pode programar ensaios localizados para cada dia.

A REAVALIAÇÃO DO DIRETOR

O diretor deve agora reler a sua peça num lugar calmo, sem as tensões do teatro. A peça agora será mais do que uma projeção do seu ideal. Ele estará encontrando-se com o autor novamente, e como um médico que observa os sintomas de seu paciente, ele irá provavelmente ver quais são os problemas do seu espetáculo – e isto enquanto ainda tem tempo para trabalhar e solucionar.

A releitura ajudará o diretor a manter a realidade e o tema, observando a ação da peça e descobrindo onde ela está indo. Ele verá seus atores em movimento e será capaz de identificar as nuanças que podem ser acrescentadas aos personagens, as maneiras de fortalecer climas, de construir o clímax etc. Tudo isso virá rapidamente com esse novo contato com o texto.

Pela primeira vez o diretor poderá coordenar num quadro definido todas as confusas imagens dos ensaios. Ele poderá visualizar o palco em dimensão, cor e ação. Isto irá aliviar suas ansiedades da mesma maneira que os Ensaios Relaxado alivia os atores. Sem dúvida, ele *verá seu espetáculo.*

VER O ESPETÁCULO

"Ver o espetáculo" é simplesmente o diretor ter uma compreensão maior da sua produção – o momento quando ele repentinamente vê todos os aspectos integrados. De repente haverá ritmo, caracterização, fluência e unidade. Muitas cenas ainda podem estar sem polimento, o cenário longe de estar terminado, e alguns atores ainda perambulando pelo palco; mas, no todo, aparecerá um trabalho coeso, unificado.

O diretor pode ver esse espetáculo unificado por um instante e não vê-lo mais por vários ensaios. Mas isso não é causa para preocupação – ele viu, ele verá novamente. Ele deve limpar os pontos mais obscuros, fortalecer os relacionamentos, intensificar o envolvimento e fazer alterações aqui e acolá.

Uma vez que ele tenha "visto o espetáculo", ele deve aceitá-lo mesmo que sinta que deveria ser diferente. Esta é a coisa mais importante. Há poucos diretores que não ficam completamente satisfeitos com suas produções. Para trabalhar com jovens e adultos não experientes, o diretor deve estar consciente das suas limitações e capacidades. Se ele não estiver satisfeito com o seu espetáculo por causa da limitação dos seus atores, ele deve, contudo, reconhecer que neste estágio de desenvolvimento, isso é tudo que ele pode esperar deles. Se houver integridade, vida, atuação verdadeira e alegria no espetáculo, então será um trabalho digno de ser visto.

O MEDO DO PALCO NO DIRETOR

Se o diretor não aceitar seu espetáculo neste período adiantado, ele passará seus problemas emocionais para seus atores. A esta altura do trabalho ele fica com "medo do palco". Ele fica preocupado com a possibilidade da plateia gostar ou não do seu espetáculo. Este sentimento deve ser ocultado dos atores. O próprio processo de fazer um espetáculo tem uma grande dose de excitação natural. Se ele acrescentar seu próprio sentimento de nervosismo, os atores pegarão isso dele. Durante esse período, o diretor pode sentir-se irritadiço, e seria aconselhável que ele explicasse aos atores, avisando que ele pode às vezes ser áspero e grosseiro durante o processo de integração dos elementos técnicos da peça. Os atores serão muito solidários para com ele.

O diretor que preocupa seus atores até o último minuto, esperando sempre tirar um pouco mais deles, não auxiliará a peça de maneira alguma. Uma forma de evitar esse "medo do palco" é dedicar-se aos aspectos técnicos da peça nos últimos ensaios.

A MAQUILAGEM E O ATOR

Esse é um bom período para fazer algumas sessões de maquilagem, especialmente se a peça for uma fábula ou fantasia que requeira uma maquilagem fora do comum. O tempo dispendido na aplicação da maquilagem auxilia o trabalho dos atores no palco, na medida em que permite fazer experiências com seus personagens. Assim como as falas devem aparecer do próprio ator, assim também deve acontecer com a maquilagem. É muito melhor que cada ator desenvolva sua própria maquilagem, com a assistência de pessoas mais experientes, do que ter alguém que a aplique, não permitindo a criação.

Sempre que possível, encoraje-os a pesquisar seus personagens. Durante os ensaios da peça *O Palhaço que Fugiu*, Bobby Kay, um palhaço do Circo Clyde Beatty, veio para a Young Actors Company para falar sobre palhaços e maquilagem de palhaço. Ele então contou aos jovens atores as histórias das tradições que envolviam o trabalho dos palhaços e a dignidade com que cada palhaço coloca sua marca na face. Quando chegou a hora das crianças criarem suas próprias máscaras, nenhuma delas fez simplesmente uma "cara engraçada". Todas lutaram para colocar a sua "marca" no rosto com toda a individualidade de um palhaço de verdade, e criaram assim os seus personagens.

É aconselhável, após uma ou duas sessões, que cada ator tenha um quadro de sua maquilagem para referência. Se a maquilagem for considerada um fator de desenvolvimento dentro de toda a experiência do teatro, até as crianças de seis anos de idade podem aprender. (Não era incomum ver na Young Actors Company uma criança de sete anos ajudando uma de cinco a aplicar sua maquilagem, embora acreditássemos que aquela criança de sete anos mal poderia pentear seus cabelos corretamente em casa.) A maquilagem, assim como o figurino, deve ser usada com facilidade e convicção. Ela não deve ser usada pela primeira vez no espetáculo de estreia.

A maquilagem não deve servir de máscara para o ator, dando a impressão de estar escondido. Ela deve ser reconhecida pelo que é – uma extensão do seu personagem, e não a base dele. A eliminação da maquilagem, particularmente com atores jovens que estejam fazendo papel de adultos, pode constituir-se numa experiência valiosa tanto para os atores como para a plateia. Isto é especialmente válido para o teatro improvisacional onde um chapéu, ou um cachecol ou uma barba é tudo que um ator precisa para mudar de um papel para outro.

Isso faz dos atores autênticos "jogadores". Dessa forma, eles são sempre visíveis para a plateia e assim ajudam e criam "desprendimento artístico" essencial para a visão objetiva e para tornar a plateia "uma parte do jogo".

A APRESENTAÇÃO DO FIGURINO

É aconselhável fazer a apresentação do figurino junto com um ensaio com maquilagem. Em poucas palavras, a apresentação do figurino é simplesmente isto: um grupo de atores completamente vestidos e maquilados para que o diretor possa ver como eles ficam sob as luzes. As modificações podem ser feitas rapidamente se necessário, e tudo será observado quanto à adequação e conforto. Se não houver tempo para uma apresentação do figurino sozinho, pode-se combinar com um ensaio.

Uma apresentação de figurino pode ser entediante ou divertida, dependendo de sua organização. Se possível, o diretor deve programá-la num momento em que os atores estejam alegres e livres de outros compromissos. A apresentação do figurino pode ajudar a fazer da última semana um período divertido e relaxante, em vez de ansioso. Essa atividade não deve ser espremida na programação geral do trabalho. O diretor pode precisar de um bom número de horas para completar a apresentação dos figurinos, dependendo do tipo de peça e do número de pessoas no elenco.

O PRIMEIRO ENSAIO COM ROUPA

Existe uma velha superstição no teatro que diz que "um mau ensaio com roupas significa uma boa apresentação". Isso não é nada mais do que uma tentativa óbvia para evitar que o elenco se desanime. Apesar de toda a confusão que possa criar, o primeiro ensaio com roupa deve ser realizado o mais livre de tensão e histeria possível.

Em nenhuma circunstância o ensaio com roupa deve ser interrompido, uma vez iniciado. Assim como nos ensaios corridos, o diretor deve tomar notas e conversar com o elenco após cada ato da peça. O diretor, nesse momento, só deve trazer dúvidas, sugestões e modificações que possam ser feitas sem destruir o trabalho realizado anteriormente.

Se o diretor não conseguir "fazer um espetáculo" no primeiro ensaio com roupa, não conseguirá ter outro fazendo seus atores trabalharem mais do que podem nas últimas horas. Ele deve acreditar em si mesmo e em seus atores. O primeiro ensaio com roupa de qualquer peça é sempre desencorajador; mas ele terá um segundo ensaio com roupa e talvez uma pré-estreia para uma plateia convidada, que poderá trazer a unificação e integração final de todos os elementos.

O ENSAIO CORRIDO ESPECIAL

Não existem "erros" no palco no que diz respeito à plateia, pois ela não conhece o texto nem a ação da peça. E assim, um ator nunca deve deixar sua plateia saber quando ele sai fora. *A plateia só sabe o que os atores mostram.*

O ensaio corrido especial coloca o elenco completamente à vontade. Desenvolvida para atores infantis, ela funciona igualmente bem com adultos. O ensaio corrido especial funciona da seguinte maneira:

Num ensaio normal programado (logo antes do ensaio com roupa), diga ao elenco que no caso de um imprevisto qualquer (riso, esquecimento de fala etc.), o elenco todo deve cobrir e continuar a cena. Se eles não fizerem isso, terão que voltar ao início do ato. Por exemplo se um ator por qualquer motivo "quebrar" no final do segundo ato e ninguém o cobrir, o diretor calmamente diz: "Comecem o segundo ato, por favor!"; e os atores dever repetir o que acabaram de fazer.

Após alguns "comecem novamente", o diretor verá que seu elenco estará pressionando o culpado pela "quebra" da cena. Se isto acontecer, lembre-os que todos são igualmente responsáveis por manter a cena até o final e devem cobrir qualquer dos atores, caso ocorra algum problema[6].

Esta é a expressão da experiência de grupo na sua dimensão total posta em funcionamento[7]. Isto coloca uma severa disciplina sobre o ator, uma vez que ele é agora responsável pelo grupo (pela peça). Ao mesmo tempo, o ator ganha um profundo sentido de segurança, pois ele sabe que aconteça o que acontecer, e qualquer que seja o perigo ou crise, o grupo virá ao seu socorro paia salvar a peça[8].

O ensaio corrido especial é muito estimulante para os atores e os mantém alertas para cobrir um colega ator sempre que necessário. Com um ou dois ensaios corridos especiais, o espetáculo continuará mesmo que o teto venha abaixo.

O ESPETÁCULO

A plateia é o último elemento que completa o círculo, e a sua relação não só com a peça, mas com a atuação, é muito importante. O espetáculo, certamente, não é o fim da linha. Ele traz todo o processo criativo de fazer uma peça para sua fruição; e a plateia deve ser envolvida nesse processo.

Ninguém deve usar a plateia para fins de exibicionismo ou autoglorificação. Se isso for feito, tudo o que o diretor e os atores fizeram será destruído. Se, por outro lado, todo o conceito de compartilhar com a plateia for compreendido, os atores terão espetáculos extremamente estimulantes. Eles sentirão o ritmo da plateia, da mesma forma que a plateia sentirá o ritmo dos atores e do espetáculo. O que distingue um bom ator é essa resposta para a plateia. Por isso, é desejável dar tantos espetáculos quanto for possível, para permitir que essa resposta seja desenvolvida nos atores.

A liberdade e a criatividade nunca devem ir além das limitações impostas pela peça em si. O riso da plateia sempre faz com que o ator perca a cabeça (e seu foco). Isso distorce a sua relação com o todo, na medida em que trabalha cada espetáculo para si mesmo, para obter o riso novamente. Ele é o ator que trabalha somente pelo aplauso, pela gratificação pessoal; e se isto persistir, o diretor terá falhado com ele.

6. Veja também as notas sobre marcação não direcional, p. 138.

7. A intenção do diretor não é ameaçar ou punir. Ele simplesmente funciona como uma parte do grupo. Este é o último ponto a salientar – a passada especial desliga os atores do diretor, e eles se sentem realmente "donos de si", livres do diretor.

8. A constante adaptabilidade e a riqueza de recursos são, naturalmente, básicas para o teatro improvisacional, de forma que a passada especial nunca é necessária antes do espetáculo.

É difícil dizer todos os problemas que aparecerão durante um espetáculo. O diretor é sempre forçado a trabalhar com atores insuficientemente treinados, ou com pessoas que se apegam rapidamente a ideias preconcebidas de qual deveria ser o papel do ator. O diretor deve lembrar-se que deve trabalhar para conseguir a apreciação da plateia pela peça como um todo e não por um ou dois atores, ou pela iluminação ou pela sonoplastia. A resposta da plateia pode ajudar o diretor a avaliar o seu trabalho.

SUGESTÕES FINAIS

1. Fique longe dos bastidores durante o espetáculo. Tudo deve ser tão bem organizado de forma que corra sem problemas. Recados podem sempre ser mandados para o bastidores, se necessário.

2. Certifique-se de que os figurinos estão todos com botões e com as costuras em ordem. Um corredor que não tem certeza se o seu calção vai ficar bem preso à cintura ou não, não estará livre para correr.

3. Seja calmo e agradável se tiver que ir até os camarins.

4. Dê uma passada geral na peça entre os espetáculos, se possível. Se isso não for possível, uma rápida conversa após o espetáculo ajudará a eliminar algumas pequenas falhas que possam eventualmente aparecer.

5. Uma rápida passada para verificar as falas antes do espetáculo pode ser necessário de vez em quando.

6. Ensaios durante uma temporada de uma peça ajudam os atores a manter o foco nos problemas da peça e evitam que eles generalizem. Eles também deixam muito claras as falhas que apareceram e intensificam as já existentes.

7. Os atores devem aprender a deixar a plateia rir à vontade. Desde o início comece a treiná-los com a simples regra de permitir que o riso atinja seu pico para então começar a abaixá-lo com um movimento antes de começar a próxima fala.

8. A disciplina nos bastidores deve ser observada estritamente e sempre.

9. Os atores crescerão em estatura durante os espetáculos se todos os fatores permitirem. O palco é o raio X, onde todos os elementos estruturais aparecem. Se a peça for apresentada de maneira desajeitada, se seus "ossos" forem fracos, isto tudo será visto, assim como qualquer objeto estranho num raio X. As caracterizações e relacionamentos falsos e desonestos aparecerão. Isto pode ser compreendido e deve ser enfatizado para os atores sempre que necessário[9].

9. No teatro improvisacional esse ponto também se relacionaria com a estrutura da cena. Se uma cena for estruturada simplesmente para fazer piadas ou impor esperteza sobre a plateia, isso será claramente identificado. Uma piada verdadeira sai da própria cena e é, de fato, o seu ponto central.

10. Trabalhar segundo o plano de ensaio sugerido neste capítulo pode não produzir um ator completamente amadurecido em seu primeiro espetáculo, mas o colocará bem a caminho.

11. Se, no final de uma série de espetáculos, os atores decidirem "enterrar o espetáculo", lembre-os que o último espetáculo para eles é o primeiro para a plateia. O divertimento deve vir do próprio espetáculo, e não de brincadeiras de mau gosto feitas com seus colegas atores.

18. Post-mortem e Problemas Especiais

Cada peça e cada grupo é diferente e tem problemas individuais peculiares. Mas a necessidade de crescimento e expressão criativa é comum a todos. As técnicas para ensaiar peças surgiram das oficinas de trabalho em interpretação.

O CRESCIMENTO deve ser identificado como oposto à coerção, e a direção ORGÂNICA como oposta à direção mecânica. A direção mecânica é uma ilusão e, mesmo que com um estalar de dedos se atinja rapidamente uma "deixa", é a partir da utilização do "fazer sombra", jogar bola etc. que se chegará a uma resposta orgânica.

HORÁRIO PARA ENSAIOS

O quadro que segue descreve o plano seguido pela autora durante a sua carreira de trabalho com atores não experientes. Ela obteve resultados excelentes, mas naturalmente o quadro pode ser modificado, de acordo com as necessidades de cada diretor.

QUADRO PARA A PRIMEIRA PARTE DOS ENSAIOS

DIREÇÃO	OBJETIVO
As crianças iniciam aqui. Conte a história da peça. Blablação. Dê uma ideia do cenário.	Auxiliar a distribuição de papéis. Orientar o ator sobre a sua localização no palco. Primeiro trabalho com relacionamentos

	Leitura da peça em voz alta pelo diretor, depois da distribuição de papéis. Ou realizar primeiro a distribuição de papéis e depois a leitura em voz alta.
Mais Blabação. Acrescente Onde, com quadros-negros. Os personagens são aqueles determinados pela distribuição de papéis.	Familiarizar os atores com a realidade de palco. É iniciada a reflexão sobre quadros de cena confusos.
Os adultos iniciam aqui, depois da distribuição de papéis. Leitura de mesa, com interrupções para retificações de pronúncia e erros tipográficos nos textos.	Facilitar a compreensão da utilização de textos, proporcionar familiaridade com o conteúdo.
Segunda leitura de mesa.	
(a) Leitura do Ponto de Concentração e visualização das palavras: vogais e consoantes.	(a) Dá a dimensão das palavras.
(b) Concentração em cores, outros atores, tempo.	(b) Auxilia a compreensão das palavras.
(c) Concentração na visualização do cenário.	(c) Relaciona as palavras faladas com o ambiente do palco.
Ensaio corrido com texto, primeiro ato. Dar a planta geral do trabalho no palco.	Marcação não-direcional – a marcação geral pode ser acrescentada, se for necessário, estabelecendo a realidade.
(a) ONDE ESPECIALIZADO	(a) Dá flexibilidade à utilização do cenário, especialmente em fábulas.
(b) Ensaio corrido com textos, segundo e terceiro atos.	(b) Marcação não-direcional – o diretor toma nota da atividade e movimentação que surge.
(a) MOVIMENTO ESTENDIDO, seguindo movimento necessário para a peça. Diálogo cantado, utilização de jogos.	(a) Para proporcionar atividade e facilidade de movimento (faz surgir marcação original). Desenvolve o personagem, ritmo, tempo e ação de grupo

(b) Ensaio corrido, com textos (geralmente os atores já decoraram as falas).

(b) Mantenha o máximo possível a nova ação que surgir.

(a) Ensaio corrido dos três atos.

(b) Interrupções, para tornar claro o relacionamento, quando necessário.

O primeiro passo para dar ao ator o sentido de unidade do espetáculo.

CONTATO

Os textos podem ser levados agora para casa, apenas para superar dificuldades de leitura.

Força os jogadores a olharem um para o outro e intensificar relacionamentos; faz surgir mais atividade e movimentação de cena.

Mostra como utilizar as técnicas de ensaio relaxado ao fazer a leitura em casa.

(a) CEGO (atores têm as falas decoradas).

(a) Desenvolve o "sexto" sentido, o tempo, dá intensidade ao ambiente do palco e situa solidamente o ator por meio da substância do espaço.

(b) Leitura de mesa. Concentração nas palavras.

(b) Limpa as falas, sem perigo de rigidez.

(c) Concentração em "deixas" de ação.

(c) Pegar "deixas."

(d) Som prolongado.

(d) Desenvolve projeção orgânica de voz.

(*a*) Chamar a longa distância (Onde).

(*b*) Ensaio ao ar livre, se possível.

(*c*) O diretor distancia-se do palco e diz "Compartilhem a voz", quando necessário.

(d) Diálogo cantado.

EXPLORAR e INTENSIFICAR (transformação da pulsação) deve ser usado durante todas as partes dos ensaios. Favorece a exploração de conteúdo e relacionamento.

QUADRO PARA A SEGUNDA PARTE DOS ENSAIOS

DIREÇÃO	OBJETIVO
Ensaio Relaxado.	Remove ansiedades. Ajuda o ator a visualizar o movimento e o ambiente do palco (incluindo ele mesmo). Mostra que o diálogo é parte orgânica da peça.
Daqui em diante devem ser realizados ensaios corridos uma vez por semana. Usar os diversos adereços de figurinos. Sem interrupções (tome notas).	Estabelecimento da continuidade da peça acelera o processo de amadurecimento.
(a) Ensaios de atos individuais. Pare e inicie novamente.	(a) Intensifica todas as facetas da peça.
(b) Movimento de cena – por quê você fez isto?	(b) Dá motivação para a ação.
(a) Improvisações em torno de problemas (conflitos) da peça.	Dá intensidade à caracterização individual e aos relacionamentos de grupo; útil em cenas de multidão.
(b) Improvisações que estão fora da peça. O QUE ESTÁ ALÉM?	Dá vida e consenso de grupo para as cenas.
Blablação. Ensaios localizados.	Dá às palavras novo significado e faz surgir a ação que está implícita nelas. Gera nova movimentação de cena.
SEM MOVIMENTO	
Usar adereços de figurino, manipular adereços difíceis; verificar biografias. Ensaiar descalços.	Estimula energia nova a partir de fontes mais profundas. Dá mais elementos para ajudar o ator a trabalhar com o personagem.
Problemas de atuação baseados em situações da peça – inverta as partes.	Ajuda a desenvolver a compreensão do personagem e da peça como um todo.
Ensaios localizados da movimentação de cena. Quando a montagem tiver cenas difíceis, experimente	Elimina deselegâncias. Facilita o caminho para movimentação de cena mais complexa.

realizá-las de forma diferente. Faça jogos, use exercícios com espaço.	Dá nova compreensão.

QUADRO PARA A TERCEIRA PARTE DOS ENSAIOS

DIREÇÃO	OBJETIVO
O diretor relê a peça. Realiza mais frequentemente ensaios corridos completos. Ensaios com maquiagem.	Favorece amadurecimento e processo de aprendizagem. Dá fluência à peça.
(a) Ensaios de atos individuais com interrupções.	(a) Dá intensidade a todos os aspectos da peça. Introduza peças de cenário interessantes.
(b) Ajuda a fisicalizar, dá inspiração especial, gera atividade e movimentação de cena e intensifica a energia da cena.	(b) FAZENDO SOMBRA, ENTRADAS E SAÍDAS, COMEÇO E FIM.
(c) Trabalhe com tomada de "deixas", dando intensidade à fala e às reações.	(c) Intensificação do ritmo e do sentido de tempo.
Ensaios localizados. Movimentação de cena: por quê você foi para o fundo do palco?	Dá ao ator a compreensão de seu papel. Dá intensidade a momentos na encenação, dá motivação, quando necessário.
Ensaio corrido especial.	O grupo funciona como uma unidade. Os atores serão capazes de enfrentar qualquer crise durante o espetáculo – serão capazes de ajudar um ao outro. Integra os aspectos técnicos da produção.
Última semana de ensaio. Ensaios corridos técnicos, apresentação de figurinos, ensaios de maquilagem. Integrar a montagem completa.	
Segundo ensaio com figurinos.	Primeiro ensaio com figurinos.
Pré-estreia.	Trabalhar com a resposta de uma plateia simpática.
Dia de Descanso.	Alivia a tensão da semana final.
Primeira apresentação pública.	Expressão criativa total.

DIRIGINDO A CRIANÇA-ATOR[1]

A maior parte das técnicas não autoritárias usadas neste manual para treinamento do ator e direção para apresentações foram originalmente desenvolvidas com o objetivo de manter a alegria na atuação de crianças de seis a dezesseis anos, ao se dedicarem a uma grande forma de arte. Nossos garotos podem aprender a ser jogadores e não exibicionistas no palco. Pode-se transmitir a eles um grande amor pelo teatro de forma que suas apresentações tenham realidade, exuberância e uma vitalidade que ao ser assistida, é muito estimulante.

As crianças podem e devem ser atores em peças para crianças. O observador médio infelizmente tem um padrão muito baixo do desempenho infantil. Imitação de estereótipos adultos, exibicionismo e esperteza são muitas vezes confundidos com talento. Não há necessidade de distorcer a criança por meio da imitação do adulto. E nem é necessário (para evitar este problema) limitar a sua expressão teatral ao jogo dramático "bem ajeitado".

Talvez um garoto de doze anos não seja capaz de interpretar um vilão com a mesma compreensão psicológica do adulto, nem seria de bom gosto que o fizesse. Ele pode, no entanto manter o ritmo e o papel e dar ao seu personagem toda a energia que possui. Da mesma forma como o adulto, ele pode desenvolver a habilidade para selecionar características físicas que acentua para chamar a atenção da plateia (veja Cap. 12)[2].

Naturalmente existem peças com personagens adultos que são inadequadas para atores-crianças e estes papéis podem ser nocivos para elas. Mas esta mesma criança pode interpretar personagens infantis que muitas peças exigem.

Quanto ao trabalho nos bastidores, o aderecista de onze anos é capaz de conferir a sua lista da mesma forma como o adulto. O garoto de doze anos é capaz de seguir um texto e manipular tantas "deixas" de iluminação quantas a peça exigir. O assistente do diretor de palco (o diretor de palco deve ser sempre adulto) pode exigir obrigações e disciplina.

Durante dez anos a Young Actors Company, de Los Angeles, usando apenas crianças-atores de seis a dezesseis anos, fez apresentações públicas na cidade e obteve críticas constantes na sessão de teatro dos jornais da cidade. Os jovens atores eram respeitados pela qualidade de seu trabalho e pelo revigoramento que a plateia recebia através de seus espetáculos. É tão interessante assistir a espetáculos de crianças quanto de adultos, e as crianças aprendem a enfrentar todas as crises que surgem durante a representação. Na Young Actors Company e, mais tarde, no Playmakers, em Chicago, a habilidade para entrar em um papel

1. Veja também os Caps. 15-18.

2. Ao trocar a palavra "criança" por "ator não-profissional" e a palavra "adulto" por "ator profissional* no contexto dos parágrafos anteriores, podemos ver que o mesmo problema existe também para o ator amador de mais idade.

(como resultante do treinamento em teatro improvisacional) com pouco ou nenhum ensaio era de tal modo desenvolvida, que raramente havia atores suplentes para qualquer parte. Qualquer mensagem enviada para os bastidores, fosse para tirar alguma coisa do palco ou para terminar uma cena (teatro improvisacional) era manipulada sem esforço e com engenhosidade pelos jovens atores, dentro da ação da peça.

Um dos problemas mais difíceis ao ensaiar uma montagem com crianças é a regulação adulta sobre sua vida. Uma criança não pode dar todo o seu tempo e atenção à atividade. Ela raramente pode, por exemplo, dizer definitivamente se vai comparecer ao ensaio, já que a sua mãe pode decidir que ela deve estar em outro lugar naquele momento. Ela não pode permanecer além do tempo marcado, pois a criança tem um programa extremamente ativo: escola, tarefa de casa, esporte, aula de música etc.

Apenas algumas recomendações, ao trabalhar com crianças de menos de quinze anos:

1. Não assuma a posição de "professor" ao fazer teatro. Existem apenas o diretor e os atores.

2. Tenha sempre uma equipe para os bastidores que seja formada de adultos para que fique responsável (um assistente ou diretor de palco). Os pais e o diretor não devem ser admitidos nos bastidores durante a apresentação. Na Young Actors Com-pany, havia sempre ordens estritas para manter o diretor fora dos bastidores durante a apresentação. E os garotos sabiam que tinham permissão para aplicar este princípio.

3. Tanto com crianças como com adultos, mantenha um quadro de chamada, que deve ser utilizado.

4. Toda a organização dos bastidores mencionada neste capítulo é adequada para crianças.

5. Todas as sugestões para ensaio sugeridas neste capítulo podem ser seguidas tanto com crianças como com adultos.

6. Se as crianças vierem para o teatro após a escola, certifique-se de que há comida para elas. Muitas vezes a queda de energia provém do fato de estarem com fome.

7. Lembre sempre às crianças que a "plateia não conhece a peça"; e qualquer revés pode, portanto, ser tido como parte do espetáculo.

ELIMINANDO QUALIDADES DE AMADOR

Muitos de nós já assistimos a espetáculos de crianças ou adultos não profissionais onde, além de um vislumbre esporádico de graça natural ou um momento fugaz de espontaneidade, pouco ou mesmo nada havia que redimisse a apresentação. Os atores podiam estar até "expressando-se a si mesmos", mas eles o faziam às expensas da plateia e da realidade teatral.

Nesta seção caracterizamos algumas das assim chamadas qualidades "amadorísticas" de atores jovens e inexperientes. O propósito não é apenas ajudar o diretor a reconhecê-las como também mostrar suas causas e indicar exercícios que ajudarão a liberar os atores de suas limitações.

O ATOR AMADOR

1. Tem medo intenso do palco.
2. Não sabe onde colocar as mãos.
3. Tem movimento de cena desajeitado – balança de cá para lá, move-se pelo palco sem objetivo.
4. Necessita sentar-se no palco.
5. Lê rigidamente e mecanicamente as falas; esquece falas.
6. Sua expressão é pobre; apressa sua fala.
7. Geralmente repete a fala que leu erradamente.
8. Repete em voz baixa as palavras de seus colegas enquanto estão sendo pronunciadas.
9. Não cria atividade e movimentação de cena.
10. Não tem o sentido do tempo.
11. Perde "deixas", é insensível ao ritmo.
12. Veste seu figurino de forma desajeitada; a maquiagem tem uma aparência grosseira.
13. "Emociona-se" com as suas falas em lugar de falar com os colegas atores.
14. É exibicionista.
15. Não tem sensibilidade para a caracterização.
16. "Quebra" a cena.
17. Tem medo de tocar os outros.
18. Não projeta sua voz ou suas emoções.
19. Não sabe aceitar direção.
20. Tem relacionamentos supérfluos com os outros atores ou com a peça.
21. É dependente da mobília e dos adereços.
22. Torna-se a sua própria plateia.
23. Nunca ouve os outros atores.
24. Não tem relacionamento com a plateia.
25. Baixa os olhos (não olha para os colegas atores).

Esta é uma lista horrenda, mas a maioria dos atores amadores (crianças e adultos) possuem, pelo menos dez, se não mais, destas características.

CAUSAS E CURAS

1. O medo do palco é o medo do julgamento. O ator tem medo de crítica, de ser ridículo, de esquecer suas falhas etc. Quando acontece com o ator treinado, geralmente é o resultado de um treinamento rígido

e autoritário. Pode ser superado por uma compreensão dinâmica das frases "compartilhe com a plateia" e "mostrar, não contar".

2. A maioria dos atores imaturos usa apenas a boca e as mãos. Quando os alunos aprendem a atuar com o corpo todo (fisicalizar), o problema de onde colocar as mãos desaparece. Na realidade, nunca surgirá depois que os alunos-atores compreenderem a ideia do Ponto de Concentração, pois terão sempre um foco definido e objetivo, enquanto estiverem no palco.

3. O movimento de cena desajeitado é geralmente o resultado de direção de cena imposta. Quando o ator está fazendo esforço para recordar, em vez de permitir que o movimento surja da realidade da cena, sua movimentação será fatalmente desajeitada. Qualquer exercício de envolvimento com o objeto ajudará neste ponto.

4. O ator imaturo sente necessidade de sentar-se no palco ou balança de um pé para o outro porque está tentando "esconder-se" da plateia. Ele não tem foco e, portanto, está sem motivação para permanecer onde se encontra, ONDE COM OBSTÁCULOS será útil para solucionar isto (p. 94).

5. A leitura mecânica resulta na não criação de realidade. A recitação de palavras torna-se mais importante para o ator do que a compreensão de seu significado e dos seus relacionamentos. Elas permanecem meras "palavras", em lugar de transformar-se em "diálogo". Veja diálogo (p. 338); VENDO A PALAVRA (p. 209); BLABLAÇÃO (p. 110); Ensaio Relaxado (p. 301) e VERBALIZAÇÃO (p. H4).

6. A expressão pobre e a fala apressada geralmente são resultantes da falta de compreensão, por parte do ator, de que a plateia é um elemento integral do teatro. A expressão pobre tem a mesma origem que a leitura mecânica. No caso de haver um defeito físico real na fala do ator, serão necessários exercícios terapêuticos. Caso contrário, veja os exercícios do Cap. 8.

7. Falas lidas erradamente e depois repetidas palavra por palavra são exemplos de memorização mecânica, que massacra definitivamente a espontaneidade. O treinamento mecânico (decorado) é também a causa de muitas outras qualidades amadorísticas. A capacidade para enfrentar uma crise no palco deve tornar-se uma segunda natureza, mesmo para o ator mais jovem. Por meio de treinamento, ele pode aprender a improvisar e solucionar qualquer problema que surja – o diálogo mal lido ou falas esquecidas (veja Cap. 1).

8. A memorização prematura leva os atores a sussurrar as palavras do outro. Isto ocorre quando se permite que atores jovens levem o texto para casa, onde eles memorizam tudo o que está escrito.

9. A capacidade para criar atividade e movimentação de cena e marcação interessantes só pode surgir da compreensão dos relacionamentos e envolvimentos em grupo (veja Cap. 6).

10. O sentido de tempo teatral pode ser ensinado. O tempo é o reconhecimento do outro dentro da realidade teatral.

11. As falhas em sentir o ritmo (assim como o tempo) acontecem quando um ator é insensível à plateia e aos colegas atores. Os exercícios visam a desenvolver esta sensibilidade.

12. Todos temos sensibilidade natural para criar caracterização, em graus variados (veja Cap. 12).

13. Quando os atores "quebram" ou saem do personagem em cena, eles perderam a visão dos relacionamentos internos da peça e também do seu Ponto de Concentração.

14. Isto significa resistência e medo de envolvimento. Os exercícios CONTATO e DAR E TOMAR realizam especificamente aquilo que a segurança crescente durante o treinamento irá realizar naturalmente (veja p. 165, 207).

15. A projeção inadequada é causada pelo medo ou pela negligência com relação à plateia.

16. A incapacidade para aceitar direção muitas vezes se origina em falta de objetividade ou comunicação inadequada entre o ator e o diretor. O ator pode não estar ainda livre o suficiente para assumir a sua responsabilidade perante o grupo. O EXERCÍCIO DE TV (p. 181) dá ao aluno a perspectiva dos problemas de direção.

17. O ator que tem pouco ou nenhum relacionamento com os atores colegas e com a peça ainda está no estágio elementar do treinamento teatral. A realização de jogos e a utilização de todos os exercícios de atuação que se referem ao envolvimento em grupo devem auxiliar aqui.

18. Quando o ator se move com hesitação no palco, arrastando-se de uma cadeira para outra, ou movimentando-se sem objetivo pelo palco, ele está demonstrando medo de ficar exposto à plateia. Este é o problema central do teatro não profissional. Dar com maior frequência exercícios de interação grupal e compartilhar com a plateia será de grande utilidade.

19. Quando os atores saem do jogo e tornam-se a plateia de si mesmos, eles estão procurando aprovação. O seu Ponto de Concentração recai sobre eles mesmos.

20. A incapacidade para ouvir outros atores é um problema vital. Significa que a meada dos relacionamentos de palco foi rompida ou não foi nunca compreendida. O exercício CEGO (p. 154) é dedicado especificamente à eliminação do não ouvir.

21. A resposta da plateia vem para o ator amadurecido (veja p. 142 e s.). Esteja consciente que a frase "compartilhe com a plateia" é o primeiro passo e o mais importante de todos.

22. O ator que arrasta tudo para dentro de seu ambiente imediato faz com que o seu universo assuma proporções em miniatura. Os exercícios O QUE ESTÁ ALÉM? (p. 91). SUBSTÂNCIA DO ESPAÇO (p. 73), CHAMAR A LONGA DISTÂNCIA (p. 175), e MOVIMENTO ESTENDIDO devem ajudar a quebrar o medo de movimentar-se em um ambiente mais amplo. Os exercícios CONTATO ATRAVÉS DO OLHO irão aliviar o medo de olhar para o outro ator (p. 154).

Definição dos Termos

Ensinar é necessariamente repetitivo, para que o aluno incorpore o material apresentado. Os termos que se seguem estão definidos tendo isto em mente, na esperança de que sejam mais um instrumento dentro do processo de aprendizagem. Se parecem estar exageradamente definidos, é porque tentamos adequá-los aos mais diferentes quadros de referências dos leitores para que ocorra o estalo da compreensão e assim esclareça os intuitos dos jogos teatrais.

AÇÃO – A energia liberada ao trabalhar um problema; o jogo entre os atores; jogo.

AÇÃO INTERIOR – Reconhecimento de uma emoção através da resposta sensorial; o uso da ação interior permite ao jogador a privacidade de seus sentimentos pessoais (emoção); o uso da emoção como um objeto; "Fisicalize este sentimento!"

ACORDO GRUPAL – Decisão de grupo; a realidade estabelecida entre atores; a realidade estabelecida entre atores e plateia; aceitação das regras do jogo; acordo de grupo sobre o Ponto de Concentração; não se pode jogar sem acordo de grupo; quebra os laços que prendem ao professor-diretor.

ACREDITAR – Algo pessoal do ator não necessário na criação da realidade do palco.

AFUNDAR O BARCO – Cena desequilibrada; refere-se à marcação iniciada pelo próprio ator; "Você está afundando o barco!"; um termo usado com atores muito jovens para ensinar-lhes marcação não direcional.

AGILIDADE PARA PERSONAGEM – A habilidade para, espontaneamente, selecionar as qualidades físicas de um personagem escolhido ao improvisar; habilidade para usar a imagem, cor, som, estado de espírito etc. para determinar as qualidades do personagem.

ALUNO AVANÇADO – Um jogador que se envolve com o Ponto de Concentração e permite que ele trabalhe para si; um jogador que aceita as regras do jogo e trabalha para solucionar o problema; um ator que mantém viva a realidade estabelecida; aquele que joga.

AMBIENTE – A vida do palco estabelecida pelos membros do grupo; todos os objetos animados e inanimados dentro do teatro, incluindo o indivíduo e a plateia; um lugar a ser explorado.

APRENDER – A capacidade para experienciar.

ASSUMIR UM PAPEL – Jogar como em um jogo; assumir um papel e não interpretar subjetivamente a si mesmo; compartilhar a caracterização e não usar o personagem para explosões emocionais; manter a identidade de si mesmo.

ATIVIDADE – Movimento no palco.

AUTORITARISMO – Impor nossas próprias experiências, quadros de referência e padrões de comportamento sobre os outros; não permitir que o outro tenha suas próprias experiências.

AVALIAÇÃO – Método de crítica através do envolvimento com o problema, e não de um envolvimento interpessoal.

BIOGRAFIAS – Informação, estatística, formação etc. escritas sobre um personagem numa peça para situá-lo em dadas categorias, para auxiliar o ator a trabalhar o seu papel; algumas vezes, útil no teatro formal para ajudar o diretor a compreender os seus atores; devem ser evitadas no teatro im-provisacional, pois não permitem a seleção espontânea de material e distanciam os atores de uma experiência intuitiva; "Sem biografias!"

BLABLAÇÃO – Sons sem significados que substituem as palavras reconhecíveis para forçar os atores a se comunicarem pela fisicalização (mostrando); um exercício de atuação.

BOM GOSTO – Permitir a algo ter seu próprio caráter sem impor nada alheio; não acrescentar nada que provoque uma retração; um sentido da natureza inerente de um objeto, cena ou personagem; é o nosso reconhecimento da natureza de alguma coisa; bom gosto nunca pode ser expresso através da mímica; bom gosto nunca ofenderá, mas o fato de "não ser ofensivo" não significa necessariamente que se tem bom gosto.

CARACTERIZAÇÃO – Selecionar certos maneirismos físicos, tons de voz, ritmo etc. para fazer um personagem específico ou um tipo de personagem; dar vida ao personagem através da realidade do palco.

CENA – Um acontecimento que surge do Ponto de Concentração; os resultados do jogo; um fragmento; um momento na vida das pessoas que não precisa ter necessariamente um começo, meio e fim; biografia ou estatísticas; a cena é o jogo que aparece a partir das regras; jogar é o processo a partir do qual surge a cena, por meio do envolvimento com um objeto (Ponto de Concentração) e relacionamento com os atores colegas.

COMO – Planejar previamente o Como impede o intuitivo de trabalhar; fazer o roteiro de uma situação, em oposição a enfrentar aquilo que aparece no momento do jogo; preparar-se para qualquer movimento, em oposição a esperar para ver o que vai acontecer; medo de se aventurar no desconhecido; dar exemplos de maneiras de solucionar um problema; "desempenhar".

COMPARTILHE COM O PÚBLICO – Traz harmonia e relacionamento entre os atores e o público, torna o público "parte do jogo"; usado nas instruções para desenvolver marcação iniciada pelo ator; o mesmo que afundar o barco (usado para estudantes muito jovens); "Compartilhe sua voz!"; "Compartilhe o quadro de cena!"; "Compartilhe sua pessoa!"; usado desde a primeira oficina de trabalho para alcançar a marcação iniciada pelo ator e a projeção de voz; afasta a necessidade de rótulos; desenvolve a capacidade de ver o palco do ponto de vista exterior, para aquele que está em cena,

COMPREENSÃO – Um momento de revelação; ver o que estava ali o tempo todo; conhecer: A árvore era uma árvore Antes que eu pudesse ver A árvore.

COMUNICAÇÃO – Experienciar; a capacidade do ator para compartilhar sua realidade cênica de maneira que a plateia possa compreender; experiência direta em oposição à interpretação ou suposição.

CONFIAR NO ESQUEMA – Deixar acontecer e entregar-se ao jogo.

CONFLITO – Um cabo-de-guerra consigo mesmo ou entre os atores, exigindo uma decisão; meta ou objetivo a ser alcançado; falta de acordo; um artifício para gerar energia no palco; uma tensão e relaxamento impostos em oposição a problema (orgânico).

CONSCIÊNCIA – Envolvimento sensorial com o ambiente; ir de encontro ao ambiente.

CONSCIÊNCIA CORPORAL – Atenção física total ao que está acontecendo no palco e na plateia; habilidade para usar todas as partes do corpo (as portas podem ser fechadas com os pés, e os quadris podem colocar um objeto em movimento); fiscalização.

CONTAR – Verbalizar os envolvimentos, Onde etc. de uma situação, em vez de criar uma realidade e mostrar, ou permitir que a cena surja por meio das atitudes físicas, relacionadas etc.; não ação; não atuação; os resultados de contar são invenção, fazer dramaturgia, manipulação, imposição do eu ao objeto, não permitir que o objeto mova o eu; "representação".

CONTATO – Impacto sensorial; envolvimento físico e visual com o ambiente do teatro (Onde, Quem, plateia etc.); tocar, ver, sentir o cheiro, ouvir e olhar; saber o que você toca; comunicação.

CONTEMPLAR – Uma cortina diante dos olhos para evitar contato com os outros; atuar apenas para si mesmo; um muro de proteção "Veja-nos!".

CRIAÇÃO – Criar (limitado) mais intuir (ilimitado), igual a criação.

CRISE – Um momento intensificado onde a forma está prestes a modificar; o teatro (jogo) é uma série de crises; alternativa; o pico ou o ponto de ruptura de um momento ou situação estática onde muitos acontecimentos são possíveis; um momento de tensão no qual o resultado é desconhecido; o jogador deve estar preparado para enfrentar qualquer mudança simples ou extraordinária que a crise possa trazer.

DESEMPENHO – Não deve ser confundido com exibicionismo; deixar acontecer; um momento de entrega que cria harmonia e relaxamento; um momento de liberdade individual, sem prender-se ao passado ou ao futuro.

DESPRENDIMENTO – Necessário no palco para evitar a "representação"; habilidade para relacionar-se objetivamente para evitar "emoção"; relacionamento livre de envolvimento emocional; o desprendimento artístico torna a atuação possível tanto para os atores como para a plateia; mantém todos como sendo "uma parte do jogo"; conscientizar-se da vida do objeto; capacidade de se tornar consciente da vida do ambiente do palco; funcionar dentro do grupo sem ser engolido por ele; para um maior envolvimento no palco; "Entregue-se!"

DIAGNÓSTICO – A capacidade do professor-diretor em descobrir quais problemas colocar para resolver os problemas do grupo.

DIÁLOGO – Palavras que os atores usam ao falarem para efetuar e construir a realidade que criaram no palco; a vocalização da expressão física da cena; extensão verbal do envolvimento e relacionamento entre atores; verbalização que cresce organicamente a partir da vida da cena.

DIGNIDADE – Ser si mesmo em qualquer idade; a aceitação de uma pessoa sem tentar alterá-la; o sentido de si mesmo que não deve ser violado pela "representação".

DRAMATURGIA – Manipulação da situação e dos atores colegas; não acreditar que a cena vai se desenvolver a partir do jogo em grupo; incompreensão do Ponto de Concentração; usar deliberadamente ações, diálogos, informações e fatos antigos (invenção), em lugar de fazer seleção espontânea durante a improvisação; inútil no teatro improvisacional; "Para de fazer dramaturgia!"

EGOCÊNTRICO – Temor de não se sentir apoiado pelos outros ou pelo ambiente; autodefesa errônea.

EMOÇÃO – Movimento orgânico criado pela atuação; a emoção subjetiva levada para o palco não é comunicação.

EMOCIONAR – Impor-se à plateia; é fazer de conta, em vez de assumir um papel.

ENERGIA – Nível de intensidade com o qual se aborda o problema; a inspiração liberada quando um problema é solucionado; a força contida ao resistir à solução de um problema; a força liberada na "explosão" (espontaneidade); ação diagnostica; o resultado do processo (atuação); contato.

ENVOLVIMENTO – Absorção completa no objeto estabelecido (não em outros atores) como é determinado pelo Ponto de Concentração; entrar completamente no jogo ou exercício; jogar; envolvimento é disciplina; o envolvimento com o objeto cria relaxamento e liberdade para relacionar-se; reflexão e absorção.

ESPAÇO – Algo sobre o qual pouco conhecemos; a área do palco onde a realidade pode ser localizada; o espaço pode ser usado para dar forma às realidades que criamos; uma área sem fronteiras, sem limites; o jogador usa o espaço para dar realidade ao mundo fenomenal; fazer espaço para o objeto; o ambiente mais amplo; o espaço além; um lugar para perceber ou receber uma comunicação.

ESPONTANEIDADE – Um momento de explosão; um momento livre para autoexpressão.

ESTÁTICO – Um momento de contenção onde se encontram o que aconteceu e o que vai e/ou poderia acontecer dentro dele; crises.

ESTATÍSTICAS –*r* Dar fatos, informação e/ou biografia para o público e os atores colegas; contar, e não mostrar; expressar verbalmente um personagem; usar fotos, informação do passado etc., em vez de improvisar e deixar que o personagem apareça; "Chega de fatos, chega de informações! Não faça biografias! Mostre-nos!"

ESTÍMULOS MÚLTIPLOS – As muitas coisas que surgem do ambiente para o jogador, das quais ele deve estar consciente e sobre as quais ele deve atuar; multifacetado; o Onde, desenvolvimento de cena, o compartilhar da cena com a plateia etc., sobre os quais o ator deve atuar simultaneamente como um malabarista.

HISTÓRIA – A história é um epitáfio; as cinzas do jogo; a estreia é o resultado (resíduo) do processo; o teatro improvisacional é processo; para que a história (peça) adquira vida, é preciso dividi-la em partes ou pulsações (desarmar), para que ela possa se tornar processo novamente; uma peça bem escrita é processo.

ESTRUTURA – O Onde, Quem e o Quê; o campo sobre o qual o jogo tem lugar.

EU – Refere-se à parte natural de nós mesmos; livres de valores frustrantes, preconceitos, informação mecanicamente adquirida e quadros de referência estáticos; aquela parte de nós mesmos capaz de estabelecer contato direto com o ambiente; aquilo que é nossa própria natureza; a parte de nós mesmos que funciona livre da necessidade de aprovação/desaprovação; tirar a maquiagem, indumentária, trapos, maneirismos, personagem, ornamentos etc., que são a máscara (roupagens sobreviventes) do eu; o eu deve ser encontrado para que possamos jogar; o jogo ajuda a encontrar o eu.

EXPOSIÇÃO – Ver ou ser visto diretamente; não como os outros gostariam que você ou eles mesmos fossem.

FAZER UM PAPEL – Em oposição a assumir um papel; impor um personagem, em oposição a criar um papel a partir do problema; psicodrama; jogo dramático; imposição artificial do personagem a si mesmo, em lugar de permitir que o crescimento natural surja do relacionamento; resposta subjetiva sobre "o que é um personagem"; usar um personagem para esconder-se; uma máscara que não permite o desmascaramento; afastamento; desempenho em solo.

FINGIR – Substituição da realidade; subjetivo em oposição a real (objetivo); "Se você fingir, não será real"; impor-se ao problema, em oposição a criar realidade; pensar na realidade do objeto, em lugar de dar-lhe realidade; o teatro im-provisacional se desenvolve a partir da realidade objetivação; não aceitar nenhuma realidade.

FISICALIZAÇÃO – Mostrar e não contar; a manifestação física de uma comunicação; a expressão física de uma atitude; usar a si mesmo para colocar um objeto em movimento; dar vida ao objeto; "Fisicalize este sentimento! Fisicalize este relacionamento! Fisicalize esta máquina de fliperama, este papagaio de papel, este peixe, este objeto, este gosto etc.!"; representar é contar, fisicalizar é mostrar; uma maneira visível de fazer uma comunicação subjetiva.

FOCO – Atenção dirigida e concentrada numa pessoa, objeto ou acontecimento específico dentro da realidade do palco; enquadrar uma pessoa, objeto ou acontecimento no palco; é a âncora (o estático) que torna o movimento possível.

GENERALIZAÇÃO – Uma suposição que não permite que o ator faça seleção detalhada; agrupar muitas coisas juntas sob um único título ou descrição; botar tudo no mesmo saco; percepção sensorial oclusa; recusa a dar "vida ao objeto"; supor que os outros sabem o que você está tentando comunicar; o clichê surge da generalização.

GRUPO – Uma comunidade de interesses; indivíduos agrupados livremente ao redor de um projeto para explorá-lo, construí-lo, usá-lo e alterá-lo.

IDENTIDADE – Ter o seu próprio espaço e permitir que os outros também o tenham; colocado seguramente em um ambiente; o seu onde depende de *onde você* está.

IGUALDADE – Não deve ser confundida com uniformidade; o diretor de todos, com qualquer idade ou formação, de tornar-se parte da comunidade do teatro, entrar em suas atividades, observar seus problemas e trabalhar neles; o direito de adquirir conhecimentos; o direito de bater em qualquer porta.

ILUSÃO – O teatro não é ilusão, é uma realidade estabelecida por um grupo e entendida pela plateia; projeção subjetiva.

IMAGINAÇÃO – Subjetivo; inventivo; criar sua própria ideia de como as coisas deveriam ser; atuar no teatro requer criação de grupo, em oposição a criar individualmente uma nova ideia de como as coisas deveriam ser; pertence ao intelecto em oposição a aquilo que vem do intuitivo.

IMPROVISAÇÃO – Jogar um jogo; predispor-se a solucionar um problema sem qualquer preconceito quanto à maneira de solucioná-lo; permitir que tudo no ambiente (animado ou inanimado) trabalhe para você na solução do problema; não é a cena, é o caminho para a cena; uma função predominante do intuitivo; entrar no jogo traz para pessoas de qualquer tipo a oportunidade de aprender teatro; é "tocar de ouvido"; é processo, em oposição a resultado; nada de invenção ou "originalidade" ou "idealização"; uma forma, quando entendida, possível para qualquer grupo de qualquer idade; colocar um objeto em movimento entre os jogadores como um jogo; solução de problemas em conjunto; a habilidade para permitir que o problema de atuação emerja da cena; um momento nas vidas das pessoas sem que seja necessário um enredo ou história para a comunicação; uma forma de arte; transformação; produz detalhes e relações como um todo orgânico; processo vivo.

INSPIRAÇÃO – Energia fortificada com conhecimento intuitivo.

INSTRUÇÃO – Um auxílio dado pelo professor-diretor ao aluno-ator durante a solução do problema, para ajudá-lo a manter o foco; uma maneira de dar ao aluno-estar identidade dentro do ambiente teatral; uma mensagem ao todo orgânico; um auxílio para ajudar o aluno-ator a funcionar como um todo orgânico.

INTENSIFICAÇÃO – Intensificação de um relacionamento, de um personagem ou de uma cena no palco; criação de um alto nível de realidade; dar uma dimensão maior à realidade da vida; ênfase na vida; ampliação de um personagem, ou acontecimento, para maior clareza na comunicação para a plateia; usar qualquer coisa (em termos técnicos, verbal ou de atuação) para causar um impacto; dar ênfase por meio da intensificação.

INTELECTO – O computador; coletor de informação, estatística de fatos dados de todas as espécies; não deve funcionar separadamente; parte de um todo orgânico.

INTERPRETAÇÃO – Dar o quadro de referência, em oposição a relacionar-se diretamente com acontecimentos; acrescentar ou subtrair da comunicação direta; pode causar incapacidade de enfrentar um momento novo de experiência.

INTROMISSÃO – Contar como solucionar o problema; mostrar aos atores como caminhar, falar, conversar, emocionar, sentir e ler suas salas; interferir; incapacidade para "atuar".

INTUITIVO – Uma área a ser explorada e investigada por todos; conhecimento ilimitado além do equipamento sensorial (físico e mental); a área da revelação.

INVENÇÃO – Não deve ser confundida com improvisação; invenção é sagacidade individual, não o diálogo emergindo do processo.

INVENTIVIDADE – Rearranjo dos fenômenos conhecidos, limitado pela realidade pessoal; do intelecto; atuação em solo (individual).

JOGADOR – Aquele que joga; pessoa treinada para criar a realidade teatral; tirar coelhos da cartola mágica; aquele que joga com objetos, em lugar de jogar consigo mesmo; um ator; um ator que não representa.

JOGAR – Alegria, divertimento, entusiasmo, confiança; intensificar o objeto; relacionar-se com os colegas jogadores; envolvimento com o Ponto de Concentração; jogar gera energia que se libera (objetivo); a expressão física de uma força vital; um termo que no teatro improvisacional pode ser usado em lugar de ensaio; "Vamos jogar!"

JOGO – Uma atividade aceita pelo grupo, limitada por regras e acordo grupal; divertimento; espontaneidade, entusiasmo e alegria acompanham os jogos; seguem par e passo com a experiência teatral; um conjunto de regras que mantém os jogadores jogando.

JOGO DRAMÁTICO – Atuar e/ou viver através de velhas situações de vida (ou de outra pessoa) para descobrir como se adequar a elas; jogo comum entre as crianças de maternal quando procuram tornar-se aquilo que temem, ou admiram ou não entendem; o jogo dramático, se continuado na vida adulta, resulta em devaneios, identificação com personagens de filmes, teatro e literatura; elaborar material velho em oposição a uma experiência nova; viver o personagem; pode ser usado como uma forma simplificada do psicodrama; não é útil para o palco.

JULGAMENTO – Colocação subjetiva do bom/mau, certo/errado baseado em velhos quadros de referência, padrões culturais ou familiares (pessoais), em vez de resposta nova a um momento de experiência; imposição.

LIBERDADE INDIVIDUAL – Nossa própria natureza; não espelhar outros; uma expressão de si mesmo; livre das exigências do autoritarismo (aprovação/desaprovação); liberdade para aceitar ou rejeitar as regras do jogo; reconhecimento de limitações e liberdade para rejeitar ou aceitar o jogo; não deve ser confundido com licença; livre de emotividade; um momento de realidade, no qual se toma parte na construção; livre de roupagens sobreviventes; um assunto particular.

LINHAS DE VISÃO – A clareza de visão que o indivíduo no público tem de cada indivíduo que está trabalhando no palco.

MANIPULAÇÃO – Usar o problema, os colegas jogadores etc. para fins egocêntricos; ser oportunista; manifesta-se pela resistência em se relacionar com os colegas jogadores.

MARCAÇÃO – Integração dos atores, cenário, som e luz; clareza de movimentos para a comunicação; ênfase no relacionamento dos personagens; fisicalização da vida do palco.

MARCAÇÃO NÃO DIRECIONAL – Deixar a plateia ver o que acontece no palco; marcação sem direção exterior; desenvolver a capacidade de ver o palco (de fora) estando dentro dele; auxílio do grupo na marcação; técnica teatral necessária para o ator no teatro improvisacional; capacidade do ator para fazer emergir movimento de palco da cena que está se desenvolvendo; um caminho para a identidade; ajuda a quebrar a dependência do professor-diretor.

MEDO DO PALCO – O medo de desaprovação ou indiferença; separação entre a plateia e os atores; colocando a plateia como observadores ou juízes; medo do desmascaramento; quando a plateia torna-se "parte do jogo", o medo do palco desaparece.

MEMÓRIA CORPORAL – Memória que o corpo mantém das experiências passadas; memória física em oposição à retenção mental ou intelectual de experiências passadas; retenção sensorial de experiências passadas; atitudes musculares; "Deixe o seu corpo lembrar!"

MENTE – Parte do equipamento sensorial; uma área do conhecido.

MOSTRAR – Fisicalizar objetos, envolvimentos e relacionamentos, em oposição a verbalizar (contar); experiência espontânea; o ator traz sua criação ou invenção para o universo fenomenal, mostrando-o; fisicalizar.

MOVIMENTAÇÃO DE CENA – A atividade no palco; usada para instrumentar, acentuar, intensificar ou aumentar a maneira pela qual se manipula os objetos no ambiente; maneira pela qual a "bola" é mantida em jogo; movimentação de cena surge do envolvimento com os objetos e relacionamento com os atores colegas; blablação é um exercício especialmente útil para este ponto.

NÃO REPRESENTAÇÃO – Envolver-se com o Ponto de Concentração; abordar os problemas de teatro da mesma forma que um operário aborda seus problemas de trabalho; guardar para si os sentimentos pessoais; aprender a atuar através da "não representação"; mostrar e não contar; "Pare de representar!"

NÃO VERBAL – Ensinar sem fazer conferências sobre técnicas para o ator; linguagem usada somente para esclarecer e apresentar ou avaliar um problema; não contar ao aluno Como solucionar um problema; não "soletrá-lo"; quebra a dependência do professor-diretor; um sistema não verbal de ensino como o que é usado neste manual; uma outra forma de comunicação entre outras.

OBJETIVO – Tudo que está fora de uma pessoa; ser objetivo; a habilidade para permitir que um fenômeno exterior tenha caráter e vida próprios; não mudar uma realidade para ajustá-la a suposições pessoais subjetivas; ser objetivo é básico para o teatro improvisacional.

OBJETO – Objeto e Ponto de Concentração podem ser usados alternadamente; coloca o ator em movimento; usado para jogar, como uma bola, entre os jogadores; o envolvimento com o objeto torna possível o relacionamento entre atores; foco mútuo numa realidade exterior (a corda entre os atores); uma técnica para evitar a resposta subjetiva do ator; meditação; um problema mútuo que permite liberdade de autoexpressão ao solucioná-lo; o trampolim para o intuitivo; a fisicalização de um objeto, sentimento ou acontecimento estabelecendo, a partir dos quais a cena emerge.

OBSERVADOR – Um "olho" que está constantemente sobre nós; um controle que restringe; alguém que julga; aprovação/desaprovação; o medo do "olho" mantém o eu precavido de experiências novas e faz surgir um eu "tolo" por meio de delinquências, apatia, estupidez, palavreado; "uma panela vigiada nunca transborda".

OCUPAÇÃO – A atividade do palco; aquilo que é criado pelos atores e que é visível para a plateia; aquilo que os atores compartilham com a plateia; o O Quê.

ONDE – Objetos físicos existentes dentro do ambiente de uma cena ou atividade; o ambiente imediato; o ambiente geral; o ambiente mais amplo (além de); parte da estrutura.

O QUÊ – Uma atividade mútua entre os atores, existindo dentro do Onde; uma razão para estar em determinado lugar; "O que você está fazendo aí?"; parte da estrutura.

ORGÂNICO – Uma resposta da cabeça aos pés, onde a mente (intelecto), o corpo e a intuição funcionam como uma unidade; monolítico; a partir do todo, de si mesmo; funciona a partir do nosso ser total.

PALAVRAS – Blablação; conversa; verbalizar por falta de ação; "Apenas palavras!"; fazer dramaturgia; palavras, em oposição a diálogo; palavras em "lugar de"; mantêm o eu escondido.

PANTOMINA – Uma forma de arte relacionada com a dança; não deve ser confundida com "cenas silenciosas" ou "cenas sem palavras".

PEÇA IMPROVISADA – Uma cena ou cena desenvolvida a partir da improvisação, usada para um espetáculo; material criado pelo grupo; uma cena ou peça desenvolvida a partir de uma situação ou enredo; peça ou cena que aparece a partir da atuação em grupo; não é uma associação de histórias.

PEÇAS DE CENÁRIO – Mobília, praticáveis, apetrechos usados para construir o Onde.

PEÇAS DE FIGURINO – Partes do figurino que podem ser usadas para criar um personagem; sugestões do figurino de um personagem em oposição a figurinos completos (caixas cheias de chapéus).

PERCEPÇÃO – Conhecer, sem usar apenas o intelecto; osmose; consciência de fenômenos exteriores; habilidade para penetrar no ambiente; tornar-se o objeto.

PERSONAGEM – Gente; seres humanos; pessoas reais; a expressão física de uma pessoa; fala por si mesmo.

PERSPECTIVA – Olhar dentro; uma visão objetiva; desprendimento; visão ampla.

PLANEJAR PREVIAMENTE – Planejar como trabalhar uma cena, em lugar de "deixar acontecer"; relacionado com "fazer dramaturgia"; um ensaio mental; "a criança incerta"; o planejamento prévio deve ser somente para a estrutura (Onde, Quem, O Quê).

PLANTA-BAIXA – Um desenho ou uma planta (no papel ou num quadro-negro) da estrutura para um problema de atuação: Onde (os objetos), Quem (os atores), O Quê (a atividade), Ponto de Concentração (o problema); um esboço do Onde estabelecido e desenhado por um grupo de atores; o "campo" sobre o qual o "jogo" será jogado; um mapa do território onde os atores devem entrar e explorar.

PLATEIA (INDIVÍDUOS) – Nossos convidados; os membros mais reverenciados do teatro; parte do jogo, não os "observadores solitários"; uma das partes mais importantes do teatro.

PONTO DE CONCENTRAÇÃO – Colocar o foco no objeto (ou acontecimento) que foi estabelecido; uma técnica para atingir desprendimento; o objeto em torno do qual os atores se reúnem; o envolvimento com o Ponto de Concentração resulta em relacionamento; "Confie no Ponto de Concentração!"; um veículo que transporta o jogador; ajuda a plateia de alunos a abrir-se para receber a comunicação; preocupação.

PREDISPOSIÇÃO PARA NÃO ENTENDER – Manipulação de Onde, Quem e O Quê; relutância em compreender e/ou explorar o Ponto de Concentração; os indícios são piadas, fazer dramaturgia, palhaçadas, afastamento, "representação", medo de mudanças de qualquer espécie; a resistência é energia bloqueada ou contida; quando a resistência é rompida, acontece uma nova experiência.

PREOCUPAÇÃO – A fonte de energia; aquilo que não é visível para a plateia; ao criar problemas bipolares, elimina o "observador" e torna possível o surgimento do jogo.

PREPARAR O ATOR – Integrar todas as partes do todo (técnicas teatrais); liberar a habilidade para enfrentar todas as crises com segurança; adquirir confiança no ambiente do palco.

PROBLEMA – Não deve ser confundido com conflito (tensão e relaxamento); tensão e relaxamento naturais, que resultam em ação orgânica (dramática).

PROBLEMA BIPOLAR – Dá foco ao intelecto e preocupação para o ator, de forma a afastar qualquer inibição ou mecanismo de censura que não lhe permite atuar; limpa a mente; "Eu não sabia o que estava dizendo"; preocupação/ocupação.

PROBLEMA DE ATUAÇÃO – Solução do Ponto de Concentração; quando um problema é solucionado, tem-se como resultado um conhecimento orgânico da técnica teatral; um problema que prefigura um resultado; desenvolvimento de técnicas teatrais; jogos teatrais.

PROCESSO – O fazer; o processo é o objetivo a ser atingido, e o objetivo a ser atingido é um processo infinito; não pode haver qualquer afirmação definitiva sobre um personagem, relacionamento, sistema de trabalho.

PROFESSOR-DIRETOR – O professor trabalha para os alunos (liberando etc.), o diretor trabalha para o palco no sentido mais amplo; apresenta problemas tanto para a experiência individual, quanto para a experiência do palco.

PROGRESSO DO ALUNO – Qualquer distância que uma pessoa tenha percorrido desde o seu ponto de partida.

PSICODRAMA – Colocar nossa própria emoção em jogo para criar ação; história de vida; em oposição a história "em processo".

PULSAÇÃO – Uma medida; o período de tempo entre as crises; uma série de cenas dentro de uma cena; pode ser um momento ou dez minutos; "início e final".

QUADRO DE REFERÊNCIA – Um ponto referencial sobre o qual os julgamentos são feitos; um ponto referencial a partir do qual se vê o mundo; uma referência condicionada (limitada) por padrões culturais, familiares e educacionais.

QUEM – As pessoas dentro do Onde; "Quem é você?"; "Qual é o seu relacionamento?"; parte da estrutura.

REAGIR – Afastamento; autoproteção; resposta à ação do outro, em lugar de agir por si mesmo; atacar para evitar trocar de posição; ir deliberadamente de encontro ao ambiente, em vez de ir ao encontro dele; medo de atuar; medo de assumir a responsabilidade de uma ação.

REALIDADE OBJETIVA – Aquela que pode ser vista e usada entre os atores; criada por consenso de grupo; um meio de compartilharmos os nossos sentimentos humanos; uma realidade teatral em transformação que surge do consenso de grupo.

REALIDADE TEATRAL – Realidade estabelecida; qualquer realidade que os atores escolham para ser criada; liberdade total para criar uma realidade; dar vida a uma realidade criada; dar espaço a uma realidade criada.

RECORDAR – Memória subjetiva (morta); trazer de volta deliberadamente uma experiência de vida pessoal para atingir uma qualidade emocional ou de personagem; confundido por muitos com atuação; usar experiência passada, invocada propo-sitalmente para um problema atual; é uma abordagem clínica e pode ser nocivo para a realidade teatral e o desprendimento artístico; na seleção espontânea, o intuitivo nos dá as experiências passadas organicamente, como parte de um processo de vida total; pode ser usado por algum diretor como um artifício (quando nada mais resulta) para atingir determinada atmosfera ou qualidade de personagem; trazer de volta uma experiência passada, por meio de manipulação; relacionado com psicodrama. REGRAS DO JOGO – Inclui a estrutura (Onde, Quem, O Quê) e o objeto (Ponto de Concentração), mais o consenso do grupo. RELACIONAMENTO – Contato com atores colegas; jogar; envolvimento mútuo com o objeto; o relacionamento cresce de envolvimento com o objeto; permite aos atores manter a privacidade de seus sentimentos pessoais, enquanto estão jogando; evita intromissões ou interferências. REPRESENTAÇÃO – Fuga (resistência) do Ponto de Concentração escondendo-se num personagem; manipulação subjetiva da forma da arte; uso de personagem ou emoção para evitar contato com a realidade teatral; espelhar-se no outro ator; uma parede entre os atores.

RESPEITO – Reconhecimento do outro, conhecer um ao outro.

RESPOSTA APRENDIDA – Uma reação, ao invés de uma ação; não permite que os atores respondam ao ambiente; impede que os atores explorem e se autodescubram; "Não é esta a maneira de fazer isto!", "Por quê?", "Porque meu professor falou"; uma porta fechada.

RIGIDEZ – Bloqueio; incapacidade para modificar o ponto de vista; incapacidade para ver outro ponto de vista; armado contra contatos com outros; armado contra ideias que não sejam as próprias; medo de contato.

ROTEIRO – Uma estrutura estabelecida, a partir da qual a improvisação é realizada; uma sequência de cenas; uma forma de construir uma peça improvisada; uma série de pulsações/cenas, que devem ser preenchidas pelos atores; uma situação, ou série de situações.

RÓTULOS – Termos que tendem a obscurecer suas origens e bloquear o conhecimento orgânico; o uso de rótulos limita-se a "coisas" e categorias e negligencia relacionamento.

ROUPAGEM SOBREVIVENTE – Comportamentos, maneirismos, vestuário, Q.I., afetações, maquiagem, traços de personalidade, quadros de referência, preconceitos, distorções corporais, oportunismos usados para proteger-nos durante a vida; devem ser vistos como aquilo que são para ficar isentos do processo de aprendizagem; *status.*

SECOND CITY – Um clube de teatro, onde atores profissionais fazem apresentações, baseadas em improvisação.

SELEÇÃO ESPONTÂNEA – Selecionar aquilo que é apropriado para o problema, sem calcular; uma escolha espontânea de alternativas em um momento de crise; como o teatro é uma sucessão de crises, a seleção espontânea deve trabalhar o tempo todo; selecionar a partir da "explosão"; aquilo que é imediatamente útil; trabalho equilibrado do intuitivo e do intelecto; compreensão.

NÃO MOVIMENTO – Uma série de paradas (passos) que criam movimento; um exercício no qual o movimento é desmontado em partes fixas que então são novamente montadas em movimento; um exercício que mostra aos alunos que uma vez que o movimento presente inclui um tempo passado, eles não precisam se fixar no passado; pode ser usado para intensificar o tempo; propicia *insight* para a ação compulsória; ajuda o aluno a ver seu ambiente presente (no palco) e a estabelecer contato consigo mesmo dentro dele.

SENSORIAL – Corpo e mente; ver, ouvir, sentir, pensar, perceber, conhecer, por meio do físico, em oposição ao intuitivo.

SENTIDO DE TEMPO – Capacidade para manipular os múltiplos estímulos que aparecem durante a atividade teatral.

SENTIMENTO – Particular do ator; não é para ser exposto publicamente; sentimento entre os atores no palco deve tornar-se o objeto entre eles; pertence ao equipamento sensorial.

SITUAÇÃO – O Onde, Quem e O Quê e Por Que, que forma a base para a cena; a estrutura (o roteiro) sobre o qual o problema é colocado; a situação não é o problema; se não for compreendido isto, a situação degenera para "interpretação da história".

SOLUÇÃO DE PROBLEMAS – Um sistema para ensinar técnicas de atuação por meio da solução de problemas, em oposição a usar o material intelectualizado e verbalizado; coloca o aluno-ator em ação (fisicaliza); o problema prefigura um resultado; o professor-diretor e o aluno-ator podem estabelecer relacionamento através do problema, em vez de envolver-se um com o outro; na solução do problema está implícito Como atuar; afasta o planejamento prévio; apresenta uma simples operação estrutural (como em um objeto), de forma que qualquer pessoa, com qualquer idade ou formação, pode jogar.

SUBJETIVO – Envolvendo a si mesmo; incapacidade para entrar em contato com o ambiente e deixar que este se mostre; dificuldade para atuar com os outros; defesa que torna difícil compreender como jogar o jogo.

SUGESTÕES DA PLATEIA – Um envolvimento primitivo com a plateia; fazer a plateia tornar-se parte do jogo.

SUPERAÇÃO – O ponto no qual a espontaneidade do aluno aparece para enfrentar uma crise no palco; o momento de deixar de lado as resistências e os quadros de referência estáticos; um momento de ver as coisas de um ponto de vista diferente; um momento de compreensão do Ponto de Concentração; confiança no esquema; o momento de crescimento.

SUPOSIÇÃO – Não é comunicação; é deixar para os colegas atores ou para a plateia o detalhamento de uma generalidade; é deixar que outros façam o trabalho dos atores; é dar significado para algo que um outro ator fez; *Mostre o que você quer dizer!*, *Diga o que você quer dizer!*

TEMA – O fio condutor (vida) que se entrelaça em cada pulsação da peça e unifica todos os elementos durante a sua produção.

TORNAR-SE PLATEIA – Tendência do ator a perder a sua realidade objetiva e fazer julgamento de si mesmo enquanto realiza uma cena; olhar para a plateia para ver se ela "gosta" de seu trabalho; observar os outros colegas atores; ao invés de participar da cena; observar a si mesmo.

TRANSFORMAÇÃO – Criação; quebras momentâneas por causa de isolamento, quando tanto atores quanto a plateia recebem (aaaah!) o aparecimento de uma nova realidade (mágica teatral); improvisação.

VER – Ver (objetivo), em oposição a acreditar (subjetivo); um termo usado em oposição a imaginar ou fingir; "Veja-o!"; parte do equipamento sensorial; ver para poder mostrar; permitir que o público veja, como em um jogo; atuação hábil; olhar; ver o universo fenomenal e vê-lo; ver, em oposição a contemplar; olhar e ver, em oposição a fingir que se vê e, portanto, estar apenas contemplando; "Se você vê, nós (o público) também veremos!"

VER A PALAVRA – A realidade física de consoantes e vogais; a visualização trazida por uma palavra; o contato sensorial com palavras; o desenho e a forma dos sons.

VERBALIZAÇÃO – Atores contando para o público sobre o Onde e os relacionamentos de personagem, em vez de mostrar; professor dando seu conhecimento para os alunos; verbalização excessiva do assunto; sugere egocentrismo e/ou exibicionismo; a verbalização excessiva por parte do aluno-ator é desconfiança quanto a sua capacidade de mostrar; uma máscara; ensinar por meio de palavras, em oposição a permitir que o aluno experimente; ensinar a nadar por meio de verbalização, sem permitir que se pule na água.

VISUALIZAÇÃO (IMAGEM) – O uso deliberado de uma forma existente (animada ou inanimada) para ajudar a criar um personagem ou um momento dramático; invocar estímulos para um personagem ou sentimento, por meio de um artifício exterior ao envolvimento da cena.

Livros de Jogos Recomendados

Todos os livros que seguem abaixo estão publicados por H. T. Fitz Simons Co., de Chicago. O segundo, terceiro e quarto volumes são especialmente úteis no trabalho com crianças até onze anos. Os jogos folclóricos e as canções podem ser facilmente aprendidos pelo professor, e o material é repleto de histórias dramáticas em música e dança. Esses livros foram listados por serem extraídos de material folclórico e apresentados de forma a preservar o espírito da brincadeira.

NEVA L. BOYD e ANNA SPACEK. *Folk of Bohemia and Moravia.*
NEVA L. BOYD e DAGNY PEDERSON. *Folk Games of Dermark.*
______. *Folk Games and Gymnastic Play.*
NEVA L. BOYD. *Handbook of Games.*
______. *Hospital and Bedside Games.*

Os exercícios deste livro não seguem uma escala progressiva uniforme, para eliminar problemas individuais. Os exercícios são cumulativos e, quando usados simultaneamente, irão solucionar os problemas acima mencionados antes que eles apareçam. Em resumo, as habilidades, as técnicas e a espontaneidade necessárias ao teatro serão adquiridas rapidamente e para sempre quando os alunos atuarem organicamente.

TEATRO NA COLEÇÃO ESTUDOS

João Caetano
Décio de Almeida Prado (E011)

Mestres do Teatro I
John Gassner (E036)

Mestres do Teatro II
John Gassner (E048)

Artaud e o Teatro
Alain Virmaux (E058)

Improvisação para o Teatro
Viola Spolin (E062)

Jogo, Teatro & Pensamento
Richard Courtney (E076)

Teatro: Leste & Oeste
Leonard C. Pronko (E080)

Uma Atriz: Cacilda Becker
Nanci Fernandes e Maria T. Vargas (orgs.) (E086)

TBC: Crônica de um Sonho
Alberto Guzik (E090)

Os Processos Criativos de Robert Wilson
Luiz Roberto Galizia (E091)

Nelson Rodrigues: Dramaturgia e Encenações
Sábato Magaldi (E098)

José de Alencar e o Teatro
João Roberto Faria (E100)

Sobre o Trabalho do Ator
M. Meiches e S. Fernandes (E103)

Arthur de Azevedo: A Palavra e o Riso
Antônio Martins (E107)

O Texto no Teatro
Sábato Magaldi (E111)

Teatro da Militância
Silvana Garcia (E113)

Brecht: Um Jogo de Aprendizagem
Ingrid D. Koudela (E117)

O Ator no Século XX
Odette Aslan (E119)

Zeami: Cena e Pensamento No
Sakae M. Giroux (E122)

Um Teatro da Mulher
Elza Cunha de Vincenzo (E127)

Concerto Barroco às Óperas do Judeu
Francisco Maciel Silveira (E131)

Os Teatros Bunraku e Kabuki: Uma Visada Barroca
Darci Kusano (E133)

O Teatro Realista no Brasil: 1855-1865
João Roberto Faria (E136)

Antunes Filho e a Dimensão Utópica
Sebastião Milaré (E140)

O Truque e a Alma
Ângelo Maria Ripellino (E145)

A Procura da Lucidez em Artaud
Vera Lúcia Felício (E148)

Memória e Invenção: Gerald Thomas em Cena
Sílvia Fernandes (E149)

O Inspetor Geral *de Gógol/Meyerhold*
Arlete Cavaliere (E151)

O Teatro de Heiner Muller
Ruth C. de O. Röhl (E152)

Falando de Shakespeare
Barbara Heliodora (E155)

Moderna Dramaturgia Brasileira
Sábato Magaldi (E159)

Work in Progress na Cena Contemporânea
Renato Cohen (E162)

Stanislávski, Meierhold e Cia
J. Guinsburg (E170)

Apresentação do Teatro Brasileiro Moderno
Décio de Almeida Prado (E172)

Da Cena em Cena
J. Guinsburg (E175)

O Ator Compositor
Matteo Bonfitto (E177)

Ruggero Jacobbi
Berenice Raulino (E182)

Papel do Corpo no Corpo do Ator
Sônia Machado Azevedo (E184)

O Teatro em Progresso
Décio de Almeida Prado (E185)

Édipo em Tebas
Bernard Knox (E186)

Depois do Espetáculo
Sábato Magaldi (E192)

Em Busca da Brasilidade
Claudia Braga (E194)

A Análise dos Espetáculos
Patrice Pavis (E196)

As Máscaras Mutáveis do Buda Dourado
Mark Olsen (E207)

Crítica da Razão Teatral
Alessandra Vannucci (E211)

Caos e Dramaturgia
Rubens Rewald (E213)

Para Ler o Teatro
Anne Ubersfeld (E217)

Entre o Mediterrâneo e o Atlântico
Maria Lúcia de Souza B. Pupo (E220)

Yukio Mishima: O Homem de Teatro e de Cinema
Darci Kusano (E225)

O Teatro da Natureza
Marta Metzler (E226)

Margem e Centro
Ana Lúcia V. de Andrade (E227)

Ibsen e o Novo Sujeito da Modernidade
Tereza Menezes (E229)

Teatro Sempre
Sábato Magaldi (E232)

O Ator como Xamã
Gilberto Icle (E233)

A Terra de Cinzas e Diamantes
Eugênio Barba (E235)

A Ostra e a Pérola
Adriana Dantas de Mariz (E237)

A Crítica de um Teatro Crítico
Rosângela Patriota (E240)

O Teatro no Cruzamento de Culturas
Patrice Pavis (E247)

Eisenstein Ultrateatral: Movimento Expressivo e Montagem de Atrações na Teoria do Espetáculo de Serguei Eisenstein
Vanessa Teixeira de Oliveira (E249)

Teatro em Foco
Sábato Magaldi (E252)

A Arte do Ator entre os Séculos XVI *e* XVIII
Ana Portich (E254)

O Teatro no Século XVIII
Renata S. Junqueira e Maria Gloria C. Mazzi (orgs.) (E256)

A Gargalhada de Ulisses
Cleise Furtado Mendes (E258)

Dramaturgia da Memória no Teatro-Dança
Lícia Maria Morais Sánchez (E259)

A Cena em Ensaios
Béatrice Picon-Vallin (E260)

Teatro da Morte
Tadeusz Kantor (E262)

Escritura Política no Texto Teatral
Hans-Thies Lehmann (E263)

Na Cena do Dr. Dapertutto
Maria lhais (E267)

A Cinética do Invisível
Matteo Bonfitto (E268)

Luigi Pirandello:
Um Teatro para Marta Abba
Martha Ribeiro (E275)

Teatralidades Contemporâneas
Sílvia Fernandes (E277)

Conversas sobre a Formação do Ator
Jacques Lassalle e Jean-Loup Rivière (E278)

A Encenação Contemporânea
Patrice Pavis (E279)

As Redes dos Oprimidos
Tristan Castro-Pozo (E283)

O Espaço da Tragédia
Gilson Motta (E290)

A Cena Contaminada
José Tonezzi (E291)

A Gênese da Vertigem
Antônio Araújo (E294)

A *Fragmentação da Personagem no Texto Teatral*
Maria Lúcia Levy Candeias (E297)

Alquimistas do Palco: Os Laboratórios Teatrais na Europa
Mirella Schino (E299)

Palavras Praticadas: O Percurso Artístico de Jerzy Grotowski, 1959-1974
Tatiana Motta Lima (E300)

Persona Performática: Alteridade e Experiência na Obra de Renato Cohen
Ana Goldenstein Carvalhaes (E301)

Como Parar de Atuar
Harold Guskin (E303)

Metalinguagem e Teatro: A Obra de Jorge Andrade
Catarina Sant Anna (E304)

Ensaios de um Percurso
Esther Priszkulnik (E306)

Função Estética da Luz
Roberto Gill Camargo (E307)

Poética de "Sem Lugar"
Gisela Dória (E311)

Entre o Ator e o Performer
Matteo Bonfitto (E316)

A Missão Italiana: Histórias de uma Geração de Diretores Italianos no Brasil
Alessandra Vannucci (E318)

Além dos Limites: Teoria e Prática do Teatro
Josette Féral (E319)

Ritmo e Dinâmica no Espetáculo Teatral
Jacyan Castilho (E320)

A *Voz Articulada Pelo Coração*
Meran Vargens (E321)

Beckett e a Implosão da Cena
Luiz Marfuz (E322)

Teorias da Recepção
Cláudio Cajaiba (E323)

A *Dança e Agit-Prop*
Eugenia Casini Ropa (E329)

Teatro Hip-Hop
Roberta Estrela DAlva (E333)

Alegoria em Jogo: A Encenação Como Prática Pedagógica
Joaquim C.M. Gama (E335)

Jorge Andrade: Um Dramaturgo no Espaço-Tempo
Carlos Antônio Rahal (E336)

Campo Feito de Sonhos: Os Teatros do Sesi
Sônia Machado de Azevedo (E339)

Os Miseráveis Entram em Cena: Brasil, 1950-1970
Marina de Oliveira (E341

Teatro: A Redescoberta do Estilo e Outros Escritos
Michel Saint-Denis (E343)

Isto Não É um Ator
Melissa Ferreira (E344)

Autoescrituras Performativas: Do Diário à Cena
Janaina Fontes Leite (E351)

Este livro foi impresso na cidade de São Bernardo do Campo,
nas oficinas da Paym Gráfica e Editora,
para a Editora Perspectiva.